W9-AQC-618

l'Orient de

Saladin

l'art des Ayyoubides

l'Orient de Saladin
l'art des Ayyoubides

Exposition présentée
à l'Institut du monde arabe, Paris
du 23 octobre 2001 au 10 mars 2002

CATALOGUE

Direction éditoriale IMA
Éric Delpont, assisté d'AurélieFauret et Yannis Koïkas

Suivi éditorial Gallimard
Giovanna Citi-Hebey, Isabelle Sauvage,
assistée de Nicolas Kiritzé-Topor,
sous la direction de Jean-Loup Champion

Conception graphique Gallimard
Isabelle Flamigni et Anne Lagarrigue,
sous la direction de Jacques Maillot

Fabrication Gallimard
Sandrine Michel,
sous la direction de Christian Delval

Attachée de presse Gallimard
Brigitte Benderitter,
assistée de Françoise Issaurat

Cartographie, plans et dessins
Hélène David,
Caroline Florimond, (relevé du plateau du Louvre [cat. 120]),
Jean-Luc Arnaud (plans des villes de Damas, Alep et Le Caire,
texte de J.-Cl. Garcin)

Traductions
Jeanne Bouniort (anglais),

Sophie Makariou et Gabriel Martinez-Gros
(anglais, texte de Stefano Carboni « Art et politique pendant
la période ayyoubide »),

Reinold Werner
(allemand, notices du Museum für Islamische Kunst de Berlin),

Mendez (allemand, texte de Stefan Knost, « L'architecture militaire
ayyoubide en Syrie et en Égypte),

Antoine Jockey (arabe)

Les éditeurs tiennent à remercier Nathalie Chauvin,
Marie-Paule Jaffrennou, Guillaume Lagandré,
Laurence Peydro, Philippe Rollet, Patrizia Tardito,
pour l'aide précieuse apportée tout au long
de la préparation de ce catalogue.

Illustrations de la couverture :
1er plat :
Chandelier signé al-Hâjj Ismâ'îl et Muhammad ibn Futtûh al-Mawsilî,
détail (cat. 124). Le Caire, musée d'Art islamique. Photo Philippe Maillard.
4e plat :
Tesson aux trois lièvres (cat. 111). Le Caire, musée d'Art islamique. Photo Philippe Maillard.

Comité d'organisation

Cette exposition est conçue et réalisée par l'Institut du monde arabe, avec le concours du ministère de la Culture et de la Direction générale des Antiquités et des musées de la République arabe syrienne, ainsi que du ministère de la Culture et du Conseil supérieur des Antiquités de la République arabe d'Égypte.

INSTITUT DU MONDE ARABE

Camille Cabana, Président

Nasser El Ansary, Directeur général

Commissairiat général
Brahim Alaoui, Directeur du département Musée et Expositions

Commissariat scientifique
Sophie Makariou, Conservateur, section Islam, département des Antiquités orientales, musée du Louvre

Commissariat IMA
Noha Hosni Maillard, assistée d'Aurélie Fauret

Comité scientifique
Annabelle Collinet, Assistante de conservation, section Islam, musée du Louvre

Anne-Marie Eddé, Directeur de recherche, CNRS-IRHT

Françoise Micheau, Professeur d'Histoire, Université de Paris I

Stefano Carboni, Conservateur, Department of Islamic Art, The Metropolitan Museum of Art, New York

Jean-Claude Garcin, Professeur émérite d'Histoire et de civilisation de l'Islam médiéval, Université de Provence, Aix-Marseille I

Alastair Northedge, Maître de conférence, Art et archéologie islamique, Université de Paris I

Georges Tate, Directeur scientifique adjoint, département des Sciences de l'Homme et de la Société, CNRS

Scénographie
Vincen Cornu, architecte DPLG

Direction administrative et financière
Bernard d'Aste, Octavie Gros

Communication
Philippe Cardinal, Frédéric Plumas

Bâtiment et sécurité
Alain Kronenberg

Régie des espaces
Jalal Alami El-Idrissi

Secrétariat
Arlette Bodin, Marie-Flore Nemecek

Remerciements

Les commissaires tiennent à remercier tous ceux qui, par leurs conseils ou par leur concours ont rendu cette exposition possible ; les membres du comité scientifique, et en particulier Françoise Micheau, chargée de la lourde tâche de l'unification des transcriptions, ainsi que Stefano Carboni, dont l'appui bienveillant et les avis éclairés nous ont été d'un grand secours.
Nous tenons à exprimer notre vive reconnaissance à tous les prêteurs, publics ou privés, et ceux qui leur sont associés pour le traitement des prêts.

Les objets marqués d'un astérisque (*) à côté du numéro ne sont pas présentés à l'exposition.

ALLEMAGNE

Berlin

Museum für Islamische Kunst
V. Enderlein, Jens Kröger, Almut von Gladiss, Anja Bernhardt

Munich

Bayerische Staatsbibliothek
Ulrich Montag, Margot Attenkofer

BELGIQUE

Bruxelles

Musées royaux d'Art et d'Histoire
M. F. Van Noten, Eliane de Wilde, Mieke Van Raemdonck, Alexandra De Poorter

DANEMARK

Copenhague

David collection
Kjeld von Folsach

ÉGYPTE

Conseil supérieur des Antiquités
Dr Gaballah Ali Gaballah, secrétaire général,
Adel Mokhtar, président du secteur des musées,
Ibrahim Abdel Guélil, directeur général des expositions extérieures

Le Caire

Musée d'Art islamique
Farouk Asker, Rifaat Abdel Azim

ÉTATS-UNIS

Boston

Museum of Fine Arts
Malcolm Rogers, Christopher Atkins, Kim Pashko, Pamela Hatchfield

Cleveland

Cleveland Museum of Art
Robert P. Bergman, Katharine Lee Reid, Diane de Grazia, Mary E. Suzor, Joanne Fenn

New York

The Metropolitan Museum of Art
M. Philippe de Montebello
Department of Islamic Art
Daniel Walker, Stefano Carboni, Marceline McKee, Frances Redding Wallace

Corning Museum of Glass
David Whitehouse, Brandy L. Harold

Washington

Smithsonian Institution, Freer Gallery of Art, Arthur M. Sackler Gallery
Thomas W. Lentz, Bruce Young, Massumeh Farhad, Rebecca L. Barber, Jill Thomas-Clarck

FRANCE

Boulogne-sur-Mer

Bibliothèque Municipale
Benoît Tuleu

Chartres

Musée des Beaux-Arts
Hervé Joubeaux

Paris

Bibliothèque nationale de France
M. Jean-Pierre Angremy, de l'Académie française
Cabinet des médailles
Michel Amandry
Service des expositions
Hélène Fauré, Catherine Goeres

Musée Jacquemart-André
Nicolas Sainte Fare Garnot, Violaine Courtin

Musée du Louvre
MM. Pierre Rosenberg et Henri Loyrette,
Département des Antiquités orientales
Annie Caubet
Section Islam
Marthe Bernus-Taylor, Annabelle Collinet, Annick Leclerc, Delphine Miroudot, Christine Gayraud, Rachelle de Suza

Union centrale des Arts décoratifs, Musée des Arts décoratifs
Mme Hélène David-Weill, Béatrice Salmon, Évelyne Possémé, Dominique Régnier

Rouen

Musée des Antiquités
Geneviève Sennequier, Nathalie Foy

GRÈCE

Athènes

Musée Benaki

Angelos Delivorrias, Anna Ballian, Mina Moraitou

ITALIE

Naples

Museo e Gallerie Nazionali di Capodimonte

Nicola Spinosa, Stefano de Caro

Vatican

Biblioteca Apostolica Vaticana

M. Francesco Buranelli, Don Raffaele Farina

Venise

Archivio di Stato

Paolo Selmi

LIECHTENSTEIN

Vaduz

Furussiyya Arts Foundation

Rifaat Sheikh El-Ard, Bashir Mohamed

PORTUGAL

Lisbonne

Fondation Calouste Gulbenkian

João Castel-Branco Pereira, Pedro Tamen, Maria Queiroz Ribeiro

QATAR

Doha

National Council for Culture, Arts and Heritage

S.A. Sheikh Saud bin Muhammad bin Ali al-Thani, Dr Isa Beydoun, M. Zyad

ROYAUME-UNI

Ham

Keir Collection

MM. Edmond et Richard de Unger

Londres

British Museum

Venetia Porter, Sheila Canby, Steve Drury-Thurgood, David Ward, Cecile Bresc, Joe Cribb

Nasser D. Khalili Collection of Islamic Art

Dr Khalili, Nahla Nassar

Oxford

Ashmolean Museum, University of Oxford,

Christopher Brown, Geraldine Glynn, James Allan

Bodleian Library, University of Oxford

Colin Wakefield, Dana Josephson, Lesley Forbes

RUSSIE

Moscou

Musée de l'Ermitage

Dr Mikhail Piotrovski, Anatoli Alexei Ivanov, Olga Ilmenkova

Saint-Pétersbourg

Saint-Petersburg Branch of the Institute of Oriental Studies of the Russian Academy of Sciences

Dr Petrosyan, E. I. Kychanov, Efim Rezvan

SYRIE

Damas

Direction Générale des Antiquités et des Musées

Dr Abd al-Razzaq Moaz

Musée national

Bassan Jamous, Mona Muazzin

Que Mme Agnès Boulart et M. Jean-Paul Croisier soient assurés de notre gratitude.

Nous tenons également à remercier pour leur concours Agnès Conin, Chahdyat Clôt, Georgette Cornu, Marie-Christine David, Myriam Ferrier, Anne Gautier, Guillermina Joel, Delphine Miroudot, Laure Soustiel, Karim Beddek, François Déroche, Oleg Grabar, et nos collègues Catherine Metzger (AGER, musée du Louvre), pour son aide, et Elizabeth Taburet-Delahaye (département des Objets d'art, musée du Louvre), pour les indications précieuses qu'elle a fournies sur l'orfèvrerie gothique, ainsi que, au service photographique de la Réunion des musées nationaux, Philippe Couton. Nous remercions aussi pour leur aide Sylvain Fourcassié et Philippe Georgeais à l'ambassade de France à Damas ; Nicolas Galey et Nadine Sauneron à l'ambassade de France au Caire. Enfin, que tous ceux qui ne sont pas nommés ici, parce que leur modestie l'interdit, reçoivent l'assurance de notre profonde gratitude; si par mégarde notre mémoire est défaillante, que ceux qui auraient été oubliés veuillent bien nous pardonner.

NOHA HOSNI-MAILLARD
ET SOPHIE MAKARIOU

Préfaces

Les Ayyoubides doivent d'abord leur prestige aux réalisations du fondateur de la dynastie, Salâh al-Dîn Yûsuf ibn Ayyûb, le célèbre Saladin des historiens occidentaux, considéré unanimement comme l'un des plus grands souverains de l'histoire de l'Islam. Ce combattant de la foi, rude guerrier mais fin tacticien, intransigeant avec les siens et avec lui-même mais magnanime à l'égard des gens du Livre, est en effet entré de son vivant dans la légende pour avoir remporté sur les croisés, en 1187, la bataille décisive de Hattîn et reconquis la Ville sainte, Jérusalem, dans la foulée. Auparavant, il avait réussi à réunir les conditions de cette victoire en rétablissant l'unité de l'Égypte et de la Syrie, ce qui n'aura pas seulement des répercussions militaires immédiates, mais aussi des conséquences profondes et durables sur les plans économique et religieux.

Ces deux immenses réalisations, les successeurs de Saladin sauront en tirer profit malgré leurs dissensions, d'autant plus qu'une longue période d'accalmie suivra la disparition du grand homme en 1193. L'intensification des échanges entre l'Orient et l'Occident, à travers un territoire allant de la Libye au Yémen et du Soudan à la Haute-Mésopotamie, permettra désormais à l'État de renflouer ses finances et à la population de reprendre et de développer ses activités productives traditionnelles. L'Égypte redeviendra ainsi l'un des principaux centres du commerce international. La vigoureuse politique religieuse de Saladin, visant l'unité morale de l'Islam, n'en sera pas moins poursuivie, et même affermie, comme en témoignent jusqu'à nos jours les très nombreuses fondations pieuses laissées par les Ayyoubides, et notamment les écoles.

L'exposition organisée par l'Institut du monde arabe, à laquelle ce catalogue offre un supplément d'une haute tenue intellectuelle, se propose de faire connaître au public le plus large cette période charnière si riche en péripéties. À travers des œuvres d'art dont la qualité et la diversité ne manqueront pas de ravir les visiteurs, nous espérons qu'elle sera aussi perçue, par-delà les confrontations d'hier, comme un vibrant appel au dialogue et à la compréhension mutuelle.

Nasser El Ansary
Directeur général de l'Institut du monde arabe

Saladin est né à Takrît, une petite ville des bords du Tigre, au nord de Bagdad – sur le territoire de l'antique Mésopotamie ou de l'Iraq moderne –, au temps du calife abbasside al-Muktafî. Originaire du Kurdistân arménien, sa famille, à une époque où alliances et allégeances se font et se défont à bon train, avait été au service des princes seljoukides avant de passer à celui de Nûr al-Dîn, monarque zenguide régnant à Damas. C'est pour le compte de ce dernier que Saladin conquiert l'Égypte – mettant un point final au califat fatimide et aux ambitions chiites au Proche-Orient –, avant de se rendre maître, à la mort de Nûr al-Dîn, de la Syrie et du Nord de l'Iraq. Saladin soumet ensuite d'immenses territoires qui comprennent la majeure partie de la péninsule Arabique, Yémen compris, et s'étendent, au sud et à l'ouest, jusqu'aux confins du Soudan et de la Tunisie.

Le prodigieux destin de Salâh al-Dîn Yûsuf ibn Ayyûb, et son parcours épique, constituent de la sorte un abrégé de l'Histoire et de la géographie de cette partie du monde et portent en filigrane le symbole de l'Orient tout entier.

Il était naturel que l'Institut du monde arabe vînt à s'intéresser à ce personnage hors du commun, à ses œuvres comme à son siècle. C'est que Saladin, pour occuper, dans l'imaginaire oriental, la place du monarque par excellence, a su s'imposer aussi à la mémoire de l'Occident. Des chroniqueurs des croisades aux poètes romantiques, en passant par les encyclopédistes, de Dante à Walter Scott, en passant par Lessing : l'Europe littéraire s'est toujours fait l'écho de la gloire de ce sultan magnifique.

Nul mieux que lui, dès lors, dont l'image resplendit à la croisée des chemins de l'Orient et de l'Occident, ne pouvait convenir à l'institution qui est la nôtre. Mais, sans doute, convenait-il également de préciser quelque peu la personnalité réelle de ce chef de guerre ambitieux, homme de science et poète à ses heures, monarque généreux et fondateur de dynastie.

L'exposition, en effet, couvre toute la période entière des règnes de Saladin (1171-1193) et des Ayyoubides, souverains issus de sa parentèle, jusqu'au milieu du XIIIe siècle. Après avoir sonné le glas des espérances latines en Orient, Saladin léguera à ses successeurs un véritable empire. Si ceux-ci ne purent le conserver dans son intégrité, ils surent, à tout le moins, continuer à le faire resplendir. Car se sont bien Le Caire, Damas, Alep qui, en ce siècle des Ayyoubides, portent haut l'étendard d'un islam dont la vocation universelle et la grandeur s'illustrent par des avancées culturelles et des achèvements exemplaires.

C'est à ce moment privilégié de l'Histoire que l'Institut du monde arabe se réjouit de convier son public, illustré d'objets et de pièces issus d'une quarantaine de collections, tant publiques que privées, originaires du Moyen-Orient et d'Europe, témoignant de l'excellence des techniques de l'époque.

CAMILLE CABANA
Président de l'Institut du monde arabe

Sommaire

Les notices du catalogue ont été rédigées par : Sophie Makariou (S. M.) ; Anna Ballian (A. B.) ; Cécile Bresc (C. B.) ; Sheila Canby (Sh. C.) ; Stefano Carboni (S. C.) ; Annabelle Collinet (A. C.) ; Georgette Cornu (G. C.) ; François Déroche (F. D.) ; Anne-Marie Eddé (A.-M. E.) ; Aurélie Fauret (A. F.) ; Almut von Gladiss (A. von G.) ; Alaya Lester (A. L.) ; Delphine Miroudot (D. M.) ; Mina Moraitou (M. M.) ; Mona Muazzin (Mo. M.) ; Nahla Nassar (N. N.) ; Venetia Porter (V. P.) ; Mieke Van Raemdonck (M. Van R.) ; Efim Rezvan (E. R.) ; Chris Verhecken-Lammens (C. V.-L.).

Introduction
L'orient de Saladin

SOPHIE MAKARIOU

Bien souvent le cadre dynastique, surimposé à la production artistique d'une période, n'offre qu'une cotte mal taillée. La question se pose singulièrement pour l'exposition présentée par l'Institut du monde arabe : « L'Orient de Saladin. L'art des Ayyoubides. » Ce titre évoque pour les Occidentaux une figure des croisades presque mythique, un adversaire paré de toutes les vertus de la chevalerie. Si le personnage est héroïsé dans l'Orient contemporain, sa « fortune critique » n'y fut pas toujours aussi glorieuse. L'historien Ibn al-Athir a laissé du souverain, on le sait, un portrait où perce une certaine réserve. Mais l'exposition ne vise pas seulement à évoquer la figure de Saladin – le projet eut alors été tout autre – mais plutôt à traiter de l'art des « Ayyoubides », la dynastie qui, à la suite de son fondateur, unifie les vastes territoires du Proche-Orient arabe.

Un temps, une dynastie, un espace donc. Les limites chronologiques choisies ne vont pas elles-mêmes sans quelque difficulté. À Hama, une branche de la dynastie ayyoubide se maintient jusqu'en 1340 ; les souverains y commanditent des métaux d'une facture identique à ceux produits, à la même période, sous le régime des sultans mamlouks, maîtres de l'Égypte et de la Syrie. Les Ayyoubides de Hama ne sont pas évoqués dans l'exposition présentée à l'Institut du monde arabe, pas plus que la branche de la famille dominant le Yémen jusqu'à l'avènement des Rasulides (1229), dont nous ne savons, matériellement, à peu près rien. Or si l'on appelle « ayyoubide » les objets réalisés uniquement pour les souverains de la maison d'Ayyûb (le père de Saladin) aucune unité artistique ne s'en dégage comme nous le rappelle l'exemple des objets de Hama.

Plutôt que l'art ayyoubide, c'est l'art au temps des Ayyoubides, qu'il soit de commande ou non, que nous nous proposons de faire découvrir au public. C'est-à-dire l'art du Proche-Orient arabe sous le règne du fondateur de la dynastie et de ses successeurs jusqu'à l'avènement des Mamlouks dans la sphère syro-égyptienne (1250).

Le cadre géographique lui-même mérite quelques éclaircissements : de quel Orient s'agit-il ? Si c'est la domination politique qu'il convient de prendre en compte, Mossoul, en Haute-Mésopotamie, reste en dehors de notre champ ; une branche de la dynastie zenguide contrôle la région alors que les Ayyoubides sont implantés dans l'espace syrien. Pourtant bien des objets en métal réalisés pour des souverains ayyoubides conservent des signatures d'artistes mossouliens (al-Mawsilî) et l'exclusion devient alors difficile sans la justifier ; or il semble bien qu'on puisse l'expliquer en l'abordant autrement. Les historiens de l'art – et parmi eux les plus éminents comme D. S. Rice – ont depuis longtemps postulé qu'une « migration » d'artistes accompagne l'émergence d'un nouveau pouvoir unificateur en Syrie et en Égypte : les artistes de Mossoul auraient suivi le pouvoir dans son implantation « syrienne » comme ils le feront par la suite, par un effet d'attraction, dans son séjour cairote. De nombreux objets l'attestent, pour ce qui est de cette dernière étape, à la période mamlouke. Pour l'implantation syrienne sous le règne des sultans ayyoubides, les indices sont plus ténus mais ils existent ; les inscriptions de deux objets (cat. 123) indiquent leur fabrication à Damas par des artistes mossouliens, comme le souligne A. Collinet. L'un de ces objets est destiné au dernier sultan ayyoubide régnant conjointement sur l'Égypte et sur la Syrie, avant l'avènement des Mamlouks. Cela n'indique pas que Mossoul ait cessé de fournir toute dinanderie aux princes ayyoubides et à leur entourage, mais sans doute ces dinandiers n'étaient-ils pas exclusivement au service des sultans de Syrie et d'Égypte et répondaient-ils à d'autres commandes, de Bagdad par exemple, où le califat abbasside connaissait alors un regain de vigueur.

L'espace ayyoubide est également difficilement cernable au nord. On peut s'étonner de voir figurer nombre de céramiques traditionnellement attribué à Raqqa, site essentiel et dont on connaît si mal l'histoire. Raqqa, si l'on s'en tient à la version canonique, est la capitale de la Jezireh, dont l'espace géographique est vaste et politiquement morcelé. Si nous avions inclus la Jezireh dans notre champ, il aurait fallu introduire également d'autres dynasties – en dehors du fait que la Jezireh constitue en elle-même un sujet de recherches. Cependant Raqqa est plus précisément la capitale du Diyâr Mudar, province administrative de Jezireh, arrosée par l'Euphrate, son affluent le Balikh et le cours inférieur du Khâbûr. Sous le règne des souverains hamdanides (seconde moitié du Xe siècle), elle est intégrée à l'émirat d'Alep[1]. C'est, *au sein de la Jezireh*, une zone de frontière, celle-ci toujours située pour la période qui nous intéresse, outre Raqqa. Le Diyâr Mudar est enfin une *qasaba* (province) importante pour les Ayyoubides, donnée en apanage par Saladin à son neveu. Sous le règne d'al-Kâmil (1218-1238), cette province de choix dans l'espace ayyoubide sera intégrée au gouvernorat de son fils al-Sâlih Ayyûb.

On s'étonnera de ne pas voir présentés ici de manuscrits à peintures (en dehors justement d'un manuscrit syriaque de Mossoul, présenté pour évoquer les sources d'une singulière iconographie chrétienne qui se développe alors sur les métaux incrustés). L'art du livre arabe nous renvoie cependant, en ce début du XIIIe siècle, à des centres de production proprement irakiens... et à Mossoul. Peu de manuscrits, à part quelques exemples fameux des bibliothèques d'Istanbul[2] ou de Paris[3], sont attribués de façon convaincante à la Syrie. Mais Françoise Micheau nous rappelle que les lettres arabes, si elles se maintiennent à un niveau honorable, ne brillent pas de tous leurs feux.

D'autres traits de la représentation du pouvoir dans l'islam classique déclinent durant cette période. Le palais, en tant que construction autonome tend à disparaître, et à se replier dans la citadelle. Conséquence d'une époque de troubles ? Sans aucun doute, mais l'explication n'est pas suffisante. Les souverains ayyoubides se servent essentiellement d'autres drapeaux pour manifester une légitimité qui ne leur est pas acquise d'emblée[4] ; leur premier titre de gloire est l'éradication du chiisme, qui passe par l'éviction du califat fatimide[5] et de ses traces matérielles et spirituelles, ainsi que par la lutte contre les « Assassins » (voir ici l'article de Fr. Micheau et de A.-M. Eddé) ; la lutte acharnée contre tous les mouvements considérés comme hétérodoxes fait peser quelques ombres sur la dynastie, en particulier sous le règne de Saladin la mise à mort du grand mystique Suhrawardî, chantre d'une philosophie illuminative que le calife abbasside al-Nâsir, aux sympathies chiites, avait soutenu.

Mais le mythe fondateur de la dynastie s'incarne quoi qu'il en soit en Saladin, personnage controversé : il est *mujâhid*, combattant de la guerre sainte, *murâbit*, combattant aux frontières, « ennemi des adorateurs de la croix » comme le rappelle une inscription du rempart d'Alexandrie (cat. 211). Et c'est là le principal titre de gloire de la dynastie. En effet, au milieu de l'agitation politique endogène que connaît le Proche-

Orient, l'arrivée des Francs en 1099 lors de la première croisade — si elle ne représenta pas comme un esprit moderne le pense un cataclysme immédiatement ressenti — finit par devenir la cause emblématique des souverains de l'aire syro-égyptienne (G. Tate). Certes Saladin ne fut pas celui qui initia contre les Francs le *jihâd*, mais à son nom reste associée la brillante victoire de Hattîn, le 4 juillet 1187, qui devait voir, à terme, le retour de Jérusalem dans le giron de l'islam. L'image d'austérité, assez travaillée, du personnage de Saladin mérite sans doute d'être nuancée[6]. Mais il apparaît comme l'instigateur d'une unification durable et ardemment souhaitée de la Syrie et de l'Égypte. Ce mouvement ce sont les Mamlouks qui le parachèveront.

Le bilan politique des Ayyoubides est complexe, et le moment apparaît comme une charnière historique et culturelle. L'art connaît alors de brillants développements : outre les techniques du métal incrusté déjà évoquées, c'est une apothéose pour les arts du feu. La technique du verre doré puis émaillé apparaît probablement dans le dernier quart du XIIe siècle, comme nous le rappelle ici Stefano Carboni ; quelques objets portent des inscriptions pour des sultans qui ne sont pas nommés, de sorte qu'il est difficile d'évaluer le rôle de la commande officielle dans l'éclosion de cette technique révolutionnaire. Un seul objet (cat. 206) porte explicitement le nom d'un sultan de la dynastie.

La céramique connaît elle aussi des réussites éblouissantes où se mêlent les avancées technologiques et la fantaisie décorative des potiers fatimides avec la riche iconographie d'un style « de cour » international servie par une palette enrichie d'un rouge à la cuisson périlleuse (S. Makariou et A. Northedge). Les rapprochements avec la céramique alors produite en Iran sont frappants. Les techniques de la céramique islamique atteignent ici des sommets qui n'auront qu'un faible écho dans la production mamlouke.

Il est bien souvent impossible de préciser si les objets ayyoubides servent l'apparat du souverain ou les caprices d'une clientèle de marchands et de « notables ». Avec la nature du pouvoir changent les signes de sa représentation. L'austérité des constructions, *madrasas*, mosquées et ouvrages militaires, les « villes en travaux », ainsi que l'expose ici J.-Cl. Garcin, évoquent sans doute mieux que toute autre chose l'image que tient à renvoyer Saladin, et à sa suite quelques grands souverains comme al-Kâmil. Le ton sera radicalement différent lorsque les Ayyoubides auront quitté la scène.

L'art de la période ayyoubide apparaît comme le produit d'une heureuse synthèse entre, d'une part, des apports mésopotamiens et même iraniens, et de l'autre, des éléments du passé fatimide et de ses développements syriens. Cette mise en commun d'éléments issus d'horizons si divers compose un art à l'iconographie sophistiquée, pleinement maître de techniques audacieuses dont l'élégance et la saveur reconnaissables alimenteront longtemps en Occident l'image d'un Orient luxueux et raffiné.

1. M. Meinecke, « Rakka », *E.I.²*, t. VIII, 1995, p. 424.
2. Ettinghausen, 1962, p. 67-79, Istanbul, TPKS 2127 et 3206.
3. Ettinghausen, 1962, p. 62-63, Paris, BNF, département des Manuscrits orientaux, Ms. arabes 6094 et 3465. Les manuscrits parisiens sont présentés à la BNF dans le cadre de l'exposition « L'Art du livre arabe ».
4. Pour l'octroi du titre officiel de « sultan » par le calife de Bagdad, nous renvoyons à M. Van Berchem, *C.I.A.*, *Egypte*, *II*, p. 300 ; il semble que le titre officiel ait été très largement porté par les Ayyoubides à partir du règne d'al-Kâmil (1218-1238).
5. Sur l'art de cette dynastie, une exposition s'était tenue à l'Institut du monde arabe en 1998 : *Trésors fatimides du Caire*, Paris, 1998.
6. Voir J. M. Mouton, *Saladin*, Gallimard, Paris, 2001.

La dynastie ayyoubide

Saladin et la dynastie des Ayyoubides

ANNE-MARIE EDDÉ
ET FRANÇOISE MICHEAU

Les Kurdes au Moyen Âge

BORIS JAMES

Art et politique pendant la période ayyoubide

STEFANO CARBONI

Les monnaies des Ayyoubides

CÉCILE BRESC

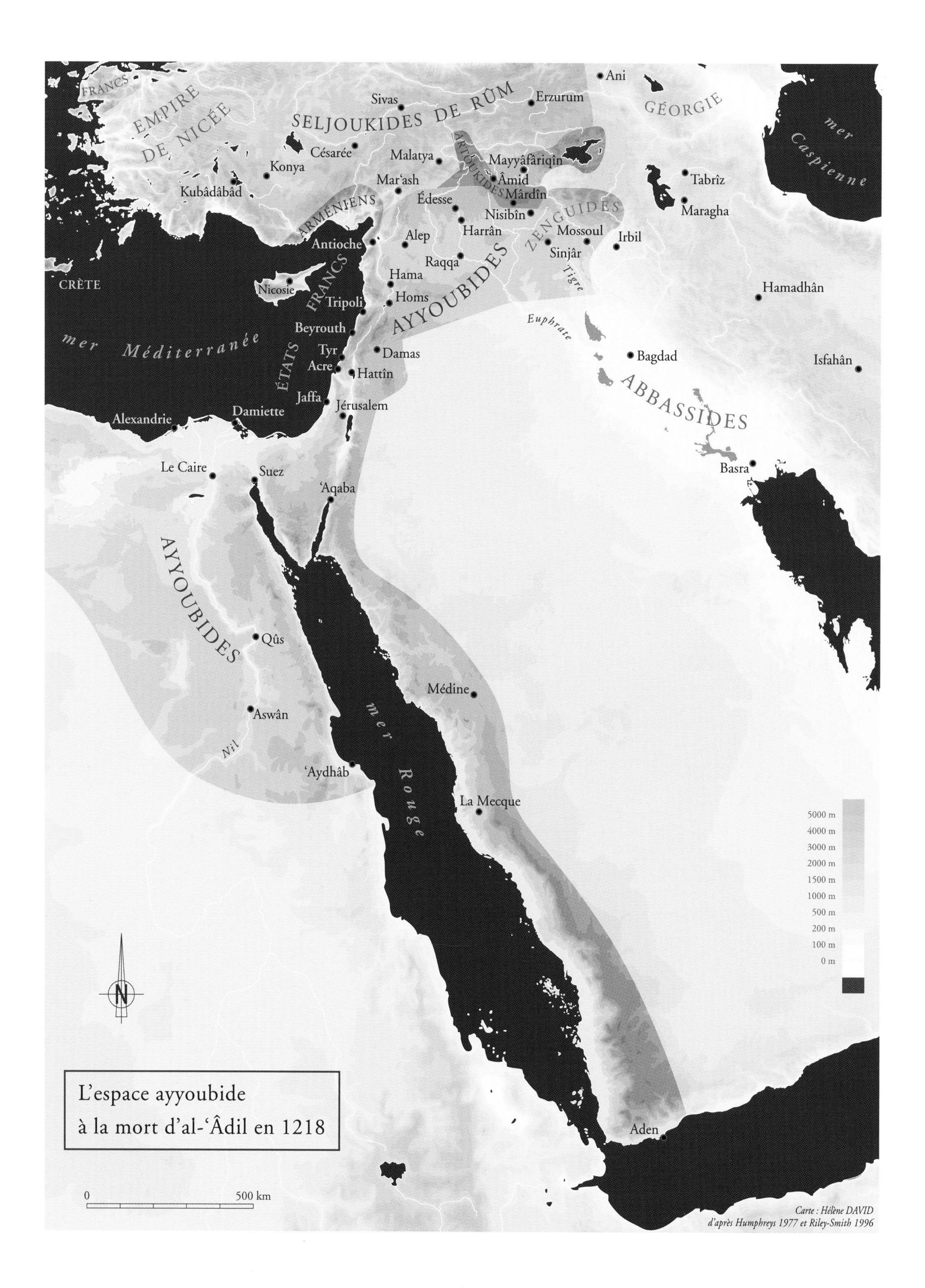

L'espace ayyoubide à la mort d'al-'Âdil en 1218.

Saladin et la dynastie des Ayyoubides

ANNE-MARIE EDDÉ ET FRANÇOISE MICHEAU

Les Ayyoubides, qui régnèrent sur une large partie du Proche-Orient arabe de 1174 à 1260, tirent leur nom d'Ayyûb, un chef militaire d'origine kurde comme il en existait beaucoup dans cet Orient du XIIe siècle où Turcs et Kurdes formaient le gros des armées. Mais c'est à son fils Saladin qu'appartient la gloire d'avoir créé cette nouvelle dynastie.

Saladin, un lieutenant kurde devenu maître de l'Égypte

Saladin – contraction de l'arabe Salâh al-Dîn – naquit en 1138 à Takrît : Ayyûb, son père, était alors le gouverneur militaire de cette forteresse de Haute-Mésopotamie où vivait une population mêlée, musulmane et chrétienne. Peu après, toute la famille passa en Syrie pour se mettre au service du prince Zangî, puis de son fils Nûr al-Dîn (1146-1174). Or, la situation dramatique de l'Égypte offrit à Shîrkûh, l'oncle de Saladin, devenu le commandant en chef des armées de Nûr al-Dîn, une occasion exceptionnelle d'intervention militaire et d'ascension politique. En effet, les Fatimides, ces califes d'obédience chiite ismaïlienne qui régnaient au Caire depuis 969, avaient beaucoup perdu de leur prestige et de leur puissance face aux agissements des vizirs et de l'armée. Une course pour la possession de l'Égypte s'engagea, à partir de 1164, entre Nûr al-Dîn et Amaury, le roi franc de Jérusalem. Shîrkûh, envoyé à trois reprises en expédition au prétexte de soutenir un vizir destitué et de résister à Amaury, sut jouer de son prestige militaire et de sa popularité pour se faire nommer vizir le 13 janvier 1169. Lorsqu'il mourut, deux mois plus tard, son neveu Saladin qui l'avait accompagné – à contrecœur, dit-on –, fut désigné par l'armée de Syrie commandant en chef, et nouveau vizir. Un puissant parti se développa au Caire, qui voyait en lui le restaurateur du sunnisme et d'une Égypte forte sur le plan économique et politique. Aussi, lorsque mourut le dernier calife fatimide le 13 septembre 1171, Saladin, qui avait fait rétablir dans les grandes mosquées du Caire l'invocation sunnite au calife abbasside de Bagdad, resta seul maître du pays tout en reconnaissant la suzeraineté de Nûr al-Dîn.

Les conquêtes de Saladin et la formation de l'espace ayyoubide

Saladin, plutôt que de mettre immédiatement les potentialités de l'Égypte au service de la lutte contre les Francs, estima prioritaire de restaurer l'économie du pays et de contrôler les routes du grand commerce : dès 1172, il organisa une expédition punitive contre les Nubiens restés pro-fatimides, afin de garder le contrôle de l'arrivée de

Le port et la vieille ville d'Acre.
Photo P. Wysocki/ Explorer.

l'or, de l'ivoire et des esclaves en provenance du Soudan. Les années suivantes, il occupait la côte méditerranéenne, d'Alexandrie jusqu'aux confins de l'actuelle Tunisie, s'assurant ainsi l'approvisionnement en bois d'Afrique du Nord. Enfin, en 1174, il envoya son frère aîné Tûrânshâh occuper le Yémen, et veilla par la suite à maintenir ouverte et sûre la navigation en mer Rouge.

Lorsque Nûr al-Dîn mourut le 11 mai 1174, il laissait un fils âgé de onze ans qui fut installé à Alep. Saladin n'avait aucun droit sur les possessions de Syrie, mais, fort de sa position en Égypte, il se posa en héritier de la politique d'unification territoriale et de restauration religieuse mise en œuvre par Nûr al-Dîn. Ainsi, dès octobre 1174, les élites de Damas lui remettaient le gouvernement de la cité, et peu après il soumettait Hama, Homs et Baalbek. En revanche, il rencontra de fortes oppositions en Syrie du Nord et en Haute-Mésopotamie où le légitimisme zenguide était fort. Il lui fallut dix ans de guerre et de négociations pour obtenir la reddition d'Alep, après un

Bas-relief figurant un lion trouvé au cours des fouilles de la citadelle de Sadr, seconde moitié du XIIe siècle. Photo Jean-Michel Mouton.

Cénotaphe (restauré) de Saladin à l'intérieur du tombeau érigé près de la mosquée des Umayyades à Damas.
Photo Gérard Degeorge.

dernier siège en 1183. Quant à Mossoul, il ne réussit pas à en déloger le prince zenguide qui, néanmoins, accepta en 1186 de reconnaître sa suzeraineté et de lui fournir un contingent armé pour lutter contre les Francs. En effet, dès l'année suivante, Saladin engagea un combat décisif contre le royaume de Jérusalem (voir *infra* « Les Ayyoubides et les Francs »). Après la victoire de Hattîn, le 4 juillet 1187, il conquit les principales villes du royaume, Tibériade, Nazareth, Sidon, Beyrouth, Ramla, Gaza, Hébron, Acre, et finalement Jérusalem, le 2 octobre 1187. S'il échoua ensuite devant Tyr, dont il se retira le 1er janvier 1188, et ne put empêcher les armées de la troisième croisade de reprendre Acre et Ramla, il n'en avait pas moins réussi à redonner au monde musulman une large partie de la Palestine. La formation de ce vaste espace que contrôlaient Saladin et les siens, depuis la Cyrénaïque et le Yémen jusqu'aux confins de l'Arménie et aux rives du Tigre, s'appuya sur une conception du pouvoir, une organisation administrative et une armée largement héritées des dynasties antérieures.

L'organisation de l'État ayyoubide

Les origines et les débuts de la carrière de Saladin expliquent, en grande partie, l'influence profonde qu'exercèrent les traditions fatimides, seljoukides et zenguides sur l'organisation de l'État ayyoubide. Le pouvoir se concevait de façon hiérarchique avec, au sommet de la pyramide, le calife sunnite, chef spirituel qui reconnaissait et légitimait l'autorité du souverain, lequel à son tour déléguait une partie de son pouvoir militaire et administratif à des princes de sa famille, à des émirs et à des administrateurs. Même si les chroniqueurs le qualifient volontiers de sultan, Saladin ne porta jamais officiellement ce titre que les califes sunnites décernaient aux grands sultans d'Iran et d'Iraq depuis le milieu du XIe siècle. Ainsi ne le voit-on jamais apparaître sur ses inscriptions ou sur ses monnaies. Ce n'est qu'à partir des premières années du XIIIe siècle, lorsque la dynastie des Seljoukides d'Orient eut disparu, que les souverains ayyoubides se l'approprièrent en le faisant figurer dans leur titulature. Toutefois, ce titre ne fut reconnu officiellement au souverain ayyoubide d'Égypte par le calife qu'en 1245, et les premières monnaies sur lesquelles il fut inscrit ne sont pas antérieures à 1249. C'est dire les limites imposées au souverain ayyoubide, perçu sur son territoire comme le seul représentant de l'autorité suprême, par un calife inquiet de voir se constituer une rivalité politique trop forte.

Dans l'État ayyoubide, comme dans le reste du monde musulman, le pouvoir du souverain reposait avant tout sur l'armée et l'administration. Saladin reprit, dans ce domaine, les usages de ses prédécesseurs : une armée fondée sur le système de l'*iqtâ'* (concession de prélèvements fiscaux accordée aux émirs) et composée de différentes ethnies, avec une nette prédominance des Turcs et des Kurdes ; une administration organisée en bureaux (*dîwâns*) et dirigée par des administrateurs qui, à l'époque de Saladin, étaient souvent d'anciens serviteurs de la dynastie fatimide, l'un des meilleurs exemples étant sans doute celui du cadi al-Fâdil qui travailla dans les bureaux de l'armée et de la chancellerie fatimides avant de mettre ses grands talents de rédacteur au service de Saladin.

Le système familial ayyoubide

De son vivant Saladin avait prévu un partage de ses possessions entre ses proches, reprenant une pratique familiale de l'exercice du pouvoir mise en œuvre, avant lui, par les Turcs seljoukides et zenguides : son fils aîné, al-Afdal, reçut Damas ; ses autres fils, al-Zâhir et al-'Azîz, respectivement Alep et Le Caire ; son frère, al-'Âdil, la Haute-Mésopotamie et une partie de la Transjordanie avec Kérak ; tandis que son autre frère, Tughtakîn, était gouverneur du Yémen, et que des collatéraux possédaient les cités de Homs, Hama et Baalbek. Mais, lorsqu'il mourut à Damas, le 3 mars 1193, son frère al-'Âdil mit tout en œuvre pour exclure la descendance directe de Saladin à son profit et à celui de ses propres fils (ce qui explique que la dynastie ait pris le nom d'Ayyûb, l'ancêtre commun). Il commença par éliminer al-Afdal de Damas en s'alliant à al-'Azîz, puis, après la mort de celui-ci, en 1199, il réussit à s'emparer du pouvoir au Caire et à imposer ses fils dans les différentes provinces. Seule la principauté d'Alep resta aux mains d'al-Zâhir, puis de ses descendants, et garda de ce fait une réelle autonomie.

L'espace ayyoubide, loin d'être unifié, se composait donc d'un ensemble de principautés. Chacune était organisée autour d'une ville et des districts qui en relevaient ; elle était indépendante, gouvernée par un souverain (*malik*) qui reconnaissait néanmoins la suzeraineté du chef de la famille ayyoubide régnant au Caire : al-'Âdil de 1200 à 1218, puis son fils al-Kâmil de 1218 à 1238, et enfin le fils de celui-ci, al-Sâlih Ayyûb, de 1240 à 1249. L'Égypte, pays de tradition fortement centralisée, ne fut

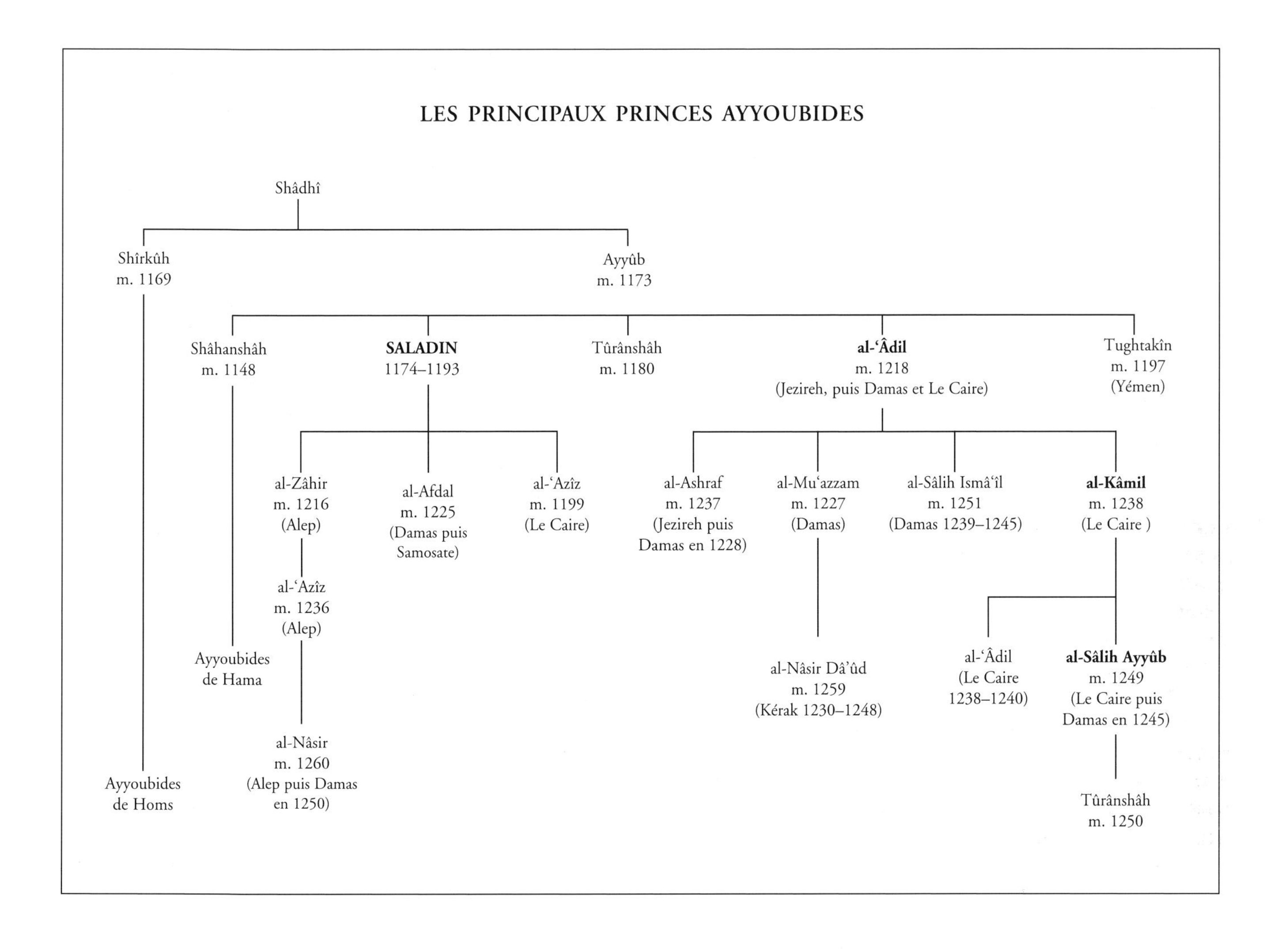
LES PRINCIPAUX PRINCES AYYOUBIDES
Shâdhî
Shîrkûh
m. 1169
Ayyûb
m. 1173
Shâhanshâh
m. 1148
SALADIN
1174–1193
Tûrânshâh
m. 1180
al-'Âdil
m. 1218
(Jezireh, puis Damas et Le Caire)
Tughtakîn
m. 1197
(Yémen)
al-Zâhir
m. 1216
(Alep)
al-Afdal
m. 1225
(Damas puis
Samosate)
al-'Azîz
m. 1199
(Le Caire)
al-Ashraf
m. 1237
(Jezireh puis
Damas en 1228)
al-Mu'azzam
m. 1227
(Damas)
al-Sâlih Ismâ'îl
m. 1251
(Damas 1239–1245)
al-Kâmil
m. 1238
(Le Caire)
al-'Azîz
m. 1236
(Alep)
Ayyoubides
de Hama
al-Nâsir Dâ'ûd
m. 1259
(Kérak 1230–1248)
al-'Âdil
(Le Caire
1238–1240)
al-Sâlih Ayyûb
m. 1249
(Le Caire puis
Damas en 1245)
al-Nâsir
m. 1260
(Alep puis Damas
en 1250)
Ayyoubides
de Homs
Tûrânshâh
m. 1250

Détail d'un chandelier aux scènes chrétiennes : la Cène ou les Noces de Cana,
Syrie, vers 1230, signé par Dâwud Ibn Salâma al-Mawsilî **(cat. 99)**
Photo Laurent-Sully Jaulmes/Paris, musée des Arts décoratifs.

jamais partagée, et devint, plus encore que sous les Fatimides, la région la plus puissante et la plus riche du Proche-Orient arabe. Ce système de gouvernement appelait la solidarité familiale, et, de fait, on vit à plusieurs reprises les princes ayyoubides placer l'intérêt commun au-dessus de leurs intérêts particuliers. C'est ainsi qu'al-Mu'azzam, maître de Damas, et al-Ashraf, maître de la Haute-Mésopotamie, accoururent à l'appel de leur frère al-Kâmil pour repousser la cinquième croisade, dont les troupes avaient pris Damiette en 1219, et emportèrent la victoire d'al-Mansûra en 1221. Mais l'histoire des Ayyoubides apparaît surtout comme un enchevêtrement d'intrigues familiales, de rivalités politiques, d'hostilités ouvertes qui, à terme, entraînèrent la ruine de la dynastie.

Cet éclatement politique en principautés autonomes et rivales s'accompagnait d'une grande diversité des populations.

La diversité des populations

La société des États ayyoubides, comme bien d'autres sociétés des pays d'Islam à cette époque, était composée d'une mosaïque de communautés où se côtoyaient des hommes et des femmes d'origine ethnique, d'appartenance religieuse et de statut juridique très divers. On y croisait des Arabes, nomades des steppes ou sédentaires, souvent mélangés, depuis des temps anciens, aux populations locales syriennes et égyptiennes. Parmi eux, les Ashrâf, descendants de la famille du Prophète, jouissaient d'un prestige particulier. La poésie, la langue arabe, l'histoire étaient depuis longtemps leur domaine privilégié, mais certains, les bédouins en particulier, prêtaient leur concours militaire, en cas de besoin, à l'armée régulière. Arrivés dans le sillage des Seljoukides, dès la fin du XIe siècle, les Iraniens et les Kurdes étaient nombreux dans les milieux juridico-religieux, notamment chafiites, ainsi que dans l'armée. En Syrie du Nord, c'est sous l'influence des Iraniens que se développèrent, dans la première moitié du XIIe siècle, les premiers établissements pour soufis, sous le regard, de prime abord inquiet, des Alépins. Contrairement à ce que l'on pourrait penser, l'arrivée de Saladin au pouvoir n'entraîna aucun raz-de-marée kurde. Au XIIIe siècle, même s'ils occupèrent encore des postes importants au sein du gouvernement et de l'armée, les Kurdes ne formaient plus dans l'armée qu'une minorité face aux Turcs recrutés en grand nombre par les souverains ayyoubides. Ces Turcs, essentiellement des militaires, étaient soit des esclaves (mamlouks) acheminés d'Asie centrale, vendus aux émirs et aux sultans afin d'être islamisés, formés au métier de la guerre puis affranchis, soit des hommes libres, issus de l'immigration qui accompagna l'expansion seljoukide dès la seconde moitié du XIe siècle. À leurs côtés, dans l'armée, quoique en moins grand nombre, on trouvait aussi des noirs africains et même des Arméniens convertis à l'islam. De la partie occidentale du monde musulman, arrivaient des Maghrébins et des Andalous. Leur installation en Égypte ou en Syrie se faisait souvent à l'occasion de leur pèlerinage vers La Mecque et, au XIIIe siècle, cette immigration connut un nouvel essor du fait de l'accélération de la reconquête chrétienne dans la péninsule Ibérique. Principaux représentants de l'école malékite en Orient, ces « Occidentaux » jouèrent un rôle important dans le domaine des études coraniques et de la langue arabe.

Façade de la madrasa construite par al-Sâlih Najm al-Dîn Ayyûb
au Caire en 1242, sur l'emplacement de l'un des deux palais fatimides.
Photo Philippe Maillard.

La diversité religieuse n'était pas moins grande que la diversité géographique ou ethnique. Certes, le chiisme sortait très affaibli de la période précédente qui avait vu la chute de la dynastie fatimide ismaïlienne du Caire et l'inversion du rapport de forces entre sunnites et chiites duodécimains en Syrie du Nord. La politique résolument sunnite des Seljoukides, puis des Zenguides, avait porté ses fruits. Toutefois les communautés chiites ne disparurent pas pour autant et continuèrent de jouer un rôle social et intellectuel, en particulier à Alep où le souverain al-Zâhir Ghâzî (1193-1216), fils de Saladin, s'entourait volontiers de personnalités connues pour leurs tendances « chiisantes ». Quant aux chiites ismaïliens extrémistes, les fameux Assassins, fortement implantés dans les massifs montagneux à l'ouest de l'Oronte, ils changèrent de politique sous le règne de Saladin. Après avoir tenté à deux reprises, mais en vain, de l'assassiner, ils semblent avoir observé une trêve, qui se transforma au début du XIIIe siècle en une véritable alliance. Cette relative « tolérance » des souverains ayyoubides à l'égard du chiisme ne doit pas faire oublier, toutefois, le soin que mit Saladin à lutter contre toute forme d'hérésie au sein de l'islam, ainsi qu'en témoigne la mise à mort, en 1191, du philosophe et mystique iranien al-Suhrawardî, accusé par les ulémas alépins de croyances et de pratiques hérétiques.

Enfin, la situation des non-musulmans, les *dhimmîs*, demeura fluctuante sous le règne de Saladin et de ses successeurs. D'importantes communautés de chrétiens, et dans une moindre mesure de juifs, vivaient encore en Égypte, en Syrie et en Haute-Mésopotamie. Dès le début de son règne, Saladin avait remis en vigueur les mesures distinctives auxquelles ils étaient, en théorie, soumis. Dans le même temps, il veilla à réprimer tout débordement et toute exaction commis à leur égard. Plusieurs autres indices témoignent en faveur d'un relatif bon traitement des *dhimmîs* sous son règne, telle la décision du célèbre savant juif Maïmonide, originaire d'Andalousie, qui, après avoir fui les persécutions almohades en Occident, choisit de s'établir en Égypte ; telles aussi les mesures prises par Saladin au lendemain de la reconquête de Jérusalem, en 1187, qui maintinrent les communautés chrétiennes orientales dans la ville et permirent le retour des juifs ; telles, enfin, la vitalité de l'Église copte et l'importance des secrétaires chrétiens dans l'administration égyptienne, que l'on retrouve encore sous ses successeurs. La situation, toutefois, se fit de plus en plus tendue, vers la fin de la période ayyoubide, en particulier en Égypte, annonçant le durcissement des dirigeants mamlouks à l'encontre des communautés non musulmanes.

Les Ayyoubides et les autres pouvoirs musulmans du Proche-Orient

Quelle que fût la puissance des Ayyoubides au temps de Saladin et des sultans al-'Âdil et al-Kâmil, deux autres grands pouvoirs exerçaient leur emprise dans le monde musulman proche-oriental : les califes abbassides de Bagdad et les sultans seljoukides de Rûm.

Le centre symbolique des pays d'Islam, du *dâr al-Islâm*, restait à Bagdad où régnaient les califes abbassides qui avaient pris le pouvoir en 750. Après une période d'étroite subordination aux sultans seljoukides, suite à l'entrée de Tughril Beg à Bagdad en 1055, les califes avaient réussi, tout au long du XIIe siècle, à retrouver un peu de leur autorité d'antan. Face à un nouveau pouvoir acquis par la force militaire – car telle était bien l'origine du pouvoir des Ayyoubides –, le calife s'affirmait comme seule source de légitimité. Et Saladin l'entendait bien ainsi : dès 1171, il restaura la référence, symboliquement forte, au calife abbasside de Bagdad dans les prêches de la mosquée et sur les inscriptions des monnaies. En retour, le calife lui accorda, en 1175, l'investiture sur les territoires d'Égypte et de Syrie, conquis ou à conquérir. Malgré ce partage apparemment harmonieux entre le détenteur de la force et l'instance de légitimation, les relations entre Saladin et le grand calife de l'heure, al-Nâsir (1180-1225), furent souvent tendues : le calife craignait que la puissance grandissante de Saladin s'étendît en Iraq à son propre détriment ; de son côté, le vainqueur de Hattîn éprouvait bien de l'amertume face à un calife peu empressé à lui venir en aide financièrement et militairement dans le *jihâd* qu'il menait contre les Francs. Les successeurs ayyoubides de Saladin, que leurs divisions rendaient beaucoup moins menaçants pour Bagdad, continuèrent à solliciter, et à obtenir, l'investiture officielle du calife, signe que les principautés ayyoubides relevaient de l'islam sunnite, dont le calife restait le chef symbolique.

Au nord, l'Asie Mineure était, depuis le XIIe siècle, dominée par les Turcs seljoukides de Rûm, qui avaient réussi, à partir de leur capitale Konya, à s'étendre progressivement aux dépens des autres principautés turques et de l'Empire byzantin. Poursuivant leur politique d'expansion, ils intervinrent en Syrie du Nord et en Haute-Mésopotamie, menant un jeu complexe dans une région extrêmement fractionnée : royaume chrétien de Petite Arménie, principauté franque d'Antioche, petites principautés zenguides (Mossoul et Sinjâr) et artoukides (Mârdîn et Âmid), territoire proprement ayyoubide, lui-même partagé entre les princes d'Alep et de Jezireh, tour à tour alliés et rivaux. Si la campagne de 1218 menée par le sultan Kaykâ'ûs contre Alep se solda par un échec en raison d'une provisoire solidarité des princes du Caire, d'Alep et de Haute-Mésopotamie, le grand sultan Kayqubâdh (1221-1237) multiplia les incursions et réussit à prendre possession de quelques cités et forteresses entre Tigre et Euphrate, notamment Akhlât en 1229. Néanmoins, les rivalités entre Ayyoubides et Seljoukides pour la possession de cette région stratégique, par où passaient les caravanes joignant la Mésopotamie au rivage méditerranéen et à l'Anatolie, cédèrent parfois devant les menaces extérieures, comme en 1230 lorsque al-Kâmil et Kayqubâdh s'allièrent contre les Khwârizmiens. Car l'invasion de ce peuple venu de l'est, suivi de peu par les Mongols, devait totalement bouleverser la situation politique et entraîner, à brève échéance, le déclin des Seljoukides de Rûm et la chute des Ayyoubides.

La chute des Ayyoubides

Trois quarts de siècle après sa fondation, la dynastie ayyoubide disparut d'Égypte et, quelque dix années plus tard, de Syrie. Une existence brève, pour une civilisation qui laissa des traces profondes non seulement dans la culture, l'art et l'architecture, mais aussi dans les mentalités populaires : Saladin, redécouvert à la fin du XIXe siècle, est devenu au sein du monde arabe la figure emblématique de la résistance au monde occidental et à la colonisation sous toutes ses formes. Sur le plan historique, les causes du déclin, puis de la chute, de la dynastie furent multiples. Jusqu'à la mort d'al-Kâmil, neveu de Saladin, en 1238, le sultan d'Égypte arriva à imposer la plupart du temps sa suzeraineté au reste de la famille ayyoubide. L'unité se reconstituait provisoirement face aux menaces extérieures, croisées en particulier. Toutefois, les rivalités familiales étaient déjà nombreuses, et le conflit qui opposa le sultan al-Kâmil à son frère al-Mu'azzam de Damas, de 1221 à 1227, fut directement à l'origine des négociations menées entre le sultan d'Égypte et l'empereur Frédéric II et de la redistribution des territoires ayyoubides qui renforça le pouvoir d'al-Kâmil. Après 1238, les querelles se transformèrent en divisions profondes entre les trois grands centres du pouvoir ayyoubide, Le Caire, Damas et Alep, sans que l'un des souverains n'arrivât à imposer véritablement son autorité aux autres, provoquant ainsi de multiples alliances contre-nature soit avec les Francs, soit avec les Khwârizmiens, ces mercenaires turcs venus d'Asie centrale, dont les pillages laissèrent de très mauvais souvenirs aux populations syriennes.

À ces rivalités familiales s'ajoutèrent des divisions au sein de l'armée entre contingents kurdes et turcs, et souvent entre les Turcs eux-mêmes. En maintenant le caractère hétérogène de leurs troupes, les souverains ayyoubides s'exposaient à les voir s'affronter. D'un autre côté, le sultan al-Nâsir Ayyûb d'Égypte (1240-1249), qui préféra recruter en masse des esclaves turcs, prépara le terrain de la révolution mamlouke. Tant qu'il fut en vie, il réussit à imposer son autorité, mais, une fois mort, ses troupes se soulevèrent contre son fils, l'assassinèrent et fondèrent, en 1250, une nouvelle dynastie, celle des Mamlouks. Cela ne fit qu'accroître le fossé qui existait déjà entre l'Égypte, désormais mamlouke, et la Syrie restée fidèle au dernier Ayyoubide, al-Nâsir Yûsuf, sultan d'Alep puis de Damas (1236-1260).

Toute alliance entre ces deux pouvoirs se révéla impossible face aux menaces extérieures. Le danger venait moins désormais des Francs, eux-mêmes très affaiblis, que des Mongols, à qui rien ni personne ne semblait pouvoir résister. Ceux-ci prirent Bagdad en 1258 et, dans un bain de sang, mirent fin à un califat abbasside vieux de plus de cinq siècles. Alep tomba à son tour en 1260 et fut en grande partie détruite ; Homs, Hama et Damas se rendirent. Al-Nâsir Yûsuf fut emmené prisonnier à Tabrîz, à la cour de Hulagu, et exécuté quelques semaines plus tard lorsque les Mongols apprirent leur défaite face aux Mamlouks à la bataille de 'Ayn Jalût (3 septembre 1260), en Galilée. Les Mamlouks triomphants s'emparèrent alors de toute la Syrie et ne tolérèrent une présence ayyoubide que dans la ville de Hama, jusqu'en 1342, en raison de son absolue docilité. À Hisn Kayfâ, en Haute-Mésopotamie, une autre branche de la famille ayyoubide survécut aussi jusqu'au XVe siècle sous la forme d'une petite seigneurie locale qui n'eut plus, cependant, qu'un très lointain rapport avec la dynastie fondée par Saladin.

Les Kurdes au Moyen Âge

BORIS JAMES

On s'accorde pour définir les Kurdes comme un peuple iranien d'origine médo-scythe ayant reçu des apports ethniques variés, locaux et extérieurs. Quelle image avait-on des Kurdes au Moyen Âge ?

Les chroniques arabes constituent nos principales sources aux XIIe et XIIIe siècles. C'est par elles que nous savons si tel village est peuplé de Kurdes, et si tel autre est peuplé de Turcs. À l'instar d'al-Mas'ûdî et d'Ibn Hawqal (Xe siècle), les auteurs arabes nous renseignent sur les tribus kurdes et sur leur lieu d'habitation. Pour désigner le territoire primitif des Kurdes, les sources utilisent les termes de *bilâd al-Akrad* (pays des Kurdes) ou de *Kurdistân* dont la première mention apparaît au XIIe siècle, après que San'jar (m. 1157), le dernier grand Seljoukide, l'eût constitué en province de l'Empire. Cette région se situe dans la chaîne du Zagros et les montagnes au nord de Mossoul, depuis Hamadhân jusqu'au lac de Van.

Ya'qûbî (IXe siècle) emploie le mot : *'ajam* (ceux qui ne parlent pas arabe) pour désigner aussi bien les Kurdes que les autres peuples iraniens. Tabarî (début Xe siècle) définit les Kurdes comme « des nomades de l'Iran ». Les Kurdes n'ont pas de littérature écrite au XIIe siècle, ce qui rend plus difficile la connaissance de leur langue. Pour en parler, les auteurs arabes qui ont tendance à confondre les Persans et les Kurdes, emploient les mots *'ajamiyya, fârisiyya* (langue non arabe, langue persane), ce qui pourrait aussi bien désigner l'ensemble des idiomes iraniens.

Aux XIIe et XIIIe siècles, on sait aussi des Kurdes qu'ils ont créé, au Xe siècle, des dynasties locales (Marwânides, Hasanwayhides, Rawândites d'Azerbaydjân), toujours d'origine tribale, et qu'ils constituent des tribus guerrières qui dérangent les pouvoirs centraux. Une confédération de tribus est alors très connue, les Hadhbânî (ou Hezanî en kurde) parce qu'elle est à l'origine de plusieurs dynasties, comme les Rawândites du Xe siècle, et les Ayyoubides. Ce n'est que sous la dynastie des Zenguides que les Hadhbânî ont étendu leur rayon d'action. Jusqu'ici cantonnés au Kurdistân historique, à l'Arménie et à l'Azerbaydjân, ils se sont déplacés, comme les autres tribus kurdes, vers l'Iraq et la Syrie.

Si les auteurs arrivent à donner une présentation globale à peu près correcte des Kurdes, il se révèle parfois difficile d'identifier les personnages isolés. Qui est Kurde ? Les auteurs de biographies ont pour principe d'attribuer aux personnages qu'ils enregistrent, une *nisba* (nom de relation) indiquant son origine ethnique ou géographique. On reconnaît donc que tel personnage est kurde lorsqu'il porte la *nisba* : al-Kurdî (le Kurde). Mais on constate que tous ceux dont on sait par ailleurs qu'ils sont kurdes ne la portent pas systématiquement. Certaines *nisbas* renseignent sur l'origine tribale des individus (al-Hakkârî, al-Humaydî, al-Qaymarî). D'autres enfin indiquent des origines géographiques : al-Sinjârî (de Sinjâr), al-Irbilî (d'Irbil), mais elles sont plus incertaines, car elles peuvent indiquer une implantation secondaire de la famille en région kurde.

Nos connaissances sur l'identité kurde au Moyen Âge restent lacunaires.

Art et politique pendant la période ayyoubide

STEFANO CARBONI

Ce bref essai vise à évaluer le rôle plus ou moins grand de la commande du souverain et de son entourage dans les réalisations artistiques de la période ayyoubide en Égypte et en Syrie. Ce rôle fut essentiellement favorisé par l'effort des Ayyoubides pour légitimer leur domination sur une population très majoritairement arabe (les Ayyoubides étaient d'origine kurde), et par le rétablissement d'un islam orthodoxe sunnite après la défaite et l'effondrement du califat chiite ismaïlien des Fatimides.

L'urbanisme, l'architecture et les commandes de mobilier qui y furent associées peuvent évidemment relever d'un « patronage » du souverain et peuvent être considérés, de ce point de vue, comme l'expression artistique volontariste du nouveau pouvoir. Le pouvoir ayyoubide tenait plus d'une confédération de principautés quasi indépendantes, autour de grandes villes, que d'un sultanat unifié. Cependant on peut reconnaître aux sultans ayyoubides le mérite d'un effort soutenu pour faire tout à la foismontre de leur « puissance » et de leur « piété » [1].

Les villes syriennes, et surtout Alep, ont subi de profondes transformations avec la création de citadelles et de forteresses (*qala'a*) aussi solides que visibles, qui renfermaient et défendaient le palais royal. Le Caire, la cité fondée par les Fatimides en 969, joua un rôle particulier, surtout sous Saladin, dans l'effort ayyoubide de faire table rase du passé immédiat. Son urbanisme et son étendue exceptionnelle auraient cependant requis un programme de construction massif et ambitieux que seuls les Mamlouks furent en mesure de mettre en œuvre aux XIVe et XVe siècles. À Alep, la citadelle était reliée par un passage souterrain au *dâr al-'Adl* (Cour de justice) situé en dehors de l'enceinte, ce qui garantissait que les affaires légales fussent directement traitées par le souverain, favorisant une perception du système judiciaire moins controversée et plus accessible à la population. La citadelle d'Alep, avec son entrée monumentale et sévère, et son mur d'enceinte, demeure le plus remarquable exemple de l'existence d'une forteresse palatiale, centre inaccessible du pouvoir.

Ce repli à l'intérieur de la citadelle ne signifie toutefois pas que le pouvoir ait entendu gouverner en instance recluse et intouchable, à la manière des empereurs byzantins ou des premiers califes de l'islam. Par exemple, le choix que firent les souverains et leur famille de noms arabes et musulmans [2] – de Najm al-Dîn à Salâh al-Dîn ou al-'Azîz – plutôt que kurdes, ainsi que leur arabisation réelle, sont des indices de leur souci de se concilier la large majorité de leurs sujets arabes et sunnites. On peut interpréter ainsi leur absence d'ostentation, la disparition de la frappe de monnaie d'or, en particulier sous le règne de Saladin (1174-1193), tout comme leur réticence à assumer le titre de sultan, auquel ils préférèrent celui de *malik* (cat. 211), suivi d'une série de qualificatifs relatifs au bon gouvernement et à la défense de l'orthodoxie. En outre, les sources ne se font l'écho d'aucun cérémonial d'envergure, que ce soit à la cour ou lors des grandes célébrations religieuses [3]. Ceci peut expliquer l'absence de *tirâz* (tissus à bandes d'inscription), dont le tissage relevait d'une prérogative largement califale. Réalisés dans des ateliers sous contrôle d'État, ils servaient à vêtir la cour et aux largesses du souverain.

La religion comptait parmi les principales préoccupations du mécénat architectural ayyoubide ; non seulement celui des princes et de leur famille, mais encore celui des officiers de la cour et des grandes maisons, dont certaines de penchants chiites. La prolifération de *madrasas*, écoles coraniques, dominées surtout par les rites hanafite et chaféite, de *khânqâ* (lieux de retraite soufis, bénéficiaires privilégiés du mécénat féminin) et de mausolées, finit par intégrer la dynastie et son entourage dans le dense tissu de la cité médiévale qui s'étendait au pied de la citadelle. Cette frénésie de construction s'explique probablement par l'ambition de s'approprier ces institutions religieuses tant dans leur matérialité que comme témoin du rejet d'un passé chiite encore récent. Le *waqf* (pluriel : *awqâf*, dotation pieuse inaliénable) connut une remarquable diffusion à l'époque ayyoubide, non seulement comme auparavant afin de « capitaliser » la fortune et de préserver le statut social d'une famille, mais en tant qu'instrument du pouvoir ; Nûr al-Dîn, prince zenguide d'Alep (1146-1174) [4] et grand défenseur du sunnisme dès avant l'avènement des Ayyoubides, fut le premier à prélever des fonds sur le Trésor, qu'il convertit en *awqâf*, pour

Minbar commandé par le Zenguide Nûr al-Dîn pour la mosquée al-Aqsa à Jérusalem et mis en place par Saladin.
Photo Zev Radovan, Jérusalem.

Porte du palais d'al-'Azîz,
petit-fils de Saladin, dans la citadelle d'Alep, 1228.
Photo Annick Neveux-Leclerc.

Détail du mihrab
en assemblage de bois de la *madrasa* al-Hallawiyya à Alep, 1245.
Photo Annick Neveux-Leclerc.

mener à bien de nouvelles constructions religieuses. Les Ayyoubides poursuivirent de bon gré cette pratique, perpétuant ainsi leurs biens et illustrant leur piété.

Nous avons esquissé jusqu'ici l'arrière-plan idéologique qui éclaire la façon dont les Ayyoubides se sont mis en scène dans l'espace urbain. Ce qui nous reste d'architecture ne donne ni une impression d'opulence, ni de richesse de matériaux, de couleurs, mais au contraire une impression de sobriété, d'austérité et de sévérité. Cela n'étonnera guère dans une période d'affrontements renouvelés avec les croisés, un peu comme si les Ayyoubides s'étaient inspirés des forteresses franques, et se mesuraient à elles, comme le faisaient leurs armées. Cette architecture foncièrement défensive et ces institutions religieuses de petite taille visaient à restaurer peu à peu les enseignements du sunnisme – après deux siècles de domination fatimide chiite – dans un climat de spiritualité et de simplicité. Ceci suffit à expliquer l'absence de façade élaborée, de mihrab ostentatoire et de riche mobilier. Signalons encore l'austérité des matériaux de construction, en particulier en Syrie une pierre d'un gris blanchâtre qui ne réclame pas de revêtement de couleur ni d'ornement complexe, à la différence des constructions de brique. Les voussoirs de couleurs alternées (*ablâq*) et les voûtes à *muqarnas* aux façades des bâtiments sont les seules licences que se permirent les architectes ayyoubides.

En ce qui concerne la décoration intérieure, les boiseries à inscriptions cursives – souvent dénuées de rehauts de peinture – furent la règle. Exceptionnel est le mihrab d'une conception élaborée en travail d'assemblage, de la *madrasa* al-Hallawiyya d'Alep (1237)[5]. Il faut retenir que le mécénat ayyoubide n'a guère encouragé la construction de nouvelles « grandes mosquées » (*jami'*). Dans la plupart des grandes villes, elles existaient déjà et n'avaient nul besoin d'être adaptées au goût ayyoubide. L'accent mis sur de modestes édifices de piété populaire, et le grand nombre d'institutions religieuses d'enseignement, peuvent rendre compte de l'absence de commande de manuscrits coraniques somptuaires, d'un coût élevé, habituellement offerts en *waqf*.

L'évocation des manuscrits nous amène aux objets mobiliers, profanes, dont les programmes iconographiques élaborés, la richesse des matériaux, la liberté artistique offrent souvent l'image la plus fidèle du mécénat du souverain. Mais même dans ce cas, on peut considérer que d'une manière générale la retenue et l'austérité ont envahi la sphère profane dans l'architecture et dans les arts décoratifs, et il en résulte que les objets de luxe sont eux aussi rares, quelles que soient les techniques considérées. Ceci est particulièrement vrai pour les manuscrits littéraires illustrés qui jouissent à la même époque d'un exceptionnel engouement dans la Bagdad

Gourde à iconographie chrétienne,
Syrie, vers 1230-1240.
Sous les arcades figurent des saints, des guerriers et l'Annonciation (voir aussi **p. 126**).
Freer Gallery of Art, Smithsonian Collections Purchase, Washington D.C. Photo du musée.

Détail de la bouteille (p. 29) :
un personnage portant un chapeau cloche pousse une charrue sous un arbre habité d'oiseaux.

abbasside (vers 1225-1250)[6]; ceci vaut encore pour les textes scientifiques dont il existait une tradition d'illustration en Jezireh, région voisine des territoires ayyoubides, et probablement, pour partie, dans les anciennes terres fatimides[7].

Cette même absence de mécénat princier s'observe aussi dans les arts les plus traditionnels du monde islamique, depuis la céramique, le verre, jusqu'à l'ivoire et aux gemmes. Plusieurs facteurs convergents l'expliquent : les difficultés économiques des artisans de Fustât pendant le déclin des Fatimides et après leur chute, ou encore le dédain particulier des Ayyoubides pour les objets de luxe tels les cristaux de roche, si caractéristiques de l'apparat fatimide. Il faut souligner que les arts de la céramique et du verre se sont développés indépendamment de tout soutien princier durant les premiers siècles de l'islam puis à la période médiévale. Les centres de production de la céramique et du verre étaient d'ordinaire aux mains d'entreprises familiales qui se perpétuaient pendant des décennies, voire des siècles, dans les mêmes lieux, et qui visaient à satisfaire les besoins quotidiens d'un marché à petite échelle. Ce n'est qu'exceptionnellement qu'ils produisaient des objets coûteux et élaborés à la demande de « l'élite » ou dans l'espoir de les lui vendre. Cette observation ne vise pas à minorer la part de ces productions dans l'histoire générale des arts de l'islam et dans l'élaboration de modèles et de techniques qui alimentèrent les courants dominants de la production artistique universelle.

Quoi qu'il en soit, la sélection faite pour l'exposition présentée à l'Institut du monde arabe fait apparaître que, même sous les Ayyoubides, la créativité artistique et l'attention aux tendances dominantes restèrent soutenues. C'est pendant cette période, en particulier, que la production de verre connut les premiers beaux jours du décor doré et émaillé, et attira les commandes royales des Seljoukides de Rûm, des Artoukides (cat. 197) et finalement des Ayyoubides eux-mêmes.

Il convient de faire une place à part au travail du métal incrusté, seule production artistique que l'on puisse à coup sûr tenir pour « faite pour le sultan » et recherchée par de riches commanditaires de la cour. S'il n'y a pas, à une exception près[8], de céramique au nom d'un sultan et s'il n'existe qu'un seul objet de verre émaillé et doré au nom d'un souverain ayyoubide (cat. 206), on compte au moins quinze vaisselles de métal répondant à une commande officielle. Les objets conservés semblent indiquer que le goût des surfaces brillantes, richement incrustées d'or et d'argent, ne vint qu'assez tard aux Ayyoubides, probablement dans la deuxième décennie du XIIIe siècle. Le nom des auteurs des objets les plus sophistiqués est accompagné de la mention de leur origine (*nisba*) mossoulienne (*al-Mawsilî*). On peut penser qu'ils s'établirent à Damas, Alep et au Caire, où la famille ayyoubide remarqua leurs talents artistiques. Le vase Barberini

Bouteille en verre à décor émaillé et doré
représentant des scènes chrétiennes et pastorales, Syrie, milieu du XIIIe siècle.
Vaduz, Furusiyya Arts Foundation. Photo de la Fondation.

(cat. 41), les nombreuses aiguières, bassins et plateaux au nom d'al-'Azîz, al-'Âdil (cat. 42), Najm al-Dîn (cat. 119, 120) et Salâh al-Dîn Yûsuf (cat. 123), avec leur réseau décoratif complexe et leur répertoire figuré, constituent une exception remarquable à la règle de modération et d'austérité qui caractérise la production artistique ayyoubide[9].

On est intrigué par la présence récurrente de thèmes chrétiens sur les objets de métal (cat. 96 à 101), et dans une moindre mesure sur le verre émaillé et doré (en particulier une exceptionnelle bouteille ornée de scènes de la vie monastique[10], voir page précédente). Dans un certain nombre de cas, leurs commanditaires sont des princes ayyoubides mais la raison d'être de telles commandes ne nous apparaît pas clairement. Il est sans doute trop facile d'y voir des symboles de domination religieuse ; le but principal de la dynastie, comme cela a souvent été noté, fut d'assurer la transition du chiisme fatimide au sunnisme. Il est tout aussi difficile de les considérer comme les signes affirmés d'une supériorité sur les croisés, car ces images ne représentent que de paisibles clercs sous des arches, des scènes monastiques et des épisodes de la vie du Christ. Elles semblent plutôt raconter l'histoire d'une tranquille cohabitation d'ordres religieux et de petites communautés chrétiennes dans un environnement musulman. En ce sens, elles pourraient refléter une relation particulière des sultans avec ces communautés à travers l'échange de luxueux cadeaux[11].

Le lien entre art et politique dans le domaine ayyoubide est difficile à saisir ; les deux termes semblent diverger et se combattre plus qu'ils ne se rejoignent. À l'austérité dominante il y a de notables exceptions. Si l'on prend en considération d'une part la production artistique dont on peut affirmer avec certitude qu'elle était destinée à la cour, et d'autre part les tendances et les modes qui se développaient indépendamment d'elle, on peut écrire deux histoires de l'art séparées. Mais il ne faut pas oublier que ce qui a survécu ne pourrait bien être que la « partie émergée de l'iceberg » et que notre perception des choses est probablement assez déformée.

Les sources historiques, bien que rares sous cet angle pour la période ayyoubide, comblent partiellement nos lacunes. L'une d'elles, Ibn Wâsil (m. 1298), décrit par exemple l'arrivée à Alep de Dayfa Khatun (régente d'Alep, 1236-1243) depuis Le Caire, comme un jour mémorable. « Elle avait emporté avec elle une quantité telle d'étoffes, de mobilier, et de bijoux que leur transport nécessitait cinquante mules, cent chameaux de Bactriane et trois cents dromadaires... elle amenait aussi avec elle une centaine d'esclaves toutes capables de merveilleux ouvrages.[12] » Si seulement une partie de ces étoffes, du mobilier, des bijoux et des ouvrages délicats nous avait été conservée, notre compréhension de l'art de cour ayyoubide serait probablement tout autre.

1. Ce thème est l'objet de l'étude approfondie de Yasser, Tabbaa, *Construction of Power and Piety in Medieval Aleppo*, Philadelphie, 1997.
2. On exceptera Tûrânshâh et Shîrkûh, deux noms portés par divers personnages de la famille.
3. On opposera ici avec profit la démonstration de Paula Sanders, *Ritual, Politics and the City in Fatimid Cairo*, New York, 1994.
4. Cf. Nikita Elisséeff, *Nâr al-Dûn, un grand prince musulman de Syrie au temps des Croisades (511-569/1118-1174)*, 3 vol., Damas, Institut français de Damas, 1967.
5. Tabbaa 1997, p. 43.
6. Voir, par exemple, Richard Ettinghausen, *Arab Painting*, Genève, 1962, notamment p. 67-80 et 104-124 ; et Oleg Grabar, *The Illustration of the Maquamat*, Chicao et Londres, 1984.
7. Voir, par exemple, le fragment d'une page de manuscrit à contenu zoologique du Metropolitan Museum, inv. 54.108.3, reproduit dans *Trésors fatimides du Caire*, Institut du monde arabe, Paris, 1998, n° 15, p. 99. Voir aussi le récent article d'Éva Hoffman, « The beginnings of the illustrated Arabic book : an intersection between art and scholarship », *Muqarnas*, 17, 2000, p. 38-52 et fig. 1a-b.
8. Voir *infra*, S. Makariou et A. Northedge.
9. La meilleure étude de cet ensemble et son analyse se trouve dans Eva Baer, 1989.
10. New York, 2001, p. 242, n° 121.
11. Peut-être les choix iconographiques des dinandiers de Mossoul furent-ils déterminés moins par le patronage ayyoubide que par la présence prégnante de communautés chrétiennes dans la région, tout comme dans la Jezireh dont ils étaient originaires.
12. Cité dans Y. Tabbaa, *op. cit*, 1997, p. 48.

Les monnaies des Ayyoubides

CÉCILE BRESC

Agents économiques, les monnaies sont aussi de précieux témoins de la vie politique. Qu'elles aient été d'or, dinars, d'argent, dirhams, ou de cuivre, *fulûs*, les Ayyoubides ont émis, entre Égypte, Syrie[1] et Yémen[2], de grandes quantités de monnaies, et les trouvailles de trésors sont encore aujourd'hui[3] courantes.

Le monnayage était une prérogative régalienne, droit de *sikka* en arabe, qui revenait théoriquement au calife et, après lui, au sultan d'Égypte. De fait, les autres souverains ayyoubides s'arrogèrent aussi le droit de frapper monnaie, moyennant reconnaissance de la « suzeraineté » du sultan égyptien qui restait le seul à pouvoir émettre de la monnaie d'or.

Les premières monnaies ayyoubides, des dinars, correspondent à l'émancipation de Saladin en Égypte après la mort de Nûr al-Dîn. L'influence de l'Égypte sur le monnayage de Saladin et de ses successeurs est certaine : le type des dinars frappés à Alexandrie, à al-Qâhira et à Fustât (Misr) – trois légendes circulaires autour d'une courte inscription centrale, le nom du calife ou du sultan – reprend celui des califes fatimides. Au fil du temps, pour préserver la pureté des dinars, et parce que le métal or se raréfiait, leur poids diminua fortement, et on ne les utilisa plus qu'au poids. Les sultans d'Égypte firent aussi frapper des dirhams, des billons ou dirhams *aswad* – noirs à cause de leur très faible taux d'argent –, des *fulûs* et surtout des pâtes de verre, semble-t-il monétarisées.

Si les dinars sont égyptiens, les dirhams caractérisent le monnayage syrien. En effet, Saladin fait reprendre dès 571 H / 1176 à Damas la frappe de l'argent, arrêtée depuis plus d'un siècle.

D'un poids proche du poids standard traditionnel, imposé au VIIIe siècle, et au titre de métal précieux élevé, le plus souvent supérieur à 90%, ces dirhams étaient la meilleure arme des Ayyoubides, et se retrouvent dans de nombreux trésors des États latins d'Orient[4]. Dans le foisonnement des types monétaires utilisés, il faut retenir, parmi les principaux, ceux de l'étoile à six branches d'Alep, du carré double, puis de la rosace à huit feuilles de Damas . Les légendes, de plus en plus en *naskhi*, allient extraits du Coran, titulatures des souverains, toujours « al-Malik », et du calife « Imâm ».

Trois éléments doivent retenir l'attention, qui font toute l'originalité de ce monnayage. Le premier est l'imitation[5] par les croisés, durant tout le XIIIe siècle, de monnaies ayyoubides, dinars de Saladin et surtout dirhams de Damas au nom d'al-Sâlih Ismâ'îl et du calife al-Mustansir. En 1251, sur ordre du légat du pape, ce monnayage est adapté au dogme chrétien. Mais dès 1257 les imitations reprennent.

Puis l'existence d'un monnayage posthume[6] à Alep, entre 613 et 638 H / 1186-1240, au nom du souverain al-Zâhir Ghâzî reste une énigme. Ces monnaies, souvent présentées comme des imitations croisées, sont assez déroutantes. Bien que le type monétaire fût immobilisé, les dates étaient changées tous les ans. On a pu y voir le résultat d'accords commerciaux entre le souverain décédé et des marchands vénitiens[7], ou l'initiative du Conseil de régence[8] de son fils al-'Azîz.

Enfin, attardons-nous encore sur un dernier élément curieux du monnayage ayyoubide : la reprise par Saladin, al-'Âdil Ier, Najm al-Dîn Ayyûb et al-Ashraf Mûsâ en Haute-Mésopotamie d'un monnayage figuratif de grands bronzes, parfois appelés dirhams, sur le modèle de ceux des *atabegs*[9] de la région. On retrouve essentiellement comme thèmes iconographiques la figure du prince, portant une couronne sassanide ou enturbanné, agenouillé ou trônant, tenant un globe ou un croissant solaire, et la représentation de la constellation du Lion.

1. Balog, 1980.
2. Miles, 1939, p. 62-97.
3. Lowick, 1970, p. 358-359 ; Hennequin ; Abû l-Faraj al-Ush, 1980, p. 201-263 ; en préparation, le trésor de Tell Bashir.
4. Dhénin ; Thierry, 1991, p. 83-85.
5. Bates, 1974, p. 393-409.
6. Abû l-Faraj al-Ush, 1976, p. 14.
7. Eddé, 1999, p. 209-212.
8. Bresc, 1996, p. 108.
9. Mitchell Brown, 1974, p. 353-358.

1

Mihrab

Syrie, fin du XIe siècle

Calcaire, décor champlevé et gravé

H. 184 ; L. 82 ; ép. 6,5 cm

Trouvé dans le temple de Baal à Palmyre

Damas, Musée national

A / 3642

Bibl. : Damas, 1976, p. 254

Cette niche, de proportion allongée, formait une paire avec une autre également conservée au musée de Damas. Elle est assez détériorée ; ses colonnettes ont disparu, à l'exception des bases moulurées et du départ des chapiteaux en forme de corbeille. Le sommet de la niche proprement dite est orné d'une coquille irrégulière dont les côtes ressemblent à des pétales rayonnants. Le décor autour de l'arc offre bien des similitudes avec ceux de reliefs fatimides, en particulier par l'emploi de la tige refendue qui entre dans la création d'un réseau au dessin complexe. La petite palmette à trois lobes, ajourée en son centre, se retrouve également en bandeau au-dessus de l'inscription en caractères koufiques fleurie du minaret de la Grande Mosquée d'Alep reconstruit sur l'ordre de Malikshâh en 483 H / 1090. Les inscriptions sont tirées des sourates XII, v. 78 et IX, v. 18-19. Les deux niches appartiennent probablement à cette période où de nombreux *atabegs* gouvernent une Syrie morcelée à l'extrême ; il s'y mêle des influences variées qui forment le terreau sur lequel s'épanouira l'art ayyoubide.

S. M.

2
Dinar fatimide
Al-Amir al-Mansûr (495-524 H / 1101-1130)
Misr, 507 H / 1113-1114
Or
D. 2,2 cm ; poids 4,21 g
Londres, British Museum
1878.10-3.14
Bibl. : St. Lane-Poole, «The Coinage of Egypt (A.H. 358-922)»,*Catalogue of Oriental Coins*, vol. 4, Londres, 1879 ; G.C. Miles «Fatimid Coins», *A.N.S. N.N.M.*, nº 121, New York, 1951

Ce n'est qu'après la conquête de l'Égypte, sous al-Mu'izz (953-975), que les Fatimides adoptèrent pour leurs monnaies un type qui leur fut propre, caractérisé par la disposition circulaire des légendes, autour d'un point central.
La monnaie d'al-Amir, dixième calife, présentée ici, correspond à la dernière transformation de ce type. Au droit, le point central est remplacé par le nom du calife, désigné comme *al-Imâm al-Mansûr*, avec sa titulature complète, *Abû 'Alî al-'Amr bi-Ihkâm Allâh Amîr al- Mu'minîn*, la date et le lieu de frappe. Au revers, le centre de la monnaie est occupé par la légende *'âl ghâyah*, et les marges offrent des citations du Coran et la profession de foi chiite. L'atelier où cette monnaie a été émise, Misr, correspond sans doute à Fustât. Ce sont des monnaies semblables à celle-ci, réputées pour leur aloi, que les croisés et les Ayyoubides reprendront dans leur monnayage d'imitation.

C. B.

3
Dinar de Nûr al-Dîn Mahmûd
Nûr al-Dîn Mahmûd b. Zangî (541-569 H / 1146-1174)
Alexandrie, 567 H / 1171
Or
D. 2,2 cm ; poids 4,98 g
Londres, British Museum
1854.8-19.83
Bibl. : N. Elisséeff, *Nûr ad-Dîn*, Damas, 1967

3

En 567 H / 1171, Saladin fait frapper en Égypte, au Caire et à Alexandrie, qu'il vient à peine de conquérir pour Nûr al-Dîn, quelques dirhams, mais surtout des dinars.
Ce monnayage, le premier ordonné par Saladin, ne porte pas son nom, mais celui du maître de Damas. Le type monétaire choisi reprend celui des monnaies des derniers califes fatimides, avec un pourcentage d'or fin légèrement inférieur. Au droit, le champ est occupé par le nom du souverain : *'âl / Nûr al-Dîn / Mahmûd / ghâyah*, entouré de trois légendes circulaires, citant la sourate IX, 33 du Coran, ou « mission prophétique », et une bénédiction du souverain. Au revers, les légendes sont réservées à la titulature califienne : *Abû Muhammad / al-Imâm al-Hassan / al-Mustadî' bi-amr Allâh Amîr al-Mu'minîn* et à la profession de foi sunnite (*kalima*). En bordure, on trouve le nom de l'atelier, ici Alexandrie, et la date.

C. B.

Deux monnaies de bronze de Nûr al-Dîn Mahmûd

À l'exception des dinars égyptiens émis au nom de Nûr al-Dîn par Saladin, et de quelques très rares dirhams « noirs » peut-être frappés à Alep, les monnaies de bronze constituent l'essentiel du monnayage de ce souverain. Deux types de monnaies nous sont connus : le premier est aussi le plus intéressant. Il s'agit d'un monnayage figuratif, d'inspiration byzantine, qui s'inscrit dans la tradition mésopotamienne des *atabegs* et des souverains de la région. Deux figures debout, de face et tenant un *labarum* ornent le droit, elles sont séparées par des légendes en koufique désignant Nûr al-Dîn par al-'Âdil, et encadrées par des légendes grecques barbarisées. Le revers offre une figure nimbée du Christ, de face, entouré des lettres grecques IC XC, abréviations de Jésus-Christ. Dans la partie basse de la monnaie, se trouve le *laqab* royal de Nûr al-Dîn. Le prototype de cette monnaie est peut-être à chercher dans le monnayage de l'impératrice Théodora, ou de l'empereur Constantin X (1059-1067). La thèse la plus répandue pour expliquer ce monnayage insiste sur la nécessité de faire circuler ces monnaies dans des zones familières au monnayage byzantin figuratif. Le second type monétaire de Nûr al-Dîn est purement épigraphique, et était, semble-t-il, limité à l'atelier de Damas, conquis en 1154. Les légendes présentent les mêmes noms et *laqab* mais une invocation sur la marge du droit doit retenir notre attention : c'est la première de ce type à apparaître sur une monnaie. Celle-ci souhaite « Gloire éternelle », « existence saine » et « victoire sans fin » au souverain. Cette formule, inhabituelle, se retrouve par la suite sur les monnaies du fils de Nûr al-Dîn.

C. B.

4

Fals

Nûr al-Dîn Mahmûd b. Zangî (541-569 H / 1146-1174)
[Alep], s. d.
Bronze
D. 2,5 cm ; poids 4,55 g
Damas, Musée national
A/3982

Inspiré du monnayage de Constantin X, ce fals zenguide porte les légendes suivantes : sur le droit, *Nûr al-Dîn* et *Al-'Âdil*, intercalés entre les figures debout ; sur le revers, au bas gauche de la tête du Christ, la titulature de Nûr al-Dîn : *al-Malik Umarâ`*, et à droite : *Mahmûd*. La lecture est rendue difficile car la pièce est abîmée.

Mo. M.

5

Fals

Nûr al-Dîn Mahmûd b. Zangî (541-569 H / 1146-1174)
Damas, date hors flan
Bronze
D. 2,6 cm ; poids 6,35 g
Damas, Musée national
A/24966

Bibl. : W. G. Sayles ; W. F. Spengler, «The Zengids», *Turkoman Figural Bronze Coins and their Iconography*, vol II, 1996, p. 62-70, types 74-75 ; G. Hennequin, *Catalogue des monnaies musulmane, Asie pré-mongole : les Salgûqs et leurs successeurs*, Paris, 1985, p. 296-307

Sur ce *fals* zenguide apparaît sur le droit, à l'extérieur du cercle pointé, la légende en koufique : « Gloire éternelle, existence saine, victoire sans fin » ; quant au revers, outre le nom du souverain au centre, il est inscrit sur le pourtour : « ce *fals* a été frappé à Da[mas en l'an...] ».

Mo. M.

Bronzes d'al-Sâlih Ismâ'îl

Âgé de onze ans à la mort de son père Nûr al-Dîn, en 1174, al-Sâlih Ismâ'îl dut faire immédiatement face aux prétentions de Saladin. Comme pour son père, deux monnayages nous sont connus. Le premier, entièrement épigraphique, est émis à Damas durant les six mois qui précèdent la prise de la ville par Saladin. Les légendes sont clairement inspirées de celles de Nûr al-Dîn. Le second monnayage d'Ismâ'îl, figuratif, correspond à son règne alépin. Il est caractérisé par une tête inspirée des monnaies de l'empereur romain Valentinien I (364-375). Le revers porte cinq lignes d'inscriptions koufiques au nom du calife abbasside, peut-être pour appeler le soutien de Bagdad contre la menace croissante de Saladin.

C. B

Sur le droit de ce *fals* zenguide, la légende extérieure reprend la formule « Gloire éternelle, éxistence saine, victoire sans fin », entourant d'un cercle : *al-Malik al-Sâlih / Ismâ'îl.* Au revers : « Ce *fals* a été frappé à [...] en l'an [...] » ; autour du *nasab* du souverain : *Ibn al-Malik al-'Âdil Mahmûd.*

Mo. M.

6

Fals

Al-Sâlih Ismâ'îl
(569-577 H / 1174-1181)
Damas [569 H / 1173-1174]
Bronze
D. 2,2 cm ; poids 4,15 g
Damas, Musée national
A/24610

Le revers de ce *fals* porte en koufique les noms du calife abbasside *al-Mustadî' bi amr Allâh* et du prince zenguide al-Malik al-Sâlih Ismâ`îl. Au droit, autour de la tête de profil : « Frappé à Alep en l'an 571 ».

Mo. M.

7

Fals

Al-Sâlih Ismâ'îl
(569-577 H / 1174-1181)
Alep, 571 H / 1175-1176
Bronze
D. 2,1 cm ; poids 4,30 g
Damas, Musée national
A/25059

Bibl. : W. F. Spengler et W. G. Sayles, «The Zengids», *Turkoman Figural Bronze Coins and their Iconography*, vol II, 1996, p. 71-79, types 76-77 ; G. Hennequin, *Catalogue des monnaies musulmanes, Asie pré-mongole : les Salgûqs et leurs successeurs*, Paris, 1985, p. 308-322

Monnaies d'or de Saladin

Le premier monnayage indépendant de Saladin apparaît en 570 H / 1174-1175. Les toutes premières émissions ayyoubides, avec leurs trois cercles concentriques, occupés par la profession de foi sunnite et la sourate IX, 33 du Coran, étaient très proches de celles des Fatimides. Le droit était réservé à la titulature de Saladin et le revers à celle du calife abbasside, al-Mustadî' (575 H / 1179). Saladin y était présenté comme *al-Malik al-Nâsir*, toujours accompagné de l'ancienne inscription fatimide *'âl-ghâyah.* Notons que les émissions de l'ancien atelier fatimide de Misr tendirent à se raréfier, remplacées par la production de l'atelier al-Qahira (Le Caire). À partir du califat d'al-Nâsir, le type est légèrement modifié : on ne trouve plus désormais que deux légendes circulaires et Saladin est désigné sous le *laqab* Salâh al-Dîn.

C. B.

8

Dinar

Saladin
(570-589 H / 1174-1193)
Le Caire, 574 H / 1178-1179
Or
D. 2 cm ; poids 3,85 g
Damas, Musée national
A/30178
Bibl. : Balog, 1980, n° 16

La légende extérieure du droit rappelle : « Muhammad est l'apôtre de Dieu. C'est Lui qui a envoyé Son messager avec la bonne direction et la religion de la vérité. » Puis vient la mention : « Dussent les infidèles en concevoir du dépit, Dieu a de la bienveillance pour lui et pour sa famille » ; suivie de : « al-Malik al-Nâsir » et au centre « Yûsuf b. Ayyûb ».
Au revers, à l'extérieur la légende se lit : « Au nom de Dieu, le Clément, le Miséricordieux, ce dinar a été frappé au Caire en 574 », suivi de « il n'est de Dieu que Dieu et Muhammad est son Prophète ». Dans le troisième cercle vers le centre, on trouve le nom du calife abbasside al-Mustadî', commandeur des croyants et au centre « l'Imâm al-Hasan ».

Mo. M.

9

Dinar

Saladin
(570-589 H / 1174-1193)
Le Caire, 586 H / 1190
Or
D. 2 cm ; poids 4,89 g
Damas, Musée national
A/21995
Bibl. : Balog, 1980, n° 46

Au droit et au revers de ce dinar, on retrouve des légendes comparables au précédent, seuls diffèrent la date de l'émission : 586 H / 1190, et le nom du calife abbasside : al-Nâsir, avec la mention « l'Imâm Ahmad ».

Mo. M.

10

Dinar

Saladin
(570-589 H / 1174-1193)
Alexandrie, 580 H / 1184
Or
D. 2 cm ; poids 5,54 g
Damas, Musée national
A/21895
Bibl. : Balog, 1980, n° 5

Ce dinar est comparable au précédent ; il a été frappé à Alexandrie en 580 H / 1184.

Mo. M.

Deux monnaies d'argent de Saladin

Héritier du monnayage fatimide, Saladin entreprit en 583 H / 1187-1188 de réformer les émissions égyptiennes d'argent. Circulaient alors des dirhams appelés *aswad* ou *waraq*, au taux d'argent faible, à l'aspect grossier et irrégulier. Saladin décida d'en relever l'aloi, et imposa un type monétaire similaire à celui de Damas, dit « du carré dans un cercle », ainsi qu'un poids calqué sur celui du dirham légal, de 2,97 g. Au droit les légendes portent ses *laqab* : *al-Malik al-Nâsir / Salâh al-Du/niyâ wal-Dîn*, et dans la marge circulaire ses *ism* et *nasab* : *Yûsuf b. Ayyûb* ; au revers ceux du calife *al-Nâsir li-Dîn Allâh Amîr al-Mu'minîn*, entourés de la *kalima*. Al-Maqrîzî a appelé ces dirhams *Nâsirî*.
En Syrie, où le monnayage de l'argent avait disparu depuis un siècle, Saladin disposait d'une abondance de métal argent, et fit reprendre les émissions de monnaies en grande quantité, et surtout de très bon aloi : entre 92 et 94 % de métal précieux. Il réintroduisit aussi les demi-dirhams, aux légendes identiques à celles des dirhams, comme c'est le cas à Damas, Homs et Alep.

C. B.

Sur le droit de ce dirham abîmé, et en partie effacé, se trouve la titulature de Saladin, le lieu et l'année d'émission (1190) ; au revers sont inscrits le nom du calife abbasside al-Nâsir et la profession de foi sunnite.

Mo. M.

11

Dirham

Saladin
(570-589 H / 1174-1193)
Le Caire, 585 H / 1190
Argent
D. 2 cm ; poids 2,95 g
Damas, Musée national
A/2543
Bibl. : Balog, 1980, n° 45

Le droit de ce demi-dirham mentionne en écriture koufique, sur le pourtour du carré où figure le nom de Saladin, Damas comme atelier de frappe. Le revers donne le nom du calife abbasside al-Mustadî', qui régna à Bagdad de 1170 à 1180.

Mo. M.

12

1/2 dirham

Saladin
(570-589 H / 1174-1193)
Damas, s. d.
Argent
D. 1,6 cm ; poids 1,40 g
Damas, Musée national
A/20973
Bibl. : Balog, 1980, n° 33

Cette monnaie témoigne de l'unique émission d'or ordonnée par Saladin en Syrie. Datée de 583 H, année même où il reprit Jérusalem aux croisés, elle est généralement expliquée comme étant une monnaie commémorative. Outre son caractère exceptionnel, première et unique émission en or en Syrie, cette monnaie est remarquable par la titulature qu'elle nous présente : Saladin se fait désigner dans la légende circulaire intermédiaire du droit comme *Sultân al-Islâm wa al-Muslimîn*. La même année, il fait encore émettre, toujours à Damas, des *fulûs* sur lesquels il se fait désigner comme *Sultân al-Muslimîn*, bien que n'ayant jamais reçu le titre de sultan.

C. B.

13

Dinar

Saladin
(570-589 H / 1174-1193)
Damas, 583 H / 1187-1188
Or
D. 2,1 ; poids 3,79 g
Londres, British Museum
BMC 254a
Bibl. : Balog, 1980, n° 79 ; St. Album, *A Checklist of Islamic Coins*, Santa Rosa, 1998, p. 49, n° 785.3

Dinars d'al-'Azîz et d'al-Mansûr

Dans la continuité stylistique des frappes de Saladin, ces deux monnaies présentent les mêmes légendes. Au droit, nous trouvons dans le champ le nom du souverain avec dans la marge intérieure son *laqab*, et dans la marge extérieure la *kalima* et la « mission prophétique ». Au revers, le champ est occupé par le nom du calife. Dans la marge extérieure, les légendes offrent la date et le nom de l'atelier.

C. B.

14
Dinar
Al-'Azîz
(589-595 H / 1193-1198)
Atelier et date hors flan
Or
D. 2 cm ; poids 4,16 g
Damas, Musée national
A/13199

Ce dinar, en partie effacé, porte au droit la légende *`Uthmân b. Yûsuf* avec le *laqab al-Malik ghâyah al-`Azîz*. Au revers : « au nom de Dieu le Clément, le Miséricordieux, ce dinar a été frappé en l'an cinq cent et [...] », avec le nom du calife abbasside al-Nâsir.

Mo. M.

15
Dinar
Al-Mansûr
(595-596 H / 1198-1199)
Le Caire,
595-6 H / 1198-1199
Or
D. 1,95 cm ; poids 5,35 g
Damas, Musée national
A/13200

Ce dinar reprend les mêmes légendes en koufique que le précédent, à l'exception du nom du souverain ayyoubide : ici, al-Mansûr.

Mo. M.

Un nouveau type monétaire

En 596 H / 1199, al-'Âdil Ier introduisit un nouveau type monétaire. Il n'y a désormais plus qu'une seule légende circulaire sur les deux faces : *kalima* et « mission prophétique » sur l'une, date et atelier sur l'autre. En revanche les champs sont occupés par de nombreuses inscriptions en koufique, dont le protocole d'al-Kâmil comme héritier.

C. B.

16
Dinar
Al-'Âdil Ier
(596-615 H / 1199-1218)
Atelier et date hors flan
Or
D. 1,9 cm ; poids 3,80 g
Damas, Musée national
A/26104

On trouve au droit de ce dinar la légende : *`âl / al-Malik al-`Âdil / Abû Bakr Muhammad b. Ayyûb / wa Walî 'Ahdihi Muhammad / al-Malik al-Kâmil / ghâyah*, et au revers la titulature du calife abbasside al-Nâsir.

Mo. M.

L'introduction du *naskhi* sous al-Kâmil

À partir de 622 H / 1225, le koufique est remplacé par le *naskhi* dans les inscriptions monétaires, tant sur les dinars, les dirhams que sur les jetons de verre. Cette innovation est généralement perçue comme la première étape d'une réforme plus vaste entreprise par al-Kâmil. Le type monétaire des dinars reste cependant celui introduit par al-'Âdil, mais avec l'abandon de la vieille formule fatimide, *'âl-ghâyah*, reliquat des premières émissions de Saladin. Al-Qahira était le principal atelier d'Égypte, celui d'Alexandrie étant un peu moins important en nombre d'émissions, même si elles étaient parfaitement régulières. En revanche, les émissions de l'atelier dit « Misr » étaient très rares et espacées dans le temps ; nous en connaissons quelques-unes sous Saladin et sous al-Kâmil, en 623 et 624 H / 1226 et 1227. Les poids des dinars étaient très irréguliers et jamais ajustés sur le poids standard du dinar *mithqâl*, de 4,25 g. On ne pouvait plus utiliser ces dinars à la pièce.

C. B.

Le droit de ce dinar, comme celui des deux suivants, donne le nom et la titulature d'al-Kâmil avec la légende : « Il n'est de Dieu que Dieu et Muhammad est son Prophète. C'est Lui qui a envoyé son Messager avec la bonne direction et la religion de la vérité afin qu'elle triomphe sur toute autre religion » (Coran IX, 33, Le Repentir). Au revers figure le nom du calife abbasside al-Zâhir, qui ne régna qu'une seule année en 1225-1226 avec l'atelier et la date d'émission.

Mo. M.

17

Dinar

Al-Kâmil
(615-635 H / 1218-1237)
Égypte, 623 H / 1225
Or
D. 2,07 cm ; poids 4,41 g
Damas, Musée national
A/7677
Bibl. : Balog, 1980, n° 383

À l'inverse du précédent, ce dinar est frappé au nom du calife abbasside al-Mustansir dont le règne s'étendit sur seize années, de 1226 à 1242 ; il porte la date de 624 H (1226).

Mo. M.

18

Dinar

Al-Kâmil
(615-635 H / 1218-1237)
[Misr] 624 H / 1226
Or
D. 2,27 cm ; poids 4,13 g
Damas, Musée national
A/7673
Bibl. : Balog, 1980, n° 384

Ce dinar reprend les mêmes légendes que le précédent à l'exception du lieu de frappe et de l'année d'émission, 628 H (1230).

Mo. M.

19

Dinar

Al-Kâmil
(615-635 H / 1218-1237)
Le Caire, 628 H / 1230
Or
D. 2,1 cm ; poids 6,37 g
Damas, Musée national
A/21865
Bibl. : Balog, 1980, n° 375

Dinar d'al-'Âdil II

Héritier du trône de son père al-Kâmil depuis 630 H / 1232-1233, al-'Âdil II continua le monnayage de celui-ci à sa mort, gardant le même type monétaire. La titulature choisie pour ses émissions est similaire à celle de son grand-père al-'Âdil Ier.

C. B.

20

Dinar

Al-'Âdil II
(635-637 H / 1237-1239)
Le Caire, 635 H / 1237
Or
D. 2,2 cm ; poids 4,96 g
Damas, Musée national
A/13210
Bibl. : Balog, 1980, n° 504

Sur ce dinar, frappé en 1237, on trouve au droit la titulature d'al-'Âdil II, entourée de la profession de foi et de la « mission prophétique ». Le revers donne le nom du calife abbasside al-Mustansir, avec comme légende extérieure le lieu et la date de frappe introduite par : *Bism Allâh al-Rahmân al-Rahîm* (« Au nom de Dieu, le Clément, le Miséricordieux »).

Mo. M.

Dinar d'al-Sâlih Ayyûb

Le monnayage d'or d'al-Sâlih Ayyûb peut être divisé en deux époques, dont le pivot serait l'année 638 H / 1240-1241. Les monnaies du premier groupe ont des poids irréguliers, alors que ceux du second sont homogènes et proches du poids moyen fatimide (4,2 g). Leuthold l'explique par une réforme monétaire qui aurait porté uniquement sur les poids. Ce dinar fait donc partie de la seconde époque.

C. B.

21

Dinar

Al-Sâlih Ayyûb
(637-647 H / 1239-1249)
Le Caire, 640 H / 1242
Or
D. 2,2 cm ; poids 4,44 g
Damas, Musée national
A/13213
Bibl. : Balog, 1980, n° 520 ;
E. Leuthold, *La riforma monetaria di al-Sâlih Ayyûb*, Milan, 1990

On retrouve ici les mêmes légendes que sur le dinar précédent, à l'exception de l'année d'émission, 1242, et du nom du souverain ayyoubide, al-Sâlih Ayyûb.

Mo. M.

Les dirhams ayyoubides après Saladin

Malgré les efforts de Saladin pour réformer le monnayage de l'argent en Égypte et remplacer les dirhams noirs par d'autres de meilleur aloi – fondés sur le dirham théorique de 2,97 g –, on frappait encore des dirhams noirs sous al-'Azîz, al-Mansûr, al-'Âdil Ier et al-Kâmil, et la coexistence de ces deux types de dirhams posaient des problèmes de conversion à la population. En 622 H / 1225, la situation devint si compliquée qu'al-Kâmil dut réformer le système monétaire. Les nouveaux dirhams étaient plus globuleux, le flan épais et irrégulier, et, selon Maqrîzî, comportaient deux tiers d'argent et un de cuivre. Des analyses chimiques ont démontré qu'ils étaient en fait très proches des dirhams noirs, qui ne cessèrent pas de circuler. En Syrie, la situation était complètement différente, les dirhams ayant toujours été de meilleure qualité, même si, à cause de difficultés économiques aggravées par un contexte politique instable, ils avaient beaucoup perdu de leur valeur. L'aloi, sous al-Kâmil, était tombé autour de 90 % d'argent. Alors que Saladin avait développé le « carré dans un cercle » comme unique type monétaire de Damas, al-'Âdil, au contraire, diversifia les émissions damascènes, et introduisit notamment le type dit du « double trèfle », formé de l'enlacement de deux trèfles construits par deux lignes pleines séparées par une ligne de points. Les légendes sont les mêmes que celles des dinars.

C. B.

Ce dirham, en partie effacé, porte au droit, dans un carré, la titulature d'al-`Âdil Ier, avec à l'extérieur l'atelier de frappe et le dernier chiffre de la date : 8. D'après le type monétaire, il s'agit de 598 H. Au revers figure dans le carré le nom du calife abbasside al-Nâsir, et autour : « Il n'y a de Dieu que Dieu, Muhammad est son Prophète ».

Mo. M.

22

Dirham

Al-'Âdil Ier
(596-615 H / 1199-1218)
Le Caire, 598 H / 1201-1202
Argent
D. 2,2 cm ; poids 2,95 g
Damas, Musée national
A/954
Bibl. : Balog, 1980, n° 275

Les inscriptions en koufique de ce dirham sont quasiment similaires à celles du précédent, le « double trèfle » rendant les légendes extérieures moins lisibles.

Mo. M.

23

Dirham

Al-'Âdil Ier
(596-615 H / 1199-1218)
Damas, date hors flan
Argent
D. 2 cm ; poids 2,85 g
Damas, Musée national
A/6760

Fissuré et troué, ce dirham porte au droit, dans le carré, la titulature d'al-Sâlih Ayyûb, la légende extérieure est abîmée : « Frappé à D[amas en l'an] 6... ». Au revers figure le nom d'al-Musta'sim, dernier calife abbasside en place à Bagdad avant l'arrivée des Mongols.

Mo. M.

24

Dirham

Al-Sâlih Ayyûb
(637-647 H / 1239-1249)
Damas, [636 H / 1238-1239]
Argent
D. 2 cm ; poids 2,70 g
Damas, Musée national
A/19300
Bibl. : Balog, 1980, n° 511

Le monnayage de cuivre

À l'examen du monnayage de cuivre, trois situations différentes apparaissent selon la zone géographique : Égypte, Syrie ou Mésopotamie. En Égypte, il n'y a pas de monnayage de cuivre. Les quelques monnaies que l'on peut trouver témoignent de la volonté de Saladin puis d'al-Kâmil de l'y introduire, en vain. En Mésopotamie, le monnayage de cuivre était important ; les souverains ayyoubides conservèrent la tradition locale du monnayage figuratif, d'inspiration romano-byzantine. Enfin en Syrie, le monnayage de cuivre était généralisé à Damas, Alep, Hama et Harrân, copiant l'évolution et les dessins des dirhams. Al-Sâlih Ayyûb émit quelques *fulûs* à Damas, à Hama et à Âmid. Bien que le nom de l'atelier soit hors flan, on peut attribuer le *fals* ici présenté à Hama, grâce au carré formé de points qui entoure le champ.

C. B.

25
Fals
Al-Sâlih Ayyûb
(637-647 H / 1239-1249)
Hama, date hors flan
Cuivre
D. 1,9 cm ; poids 1,85 g
Damas, Musée national
A/19616

Ce *fals* porte au droit, dans un carré dessiné à l'aide de points, le nom d'al-Sâlih Ayyûb, avec en légende extérieure : « Frappé à [...]en l'an six cent et [...] ». Dans la même configuration, au revers, se lit le nom du calife abbasside al-Musta'sim, et autour : « Il n'y a de Dieu que Dieu, Muhammad est son Prophète ».

Mo. M.

Monnayage de Tûrânshâh

Tûrânshâh reprend, l'année de sa mort, le *laqab al-Sultân al-Malik*, que son père avait reçu en 643 H / 1245-1246 du calife al-Musta'sim, et n'avait utilisé sur ses dirhams damascènes qu'en 647 H / 1249-1250. Précédemment, Tûrânshâh se contentait du *laqab al-Malik al-Mu'azzam*. Assassiné par les Mamlouks de son père à la fin du mois de muharram, cette monnaie a donc été émise durant le premier mois de l'année 648 H / mai 1250.

C. B.

26
Dirham
Tûrânshâh
(647-648 H / 1249-1250)
Damas, [648 H / 1250]
Argent
D. 2,1 cm ; poids 2,88 g
Damas, Musée national
A/18134
Bibl. : Balog, 1980, n° 384

Tûrânshâh, frère de Saladin, n'a régné qu'une année, en 1249. Son nom figure au droit dans le carré, avec à l'extérieur la légende tronquée : « Au nom de Dieu, frappé à Damas en l'an... » Au revers, on trouve dans le carré le nom du calife abbasside al-Musta'sim.

Mo. M.

Le monnayage de la principauté d'Alep

Après la mort de Saladin en 589 H / 1193, la ville d'Alep est érigée en principauté par son fils al-Zâhir Ghâzî, avec le droit de frapper monnaie. Le monnayage alépin est caractérisé par le type « l'étoile à six branches », ou hexagramme, créé dès 580 H / 1184-1185 par Saladin, et dont la principauté ne s'est jamais départie. Les légendes portent sur une face le nom du souverain local et sur l'autre le nom du calife, et, selon les moments, celui du souverain égyptien, habituellement considéré comme le chef de la dynastie. Les dirhams d'Alep étaient de très bon aloi, leur poids stable et proche du poids légal. L'élément le plus curieux est l'existence d'un monnayage posthume d'al-Zâhir Ghâzî : les légendes ainsi que l'écriture koufique sont les mêmes, mais la date est bien postérieure à la mort d'al-Zâhir Ghâzî. Ce monnayage posthume a perduré de 614 à 638 H / 1217 à 1240. Il s'agit peut-être d'imitations croisées, ou de la conséquence d'accords commerciaux avec des marchands européens.

C. B.

Au droit de ce dirham, on lit à l'intérieur de l'étoile : *al-Malik / al-Zâhir Ghâzî / Ibn Yûsuf b. / Ayyûb*, et dans les angles extérieurs : « Frappé à Alep en l'an 6... ». Au revers, l'étoile contient le nom du calife abbasside al-Nâsir et, à l'extérieur : « Il n'y a de Dieu que Dieu ».

Mo. M.

27

Dirham

Al-Zâhir Ghâzî
(582-613 H / 1186-1216)
Alep, date hors flan
Argent
D. 2 cm ; poids 2,90 g
Damas, Musée national
A/2846

Ce dirham, bien qu'en partie effacé, offre des légendes équivalentes au précédent. La date au droit est cette fois-ci complète ; au revers, la mention « Il n'y a de Dieu que Dieu, Muhammad est son Prophète » est également complète.

Mo. M.

28

Dirham

Al-Zâhir Ghâzî
(582-613 H / 1186-1216)
Alep 630 H, posthume
Argent
D. 2,3 cm ; poids 2,75 g
Damas, Musée national
A/20588

29
Jeton en verre
Al-Mustadî
(566-575 H / 1171-1180)
Égypte
Verre opaque
D. 3,3 ; poids 8,55 g
Londres, British Museum
OA 4938

30
Jeton en verre
Al-Mustadî
(566-575 H / 1171-1180)
Égypte
Verre opaque
D. 2,6 cm ; poids 4,26 g
Londres, British Museum
OA 4940

31
Jeton en verre
Al-Nâsir
(575- 622 H / 1180-1225)
Égypte
Verre opaque
D. 2,3 cm ; poids 6,08 g
Londres, British Museum
OA 4870
Bibl. : P. Balog, «The Ayyûbid Glass Jetons and their Use», *J.E.S.H.O*, 9, 1966 ; M. Bates, «The Function of Fâtimid and Ayyûbid Glass Weights», *J.E.S.H.O*, 24, p. 63-92 ; Petrie, Sir ; W. M. Flinders, *Arabic Glass Weights and Stamps*, Londres, 1927

Monnaies divisionnaires ou simples poids monétaires ? Les jetons de verre ont pendant longtemps opposé les numismates. L'idée d'une utilisation en tant que monnaies de ces jetons, retrouvés massivement en Égypte notamment pour l'époque fatimide, semble maintenant l'avoir emporté. Eux aussi font partie de cet héritage fatimide. Il s'agit en fait de rondelles de verre opaque et résistant, le plus souvent blanches ou légèrement colorées en vert, bleu et gris, frappées au nom du calife abbasside, al-Mustadî' ou al-Nâsir. Elles ne portent jamais le nom du souverain ayyoubide – à l'exception d'une émission au nom d'al-Kâmil – ni de date. L'attribution de ces jetons à un souverain reste donc difficile, et seuls ceux frappés au nom d'al-Mustadî' ont sûrement été émis par Saladin. Les légendes en koufique sont simples : *Allâh / al-Imâm / al-Mustadî' / bi-Amr*, pour les deux premières et pour la dernière. Il ne semble pas y avoir eu de monnayage de *fals* en Égypte, et les *fulûs* qui y circulaient – en parallèle des jetons ? –, provenaient de Syrie. Ce petit monnayage fiduciaire a dû s'achever au milieu du règne d'al-Kâmil, vers 1225.

C. B.

32

Élément de décor

Syrie, XIIe siècle

Calcaire, décor sculpté

H. 50 ; L. 68 ; ép. 5,5 cm

Damas, Musée national

A/1545/5068

La destination de ce très bel élément sculpté est énigmatique ; la forme circulaire qui oblitère partiellement le carré incomplet dans lequel elle s'inscrit idéalement évoque les lourds claustras du musée du Caire (cat. 212, 213) ; mais l'élément en saillie à la partie supérieure, qui évoque une tête animale, ne permet pas d'adopter l'hypothèse. En outre, la partie inférieure de l'angle du cadre semble conserver peut-être la trace d'une crapaudine. Quoi qu'il en soit de sa destination, cet élément est remarquable par la qualité de son dessin et de son relief très arrondi. À la jonction du cercle et du carré, jaillit une palmette bifide et effilée qui s'achève en boucle ; des palmettes semblables, aux lobes étirés, donnent naissance à des volutes en un mouvement de transformation perpétuel. Les palmettes, marquées à leur base d'œillets se retournant et formant une protubérance rappellent le traitement très plastique d'un élément de suspension en métal (cat. 221) dû à un artiste actif à Damas dans le second quart du XIIIe siècle. Des rapprochements entre sa production et des pièces attribuées à la Jezireh ont cependant souvent été envisagés. Le jeu répétitif sur les courbes et la versatilité des longues palmettes bifides n'est pas non plus sans rappeler un élément de gourde à décor moulé (cat. 134).

S. M.

33-34

(page suivante)

Deux carreaux de revêtement

Raqqa, XIIe siècle

Pâte siliceuse, décor de lustre métallique sur glaçure, rehauts de glaçure colorée

23,5 × 23,5 cm

Berlin, Museum für Islamische Kunst

I.1943 et I.1944

Exp. : Kassel, 1999, n° 255

Bibl. : Sarre, 1912-1913, p. 68, pl. 40 ; Glück ; Diez, 1925, pl. 407 ; Kühnel, 1963, p. 125, pl. 84 ; Berlin, 1971-1979, n° 379 et 380

Ces carreaux en céramique à décor peint en lustre brun chocolat, typique de la Syrie, montrent un lion et un paon. Ils sont entourés d'ornements foliacés dans une composition en forme de croix, accentuée par une large bordure redoublée d'une ligne fine, ménageant dans les coins quatre carrés. Juxtaposés, ces carreaux créent une alternance de grandes croix et de petits carrés dont le contraste est accentué par la présence de carreaux bleus alors que ceux à motifs animaliers sont exclusivement lustrés.

Par leurs motifs animaliers, leurs détails formels et leurs ornements cursifs, ces carreaux sont à relier au style pictural élégant pratiqué dans les ateliers de Raqqa. C'est là qu'ont été fabriqués pour la première fois, pour les constructions du zenguide Nûr al-Dîn, des carreaux émaillés, parmi lesquels ont pu être conservés ceux portant un décor en relief d'une inscription de fondation avec le nom du souverain. On a également trouvé des carreaux lustrés sur le site du palais zenguide ou proto-ayyoubide de Qasr al-Banat. La figure du lion, sur un des carreaux ici exposés, présente encore des rapports très nets avec les motifs de la céramique de Tell Minis qui a transmis la technique du lustre aux ateliers de Raqqa vers la fin du XIIe siècle. La pâte de ces deux carreaux n'est pas blanche et dure comme celle de la production de Tell Minis, mais jaune et granuleuse.

A. Von G.

33

34

35

36

35
Poutre
Égypte, fin du XIIe, début du XIIIe siècle

Bois sculpté

L. 181 ; l. 12 cm

Athènes, musée Benaki

9242

Inédit

Ce morceau de poutre sculptée porte un décor d'arabesque qui consiste en une frise régulière de bandes perlées entrelacées avec des fleurs et de longues feuilles minces.

Au XIIe siècle, l'arabesque est le principal élément des décors sculptés sur bois. Elle remplace les motifs figurés qui prédominaient dans les décors profanes de l'époque fatimide.

M. M.

36
Panneau
Égypte ou Syrie, XIIIe siècle (?)

Bois sculpté, traces de polychromie et de dorure

L. 119,4 ; l. 11,4 cm

New York, The Metropolitan Museum of Art, Gift of V. Everit Macy, 1930

30.112.3

Bibl. : *The Metropolitan Museum of Art Bulletin*, janvier 1931, p. 11 (non reproduit)

Ce panneau horizontal provient très probablement d'une frise qui devait orner l'intérieur d'un édifice profane. C'est un bandeau épigraphique soigneusement calligraphié en caractères cursifs de type *thuluth*, sur fond de rinceaux. On discerne de légères traces de pigments rouge et bleu et de dorure, qui suggèrent un rapprochement avec des panneaux analogues de la même époque, souvent peints en rouge, ocre, vert et bleu. Malgré la cassure du bord droit, il ne manque que l'angle supérieur, et l'on voit bien que l'inscription débute à cet endroit. Elle devait se prolonger sur la gauche, où le bord est brisé net. L'épigraphie profane est une suite de vœux qui fait alterner quatre substantifs avec quatre adjectifs sans aucune liaison, selon une formule couramment employée sur les objets d'art profanes de toute sorte. Il s'agit peut-être d'une dédicace au mécène de l'édifice où le panneau était installé à l'origine. La partie conservée de l'inscription signifie : « Gloire éternelle, fortune durable, destinée heureuse, prospérité permanente. »

S. C.

37

38

37-38

Deux panneaux sculptés

Égypte, XIIIe siècle

Bois sculpté et peint

37 : H. 27,5 ; l. 61 cm
38 : H. 28 ; l. 62 cm

Athènes, musée Benaki
9243 et 9244

Exp. : Alexandrie, 1925, pl. II ; Athènes, 1980, p. 36, n° 166 ; Amsterdam, 1999, p. 159, n° 109
Bibl. : Devonshire, 1928, p. 196, pl. IIc et d

Les panneaux de bois présentent tous deux un décor d'arabesque symétrique compliqué, exécuté dans un relief plus prononcé sur l'un d'entre eux. Le motif se compose de bandes perlées entrelacées avec des fleurs et de longues feuilles minces.
Une niche en coquille est sculptée au dos de chacun des deux panneaux, et peinte en bleu clair. On en a déduit que ces panneaux étaient conçus pour être vus des deux côtés, ou bien qu'il s'agit d'un exemple de réutilisation du bois, pratique courante au XIIIe siècle. La niche en coquille était un ornement très apprécié depuis le XIIe siècle, et souvent employé dans la décoration des mihrabs.
Les arabesques à longues feuilles reviennent dans plusieurs décors de bois sculpté du XIIe siècle, notamment sur le mihrab de Sayyida Nafîsa au Caire (1138-1146). Cependant, la complexité et la finesse du motif font plutôt songer au *minbar* du sultan Lâjîn, réalisé en 696 H / 1296, et aujourd'hui dispersé dans différentes collections.

M. M.

39
Élément de décor architectural
Syrie ou Mésopotamie, début du XIIIe siècle

Terre cuite, décor estampé et modelé

H. 11,5 ; l. 9 ; ép. 2 cm

Damas, Musée national

A/14642

Une musicienne assise en tailleur frappe de ses doigts un petit tambourin (*daf*) qu'elle tient de la main gauche ; son vêtement porte un décor de cercles estampés. Les épaules sont enveloppées dans un mantelet faisant peut-être pièce avec le tissu qui lui couvre la tête (l'état d'érosion du relief ne permet pas d'être affirmatif). Ce trait vestimentaire apparaît sur les céramiques de Kubâdâbâd (Arik, p. 145, nº 199). Sur la droite près de son genou, un flacon est posé, parmi un décor végétal. L'objet est sans réel équivalent, et son iconographie comme l'esprit dans lequel il est traité est largement « international ». Il appelle ainsi des comparaisons avec des pièces iraniennes, en particulier dans le domaine de la céramique. Ses dimensions, la mise en page serrée indiquent que ce fragment cintré devait appartenir à un ensemble où apparaissaient peut-être d'autres éléments des plaisirs princiers et notamment d'autres musicien(nes).

S. M.

40
Carte à jouer
Syrie ou Égypte, XIIIe siècle

Papier, décor à l'encre et à la gouache

L. 11,9 ; l. 4 cm

Provient de Fustât

Ham (Royaume-Uni), Keir Collection

I. 27

Bibl. : Robinson, Grube et *alii*, 1976, p. 57, pl. 8 ; Mayer, 1939, b

On sait l'aversion de l'islam à l'égard des jeux de hasard et d'argent (*qimâr*) dont la pratique est condamnée par le Coran. Cependant ces jeux se sont développés et étaient plus ou moins tolérés tant que le profit ne s'y mêlait pas. Des sources italiennes du dernier tiers du XIVe siècle ont amené les spécialistes des jeux à considérer que les cartes occidentales étaient d'origine arabe. Les jeux italiens et espagnols emploient en particulier des séries de dix numéros associés à des cartes « de cour » dont les Reines sont absentes, comme dans les jeux issus du monde islamique. Les familles de cartes (bâton, sequin, coupe, épée et maillet de polo) sont également en partie communes aux jeux italiens et espagnols ; le nom même du jeu de carte en espagnol, *naipes*, vient de l'arabe *nâ'ib* (« gouverneur », nom de l'une des cartes « de cour »). Mayer découvrit à Istanbul un jeu de cartes mamlouk qui venait corroborer ce que longtemps seuls les textes appuyaient. Les deux cartes de la Keir Collection appartiennent à une série de « coupes », famille présente dans le jeu d'Istanbul. Le dessin semble cependant antérieur et il pourrait s'agir des vestiges d'un jeu plus ancien, d'époque ayyoubide.

S. M.

41

Vase

au nom du sultan al-Malik al-Nâsir Salâh al-Dîn Yûsuf, dit «vase Barberini», sous la base, inscription au nom d'al-Malik al-Zâhir (Baybars)

Syrie, Damas ou Alep, 1237-1260

Alliage cuivreux martelé, décor repoussé, gravé, incrusté d'argent et de pâte noire

H. 45 cm

Paris, musée du Louvre, section Islam
Acquis en 1899
OA 4090

Exp. : Rimini, 1993, n° 460 ; Saint-Jacques-de-Compostelle, 2000, n° 96

Bibl. : Alexander (dir.), 1996, vol. I, p. 174 et vol. II, n° 128

Cet objet exceptionnel est l'un des plus célèbres métaux du monde islamique. Il est censé provenir de l'illustre collection du pape Urbain VIII Barberini (mort en 1644) qui lui donna son nom d'usage. Le vase est unique à plus d'un titre, par sa forme d'abord, mais aussi par son décor qui mêle inscriptions, arabesques et scènes figurées d'une extraordinaire qualité. Il est au nom du dernier sultan ayyoubide d'Alep, pour lequel une aiguière (cat. 123) a également été réalisée.

Les médaillons polylobés illustrent pour la plupart le thème de la *furusiyya*, qui s'épanouira à l'époque mamlouke. Ce terme arabe recouvre plusieurs notions ayant trait au cheval : il s'agit à la fois d'hippiatrie, d'hippologie et d'équitation au sens d'art militaire. La *furusiyya* comporte l'enseignement du maniement des armes à cheval, la chasse, le jeu de polo...

C'est la chasse qui forme le thème principal du « vase Barberini » : la plupart des médaillons sont occupés par des chasseurs à pied ou sur une monture (cheval ou chameau). Ils illustrent l'art de manier l'arc, la lance courte, l'épée et le bouclier, la massue et la sarbacane. Certaines figures de chasseurs et de combattants évoquent celles illustrant des traités d'art militaire ayyoubides puis mamlouks. Le traitement des figures n'est pas sans rappeller celui de la coupe « de Fano » (voir p. 130). Quelques médaillons sont toutefois ornés de toutes autres scènes : un personnage à dos de chameau, assis en tailleur dans un palanquin, rappelle un sujet similaire ornant l'aiguière « Blacas » (cat. 122). Les souples arabesques qui laissent chatoyer le métal nu sont fort proches de celles gravées par Dâwud ibn Salâmah sur un bassin (Paris, musée des Arts décoratifs, 4411) et de celles qui se déploient sur un chandelier (collection particulière). Ces trois œuvres sont peut-être issues du même atelier de production.

A. C.

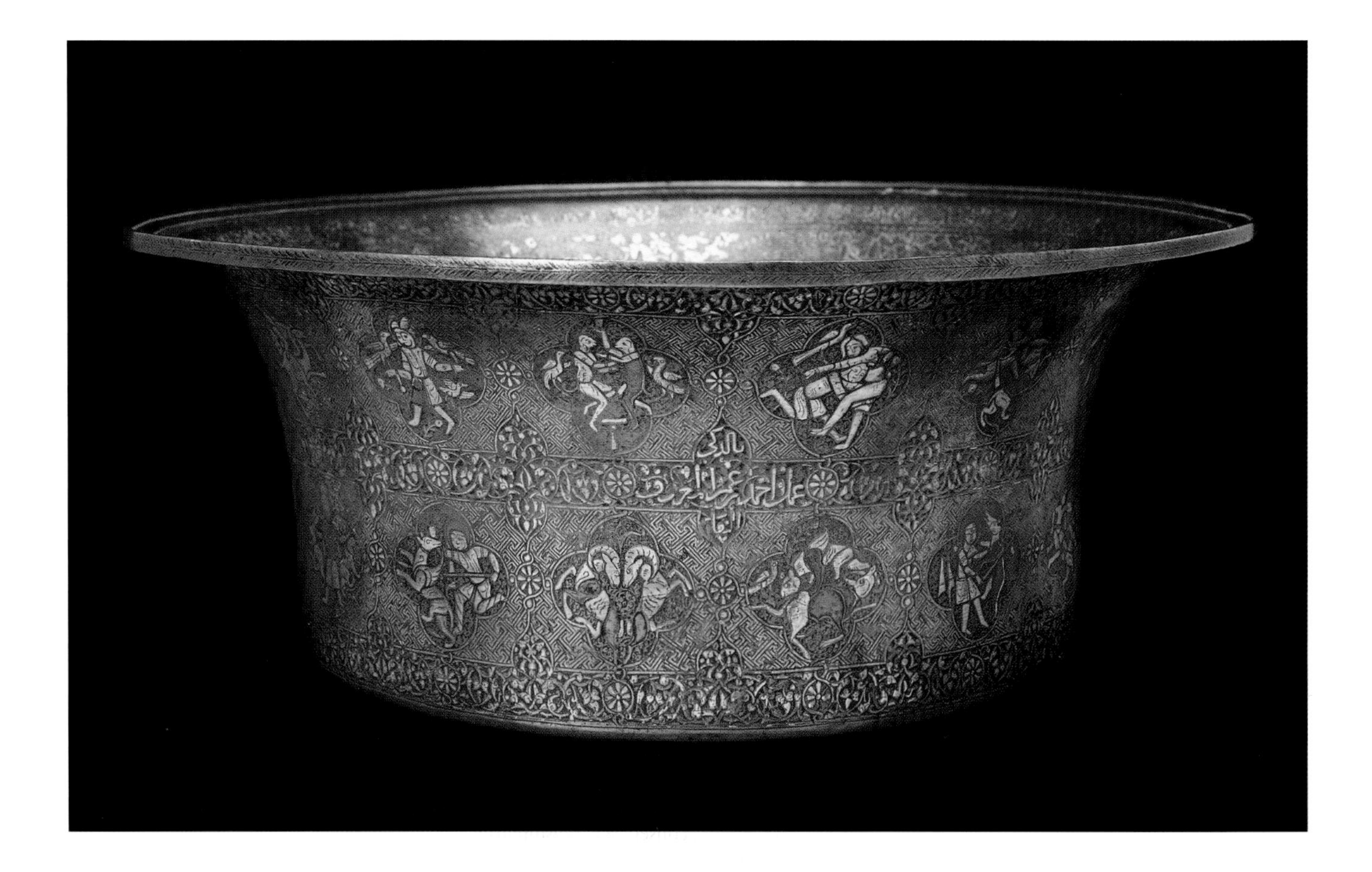

42

Bassin

au nom du sultan al-ʿÂdil II Abû Bakr
Signé al-Dhakî al-Mawsilî

Syrie, 1238-1240

Alliage cuivreux martelé, décor incrusté d'argent regravé et de pâte noire

H. 19 ; D. ouverture 47,2 cm

Paris, musée du Louvre, section Islam
OA 5991
Don F. Doistau, 1905
Exp. : Paris, 1989, nº 182
Bibl. : Rice, 1957

Ce superbe bassin est le deuxième objet réalisé par al-Dhakî qui nous soit parvenu : il s'inscrit entre l'aiguière du Cleveland Museum of Art datée de 1223 (cat. 113) et l'aiguière Homberg datée de 1242 (cat. 101). C'est peut-être l'œuvre la plus impressionnante que nous connaissons de cet artiste, par sa richesse iconographique et sa profusion ornementale savamment orchestrée. Les décors sont diversement organisés suivant les parties de l'objet. Le fond du bassin est orné des figurations des planètes et du zodiaque. Les parois internes sont principalement occupées par de grandes scènes de chasse, d'un traitement inédit et unique dans l'art du métal ayyoubide. Ce sont de véritables tableaux qui se déploient sous nos yeux, où la vivacité et la diversité des figures traduisent l'extrême talent du graveur. Au-dessus de ces scènes se trouve une inscription qui occupe le pourtour du bassin et nomme le sultan al-ʿÂdil. L'extérieur de la paroi est décoré d'une toute autre manière : sur un fond de « T imbriqués », se détachent trente quadrilobes enfermant chaque fois une scène différente. Ils sont pris dans un réseau plus large formé d'arabesques végétales. Au centre de la paroi apparaît la signature de l'artiste ainsi formulée : « Œuvre de Ahmad ibn ʿUmar connu comme al-Dhakî, le graveur ».

Ce bassin est stylistiquement très proche d'une pyxide également au nom du sultan al-ʿÂdil, conservée à Londres (Victoria and Albert Museum). Bien qu'elle ne porte pas de signature, il est probable qu'elle ait été exécutée par al-Dhakî. Sur le couvercle sont représentés les planètes et le zodiaque. Sur la paroi, des quadrilobes habités de figures s'enlèvent sur un fond végétal. Le plan décoratif et le traitement des sujets sont fort similaires à ceux du bassin du Louvre. De plus, l'un des quadrilobes de la pyxide est occupé par un homme pourfendant un griffon, quasiment identique à celui du bassin.

A. C.

43

Boîte

au nom du sultan al-Malik al-'Azîz

Syrie, Alep (?), 1231-1233

Alliage cuivreux martelé, décor incrusté d'argent

H. 11,5 ; D. 10 cm

Naples, musée de Capodimonte
112095
Anc. coll. Borgia
Exp. : Venise, 1993-1994, n° 171

Ce type de petite boîte à couvercle est assez courant au Proche-Orient durant le XIIIe-XIVe siècle. Plusieurs exemplaires conservés sont inscrits au nom de puissants personnages. Celui-ci porte sur le couvercle une inscription au nom du sultan ayyoubide d'Alep al-Malik al-'Azîz Ghiyâth al-Dîn, intronisé en 1216 alors qu'il n'était encore qu'un enfant. Son régent Shihâb al-Dîn Tughrul assura les affaires de l'État jusqu'en 1232, puis al-Malik al-'Azîz régna seul jusqu'à sa mort en 1236. Selon U. Scerrato, les termes employés dans l'inscription dédicatoire permettent de dater l'objet entre 1231 et 1233.
L'iconographie figurée du bandeau central de la boîte a pour thème la musique et la danse. Une danseuse, saisie dans une attitude contournée, illustre le sens du mouvement et de l'observation caractéristique des décorateurs de métaux de cette époque.
Cette boîte est le seul métal connu inscrit au nom de ce sultan. Une aiguière à décor d'arabesques végétales (voir p. 130), conservée à Washington, Freer Gallery of Art, peut néanmoins lui être indirectement rattachée. Elle a été réalisée en 1232 pour son régent, l'*atabeg* turc Shihâb al-Dîn Tughrul, probablement à la veille de la majorité du souverain. Il est intéressant de noter que cette aiguière est l'œuvre de Qâsim ibn 'Alî, élève du maître d'atelier Ibn Mawaliya de Mossoul.

A. C.

44

Bol hémisphérique au buveur

Syrie, début du XIIIe siècle

Pâte siliceuse, décor polychrome peint sous glaçure

H. 11 ; D. 20,5 cm

Damas, Musée national
A/4510/11890

Les céramiques à décor peint sous glaçure syriennes offrent le plus souvent l'exemple d'un style miniaturiste. À l'inverse, ce bol dédie toute la surface disponible à un unique personnage assis (le bas du corps est perdu) élevant dans la main droite un gobelet de verre transparent rempli de vin. La forme en est d'ailleurs singulièrement plus resserrée que celle des gobelets assignés à la période ayyoubide. Auréolé, coiffé du turban d'où dépasse une longue mèche de cheveux, le jeune homme n'est pas sans équivalent parmi les céramiques iraniennes et de provenance anatolienne ainsi qu'avec l'iconographie des verres émaillés syriens. Ce « style international » reprend inlassablement le thème du jeune élégant avec une insistance virtuose sur les vêtements. La forme de la robe, près du corps et décolletée en v, les manches étroites ceintes de bandes de *tirâz* (traitées en rouge), ces traits ont des antécédents durant la période fatimide. Or, nos connaissances du textile pour cette période sont maigres, les tissus ou leur représentation dans l'art du livre nous faisant défaut. Il ne faut cependant pas donner à la pièce une valeur documentaire excessive, son iconographie relevant largement de stéréotypes très répandus. Il en reste une pièce de très belle qualité qui se distingue particulièrement par l'ampleur de sa polychromie où, pour une fois, le vert tient une large part. Les branches à petites feuilles de type « branches de sapin » appartiennent autant à l'art de la céramique qu'à celui du verre émaillé (gobelet, musée Benaki, n° 420).

S.M.

45

Fragment de tunique

Syrie ou Égypte, XIIe-XIIIe siècle

Soie verte et blanc crème, lampas sur armure toile

31 × 43 cm

New York, The Metropolitan Museum of Art, Rogers Fund, 1947

47.15

Bibl. : Day, 1950, p. 111

Ce fragment et d'autres, dispersés dans diverses collections à travers le monde, proviennent d'une tunique qui fut sans doute l'un des plus somptueux vêtements créés sous les Ayyoubides. Le fond extrêmement touffu représente des paires d'animaux héraldiques formant des rangées verticales répétitives. Ces paires symétriques sont séparées par des arbres de vie stylisés, prolongés par des réseaux de rinceaux compliqués qui emplissent le fond. Les plus larges rangées verticales font alterner les griffons affrontés et les renards adossés, figurés de profil. Elles s'intercalent entre des bandeaux plus étroits, meublés d'oiseaux à longue queue et aux ailes déployées, probablement des phénix, affrontés par paires. Les oiseaux et les renards s'alignent en continu dans le sens horizontal, tandis que les griffons, plus gros, sont séparés par les arbres de vie. Des fragments de la même étoffe sont répertoriés au Museum of Fine Arts de Boston (31.11), dans la collection Madina de New York (T00017), au Victoria and Albert Museum de Londres (704.1898 et 1960.602), au musée national du Moyen Âge à Paris (22531), au musée historique des Tissus de Lyon (36765), au Museu textil i d'indumentaria de Barcelone (32.862), à la Biblioteca Apostolica du Vatican (6732), au Landesmuseum württembergisches de Stuttgart, à l'Abegg-Stiftung de Riggisberg (1521a-c et 1981 a-h) et dans la collection Al-Sabah du musée national de Koweït (LNS 9T)[1].

S. C.

1. Voir notamment Otavsky; 'Abbâs, 1995, p. 141-143, n° 83, S. Makariou, « Rapport de stage dans un atelier de restauration », dossier dactylographié, Lyon, musée historique des Tissus, 1994.

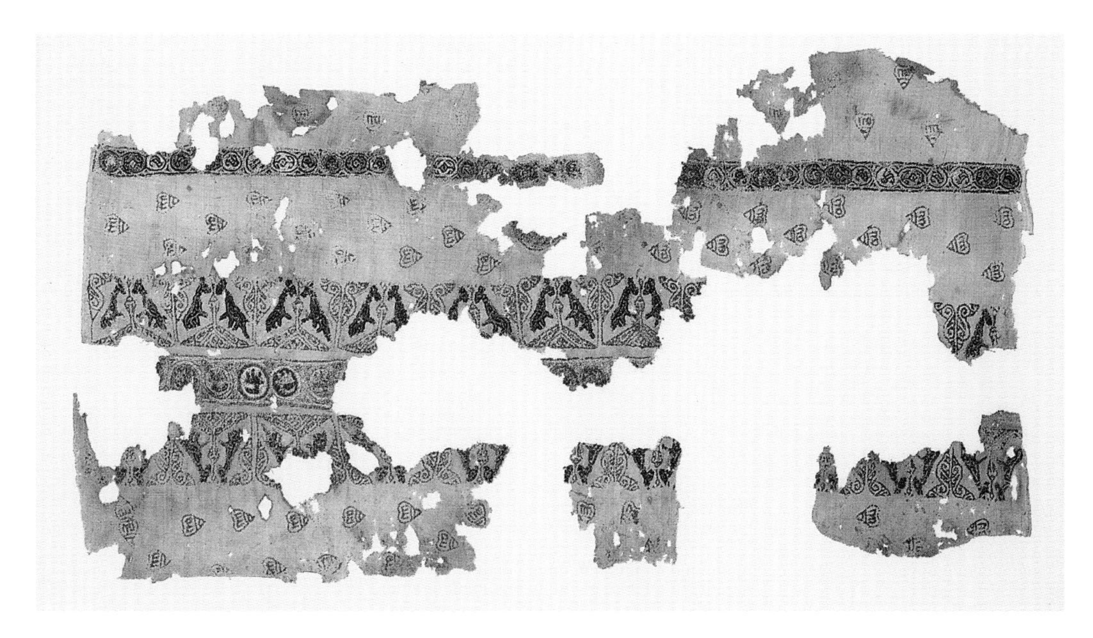

46
Fragment de tissu brodé
Égypte, XIIe-XIVe siècle
Toile de lin brodé de soie, point de chaînette
86 × 44 cm
Berlin, Museum für Islamische Kunst
I. 3171
Exp. : Krefeld, 1960, n° 60
Bibl. : Kühnel, 1927, p. 52, n° 29

Le solide tissu de lin est pourvu d'une fine broderie de soie en sept couleurs, exécutée au point de chaînette. La bande décorative du milieu, qui se fait particulièrement remarquer par son coloris intense, mesure 18 cm de large et elle est composée de trois bandeaux. Celui du centre à fond jaune contient une série de médaillons représentant des bouquetins affrontés par paires. Les deux bandeaux latéraux se font écho en miroir. Ils montrent des gazelles dressées sur leurs pattes postérieures, groupées par paires autour d'un motif végétal, réminiscence de l'arbre de vie. Des spirales doubles en forme de S apparaissent entre elles, prenant la forme d'élégantes palmettes liées aux triangles de couleur correspondante qui se trouvent au pied de l'arbre de vie. Le feuillage régulier et les couples d'animaux opposés produisent cet effet d'une symétrie équilibrée qui joue un grand rôle dans l'art de l'époque ayyoubide.
Le galon latéral à droite, qui se répétait de l'autre côté, contient des médaillons avec des motifs d'oiseau ou des crochets. La broderie fait apparaître des rapports avec les tissages contemporains. Elle fait partie des ouvrages manuels domestiques qui ont été réalisés sans dessin préalable et avec une recherche d'effets de couleurs plutôt que méticuleusement exécutés. Les médaillons en forme de cœur avec le nom d'Allâh, dispersés çà et là sur le champ laissé libre, donnent une idée de la manière spontanée du travail de broderie. Le modèle est certainement pris pour modèle une composition stricte avec une répétition systématique des motifs.

A. Von G.

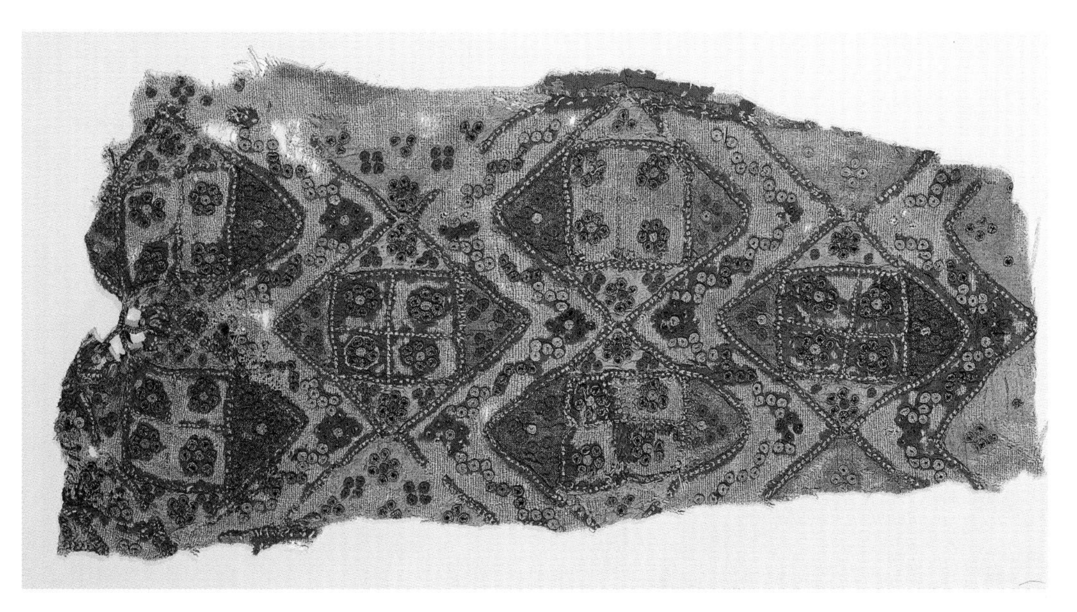

47
Fragment à décor géométrique
Égypte, XIIe-XIIIe siècle
Toile de lin de torsion Z orné d'applications de soie de couleur et de broderie de soie
39 × 20 cm
Doha, National Council for Culture, Arts and Heritage

La toile de fond était entièrement recouverte par l'application de triangles, de carrés et de bandes en zigzag, en taffetas de soie, le tout serti de broderie.
Le décor en treillis se présente comme un réseau de losanges, bleu, jaune et rouge, s'inscrivant sur un fond rouge dont il ne reste plus que des traces. Chaque compartiment du décor est orné de petites fleurs brodées au point d'œillet.
La torsion Z du lin, le large emploi de la broderie et du taffetas de soie, évoquent l'Égypte ayyoubide, l'absence de pièces de référence ne permet pas plus de précision.
Ce fragment paraît provenir de la même pièce que le fragment de Bruxelles (cat. 48) qui correspondrait aux bandes de bordures du bas d'une robe.

G. C.

48

Fragment de tissu à décor géométrique

Égypte, XIIe-XIVe siècle (?)

Toile de lin, applications de taffetas et broderie de soie

H. 13,3 cm ; L. 20,8 cm

Acheté par I. Errera chez le chanoine F. Bock à Aix-la-Chapelle et légué en 1929 aux Musées, proviendrait de fouilles en Égypte
Bruxelles, musées royaux d'Art et d'Histoire
IS.Tx.85
Bibl. : Errera, 1927,p. 195, n° 455

Toile : chaîne (?) : lin écru, Z et S, 22 fils/cm ; trame (?) : coton écru, Z, 20 fils/cm.
Applications : taffetas de soie rouge (62 ca, 35 ea, 3 lu), jaune et turquoise (100 in), chaîne et trame s. t. a.
Broderie : œillets garnis du point de feston[1] : soie jaune (100 in), noire (94 ea, 6 al), rouge (89 ca, 8 ea, 3 in) ou bleu mal teint (100 in) et lin écru, Z2S ; au point de piqure[2] sur deux rangs superposés : lin blanc, Z2S ; au point de croix : soie noire, Z2S, les derniers servant à fixer les applications sur la toile ; point de vannerie[3] sur la bordure.
(Analyses des colorants et restauration du tissu : Institut royal du Patrimoine artistique, Bruxelles)

Le décor de ce fragment de tissu se répartit en trois registres horizontaux dans lesquels dominent des motifs géométriques, comme les zigzags, les triangles et les carrés. La toile de fond a été entièrement couverte de bandes de soie rouge sur les registres supérieur et inférieur, tandis que celui du milieu est orné de triangles de soie rouge, jaune ou turquoise, disposés en carrés. Ces applications de soie ont, à leur tour, été abondamment décorées de triangles ou de rosettes, faits d'œillets brodés en soie rouge, jaune, turquoise et noire et en lin écru. Le registre supérieur, très fragmentaire, présente une ligne à peine discernable, légèrement courbe et réalisée au point de croix.
La finition de la bordure inférieure, la forme légèrement arrondie de l'ensemble et la consolidation obtenue grâce à la toile suggèrent que ce fragment aurait fait partie de la large bande d'une calotte (*kalûta*), autour de laquelle on pouvait rouler une étoffe en guise de turban. Ce type de bonnet fut cité pour la première fois à l'époque fatimide et il est devenu courant sous les Ayyoubides et Mamlouks[4]. Cette hypothèse pourrait être confirmée en comparant deux fragments de la même technique, conservés à Berlin. En effet, le premier est de forme circulaire (±11 cm de diamètre), le second est une bande courbe de ± 12 cm de large ; tous deux proviennent vraisemblablement d'un bonnet. Faute d'inscriptions, de pièces de comparaison – datées sur la base de fouilles scientifiques –, ce tissu reste toutefois difficile à dater et à situer avec certitude.

M. Van. R. – C. V.-L.

Tissus semblables :
Staatlichen Museen zu Berlin, Inv. 6820 a-d et 6821 a-c (Wulff, O. & Volbach, W. F., *Spätantike und Koptische Stoffe aus Ägyptischen Grabfunden*, Berlin, 1926, p. 143-144, fig. 132) ; Collection Bouvier, Inv. JFB M 124 (Paris, 1993 b, p. 283, n° 180) ; Abegg-Stiftung Riggisberg, Inv. 2381 (Otavsky ; 'Abbâs, 1995, p. 105-106, n° 67)

1. Th. de Dilmont, *Encyclopédie des Ouvrages de Dames*, Nouvelle édition revue et augmentée, Mulhouse, s. d., p. 46-48, fig. 87.
2. *Ibid*, p. 43, fig. 73.
3. *Ibid*, p. 125, fig. 233.
4. Y. K. Stillman, « Libâs », in E.I.², t. V, 1986, p. 743 ; Mayer, 1952, p. 29.

Le fond de toile est orné d'un semis d'animaux et de végétaux brodés au point de chaînette : des quadrupèdes (deux lions ? un cervidé ?) beige serti d'ocre-jaune, des oiseaux dont l'un serti de bleu semble être un paon. Un palmier, un autre arbre, une fleur, beige serti d'ocre-jaune complètent ce décor.
Ce type de toile de lin brodée de soie est caractéristique de l'Égypte ayyoubide.

G. C.

49

Fragment aux animaux et palmiers-dattiers

Égypte, XIIe-XIIIe siècle

Toile de lin de torsion S brodé de soie

36 × 12 cm

Doha, National Council for Culture, Arts and Heritage

Ancienne collection Bouvier

Exp. : Paris, 1993 b, p. 282, n° 179

Seul subsiste le corps d'un quadrupède, sans doute un cheval, à robe jaune semée d'ocelles bleu-noir. L'animal porte un tapis de selle bordé de rouge et décoré de motifs ocre-jaune et blanc.
Tout autour on devine des restes de motifs végétaux très détériorés, vert clair et rouge, jaune et bleu-noir.
Le fond de toile est entièrement couvert d'un fin réseau de broderie de lin blanc, exécuté avec une sorte de point d'épine. Les motifs sont au point de chaînette en laine de couleur.
Ce fragment provient peut-être d'une tenture, la dimension du motif paraît un peu grande pour le décor d'un vêtement.

G. C.

50

Fragment au quadrupède

Égypte, XIIe-XIIIe siècle

Toile de lin de torsion Z brodé de lin et de laine (retors S et 2 bouts TZ)

23 × 20 cm

Doha, National Council for Culture, Arts and Heritage

Ancienne collection Bouvier

Exp. : Paris, 1993 b, p. 282, n° 178

51 à 53 *

Trois bouches de fontaine

Syrie, Raqqa, seconde moitié du XIIe siècle

Pâte siliceuse, décor « lakabi » : moulé, modelé et gravé sous glaçures transparentes plombeuses colorées et incolore

51 Coq

H. 38,5 ; L. 26 cm

Copenhague, The David Collection

Isl. 57

Exp : Copenhague, 1996, nos 204 et 205

52 Sphinx

H. 37 ; L. 28 cm

Copenhague, The David Collection

Isl. 56

53 Cavalier

(voir page 58)

H. 46,5 cm

Damas, Musée national

A/5819

Bibl. : Damas, 1976, p. 176, pl. XIII

Bibl. d'ensemble : Grube, 1966, p. 165-175

51

Une des plus étonnantes découvertes de céramique syrienne est celle d'un remarquable ensemble de trois rondes-bosses à Raqqa, en 1924 : un coq, un sphinx et un cavalier luttant contre un dragon. Elles auraient été trouvées par Eustache de Lorey, alors directeur de l'Institut français de Damas, au cours d'un sondage fait dans l'enceinte d'al-Rafika et dérobées alors. Les trois pièces furent acquises par un groupe d'antiquaires beyrouthins et damascènes. Les dissensions qui s'élevèrent entre eux amena la dispersion des pièces. Elles transitèrent par Paris. Le baron de Rothschild en négocia l'achat, mais sans doute pour des raisons de conjoncture la transaction ne put se faire (sur ce point la note d'Abdu'l-Haqq est très approximative puisqu'elle place le début des hostilités en Europe avant 1936! Il s'agit ici probablement d'Edmond de Rothschild qui, dans les années 1929, commandite et finance les fouilles de l'Institut français à Meskeneh). À Paris, le cavalier avait subi de légères restaurations. Il regagna Damas en 1936 et fut finalement acquis par la Direction générale des Antiquités en 1949. Dix ans plus tard et après des pérégrinations inconnues, les deux autres pièces entrèrent dans le fonds de la David Collection.

La découverte des trois pièces à Raqqa, bien que mal documentée, renforce l'hypothèse syrienne d'une fabrication des « lakabi ». L'usage des pièces n'est pas clair, mais il semble qu'on puisse leur attribuer une fonction de bouche de fontaine : le renfort central issu de la terrasse du cheval, les pattes du coq ainsi que celles du sphinx permettaient d'acheminer l'eau jusqu'à l'orifice fourni par bec et bouche. De tels ensembles de figures de bouche de fontaine de formes variées sont connus en particulier dans l'art du métal : le cerf et la biche de bronze de Madînat al-Zahrâ (Espagne, apr. 936) en fournissent un exemple fameux. Le bronze permet la réalisation de pièces de plus grande taille (61 et 56 cm pour les pièces citées ; E. J. Grube signale cependant une pièce inédite en céramique atteignant près de deux mètres). Aussi le choix de la céramique peut apparaître

52

plus surprenant. Il est le signe de la forte tradition des arts du feu dans cette région syrienne et de la relative nouveauté des traditions du métal. Il permet en outre la création de pièces rendues plus attrayantes par l'emploi de la couleur.

Les trois sculptures ont probablement été réalisées dans un moule ; un luxe de détails a été figuré : la couronne du sphinx, le décor des ailes du coq et le morceau de bravoure que représente sa queue aux pennes nettement individualisées qui s'achève par une tête de griffon, rappelant par son aspect composite l'iconographie astrologique de plusieurs céramiques de la période (cat. 56). Le dragon est aussi bien sûr une figure apotropaïque comme l'illustre le combat de la bête avec le cavalier. L'ensemble était-il complété par d'autres pièces ? nous ne le savons pas mais nous pouvons imaginer que la complexité de l'iconographie appelait aisément d'autres créatures en renfort autour d'un petit bassin.

S. M.

53

54
Figurine en forme d'éléphant
Syrie, XIIe siècle
Pâte siliceuse moulée à glaçure, décor de rehauts de glaçures bleu de cobalt et turquoise
H. 29,3 ; l. 20,1 cm
Londres, Nasser D. Khalili Collection of Islamic Art
POT 1285
Bibl. : Grube, 1994, p. 250 et 263, n° 286 ; Londres, Christie's, catalogue de la vente du 11 octobre 1988, n° 345

L'éléphant semble marcher lentement en faisant traîner sa trompe. Il est conduit par un cornac assis sur une plate-forme semi-circulaire sur la nuque de l'animal, devant un palanquin somptueux en forme de pavillon à coupole ajourée. Trois personnages se trouvent à l'intérieur : un danseur, et deux musiciens placés derrière lui, de part et d'autre. Le premier joue de la trompette et le second du luth. Le palanquin est arrimé au corps de l'éléphant par un harnais fait de cordes dont les extrémités pendent du pavillon.

L'éléphant a deux grands disques sur les oreilles et des rangées de bossettes sur le corps. Une corde descend le long de sa trompe, une autre entoure son front et ses yeux. Ces détails semblent indiquer que l'animal est représenté dans ses fonctions militaires, comme quatre autres figurines d'éléphant connues à ce jour. Les grands disques sont des protège-oreilles, les bossettes signalent une armure ou un caparaçon, et la corde renforcée de pièces de cuir fait office de casque à visière. La statuette creuse est percée de deux trous, l'un à la base de la trompe, et l'autre, en forme de buse verticale, au-dessus de la queue, ce qui indique un usage précis. De nombreuses statuettes de ce genre servaient d'aiguières, d'autres ornaient peut-être des fontaines. Cet éléphant avait sans doute une autre utilité, car il serait difficilement utilisable pour verser de l'eau et les orifices sont trop petits pour le jet d'eau d'une fontaine. Il existe très peu de statuettes en céramique provenant de Syrie, et l'on n'en connaît que trois autres exemplaires en « lakabi », tous présumés issus des fouilles de Raqqa en 1924 : un coq et un sphinx à la David Collection de Copenhague, et un cavalier au Musée national de Damas (cat. 51 à 53).

N. N.

55

Coupe au paon

Syrie, début du XIIIe siècle

Pâte siliceuse, décor « lakabi » : gravé sous glaçure, rehauts de glaçures colorées

H. 6 ; D. 29,7 cm

Londres, Nasser D. Khalili Collection of Islamic Art
POT 684

Exp. : Amsterdam, 1999, p. 237, n° 217
Bibl. : Grube, 1994, p. 248 et 250, n° 285

Cette coupe, exceptionnellement bien conservée, fournit un très bel exemple de céramique dite « lakabi ». Un paon stylisé aux couleurs brillantes occupe le centre, tandis que le bord s'orne de trois cartouches de pseudo-épigraphie. La coupe ne porte pas de décor au revers.
La pâte blanche siliceuse et la forme de la coupe, à marli plat, petite base et profil caréné, sont caractéristiques des céramiques de Tell Minis, qu'elles soient à décor lustré ou de type « lakabi ».

N. N.

56

Plat au sphinx

Syrie, fin du XIIe, début du XIIIe siècle

Pâte siliceuse, décor peint polychrome sous glaçure transparente

D. 29,5 ; H. 8 cm

Copenhague, The David Collection
54/1966

Exp. : Düsseldorf, 1973, p. 148, n° 205 ; Londres, 1976, p. 231, n° 306 ; Humlebaek, 1987, n° 85 ; Copenhague, 1996, p. 164, n° 125
Bibl. : Copenhague, 1970, p. 282 ; Hartner (E.I., article «Jawzhar») ; Melikian, 1982, p. 93 ; Folsach, 1990, n° 134 ; Folsach, 1991, p. 9, n° 14

Ce bel exemple du décor peint sous glaçure illustre la proximité entre les pièces ayyoubides et les pièces iraniennes d'une part et d'autre part entre celles-là et des carreaux anatoliens. L'inscription pseudo-koufique en réserve se rencontre sur des pièces de petit feu iraniennes des années 1180-1210 ; la palette, ici du bleu, du noir, et le rouge posé sur un bol de sable ferrugineux, est limité par la technique employée. C'est la même technique que l'on retrouve sur une partie des carreaux de Kubâdâbâd en Anatolie où l'on a souvent voulu voir une production syrienne. On y retrouve la même liberté de mise en page et le dynamisme que confère la brutalité du motif en diagonale. L'iconographie est peut-être moins anodine qu'il y paraît et pourrait bien être largement astrologique, tout comme la harpie également fréquente. On sait en effet que le sphinx est fréquemment associé au soleil et que l'animal menaçant vers lequel il se retourne est sans doute une allusion à Jawzhar, la pseudo-planète responsable des éclipses (Hartner). L'iconographie complexe de Jawzhar, se retrouve en particulier sur le cours supérieur du Tigre, à Jazîrat ibn 'Umar, où il apparaît pour la première fois (1164) sur le décor sculpté d'un pont. Enfin, une sphinge très similaire apparaît sur des métaux issus d'Iran oriental et datables du XIIe siècle (Melikian, 1982, p. 93).

S. M.

57

Gobelet à inscription

Syrie, vers 1225-1250

Verre soufflé, décor émaillé et doré

H. 18,5 ; D. ouverture 13,5 cm

Provient des fouilles de Hama
Damas, Musée national
A/3886

Exp. : Paris, 1993, p. 446, n° 339
Bibl. : Riis ; Poulsen, 1957, p. 81, 285, fig. 245, 1083 ; Kenesson, 1998, p. 45-49

Bien qu'altéré par son enfouissement l'objet conserve une très belle inscription *naskhi* qui se déploie sur deux niveaux ; tracée directement à l'or, sans contour, elle donne une suite de formules eulogiques adressées à un sultan anonyme ; plusieurs éléments de cette titulature appartiennent au protocole ayyoubide : *al-mujâhid* (le champion de la foi) *al-murâbit* (le combattant des frontières), *sultân al-islâm wa l-muslimîn* (le sultan de l'islam et des musulmans). En outre il a été découvert dans un niveau de fouilles antérieur à 1260, avec un gobelet similaire. Sur ce dernier n'apparaît cependant pas la fine inscription en koufique tressé entre les deux lignes cursives. E. Hammershaim (1957, p. 285) y a déchiffré le mot *al-hamd* (la bénédiction), qui indique qu'il s'agit d'une simple suite de souhaits. L'inscription est encadrée enfin par une frise de motifs cordiformes et de triskèles cantonnées de points. Un motif proche apparaît sur d'autres verres trouvés à Hama et sur des tessons attribués à la période zenguide (cat. 197). La forme de l'objet a été rapprochée d'une illustration figurant dans un manuscrit de 1273 (Paris, 1993) ; mais le contexte de sa découverte concorde avec les nouvelles propositions de datation de ce groupe (Kenesson, 1998, type A, p. 46) ; dans le groupe de gobelets à bord oblique et large ouverture (cat. 199 à 201, 203, 204), il se distingue par sa hauteur.

S. M.

Il pourrait s'agir là d'une inscription considérée comme perdue par G. Wiet, (voir aussi cat. 66) ; cependant l'identification ne paraît pas absolument établie. Elle relate des travaux de restauration relatifs à des piliers de la Grande Mosquée de Damas, monument édifié au début du VIIIe siècle sous le règne du calife umayyade al-Walîd Ier. L'écriture se dégage par champlevage, mais la taille est un peu moins franche. Elle se répartit sur le fond entre des lignes en méplat qui créent l'effet des tracés de calame sur une page de manuscrit. La calligraphie *naskhi*, sobre et élégante, n'est agrémentée que d'une tigelle qui marque la fin de l'inscription dans l'angle inférieur gauche et d'une efflorescence à la fin de la sixième ligne sur le mot *malik* (roi). Le seul autre effet décoratif employé est le recours fréquent, en fin de ligne, à des lettres dont les boucles mordent sur le cadre, contribuant à donner une dynamique à l'écriture.

S. M.

58

Plaque à inscription

Syrie, Damas, 575 H / 1179-1180

Calcaire, décor champlevé et gravé

H. 87,5 ; L. 60,5 cm

Damas, Musée national
A/13/101

Références : Wiet, 1922 b, p. 307, III ; Van Berchem, *C.I.A.*, *Égypte*, I, p. 300

L'inscription en cinq lignes dit :
« Au nom de Dieu le Clément le Miséricordieux
Ceci a été fait par ordre du sultan al-Malik
Al-Kâmil Nâsir Dunyâ wal-Dîn
Muhammad Ibn Abû Bakr Ibn Ayyûb, auxiliaire du prince
Des Croyants en l'année six cent dix. »

L'usage du terme d'auxiliaire (*zâhir*) s'explique par le fait que al-Kâmil n'avait pas été investi à cette date et qu'il exerçait le pouvoir à la place de son père al-'Âdil, alors absent d'Égypte. L'inscription a été sculptée en méplat dans un cadre sur la surface supérieure plane d'un chapiteau, destiné à recevoir une poutre ou le départ d'une arcature. Le chapiteau de forme bulbeuse est un remploi. Le volume de la pièce indique qu'elle était probablement incluse dans une maçonnerie très épaisse. L'inclusion de fragments plus anciens, en particulier de colonnes, est bien connue dans l'architecture militaire contemporaine (par exemple à la citadelle de Bosra) ; les fûts placés horizontalement dans les maçonneries étaient destinés à les renforcer. On peut proposer un emploi similaire pour ce fragment.

S. M.

59

Chapiteau à inscription

Égypte, 610 H / 1213

Marbre, décor champlevé

H. 55 ; L. 43 ; l. 43 cm

Le Caire, musée d'Art islamique
14 480

Bibl. : Wiet, 1971, p. 53, n° 70, pl. XI

L'environnement des Ayyoubides

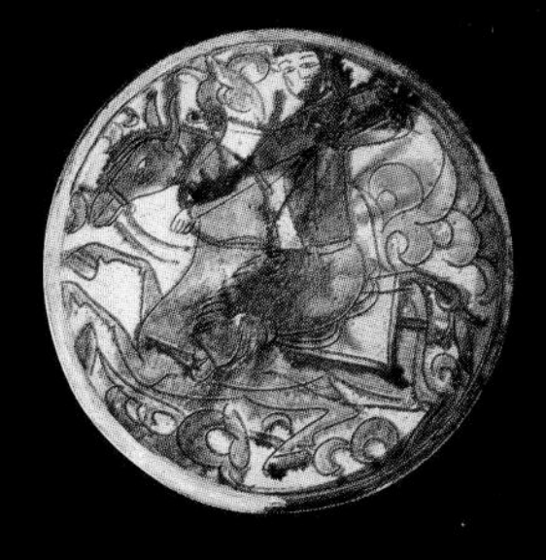

Les Ayyoubides et les Francs

GEORGES TATE

Le krak des chevaliers.
Photo Annick Neveux-Leclerc.

Les relations entre les Ayyoubides et les Francs des États latins d'Orient aussi bien que d'Occident se développent simultanément sur les plans de la confrontation politique et militaire et des échanges. Sous Saladin, les guerres sont pratiquement permanentes ; sous ses successeurs, alors que les États latins d'Orient sont réduits au rang de puissance subalterne, le rôle de la diplomatie s'affirme, et les conflits militaires, pour violents qu'ils soient, deviennent épisodiques : ils se réduisent aux entreprises des croisades venues d'Occident ; dans les intervalles, un état de paix quasi totale règne.

Pour Saladin, la guerre contre les Francs est une nécessité politique impérieuse. La conquête de la Syrie méridionale et centrale, après la mort de Nûr al-Dîn en 1174, fait de lui son héritier mais non son successeur légitime. Alep, en Syrie du Nord, et la Haute-Mésopotamie demeurent gouvernées par des princes zenguides qui lui résistent et qui contestent une légitimité qu'à défaut de l'hérédité seuls des succès contre les Francs permettraient d'asseoir. Les historiens se sont parfois interrogés sur la sincérité des intentions de Saladin : a-t-il exploité la guerre contre les Francs pour justifier la constitution de son empire ou a-t-il constitué cet empire pour pouvoir combattre et vaincre les Francs ? Cette interrogation, qui était déjà celle des chroniqueurs de son époque, nous paraît n'avoir guère de sens : à la mort de Nûr al-Dîn, à moins de renoncer à tout avenir politique, Saladin, maître de l'Égypte, n'avait d'autre choix que de conquérir la Syrie et la Haute-Mésopotamie, qui constituaient une sorte de vide politique, et de mettre fin à l'existence ou tout du moins à la puissance des États latins.

Si diminuée qu'elle fût alors, après la destruction du comté d'Édesse, leurs échecs contre Damas et surtout contre l'Égypte, la puissance des États latins demeurait en effet considérable ; elle constituait toujours, pour l'islam, une menace permanente : l'arrivée impromptue d'une flotte sicilienne de 284 navires devant Alexandrie l'avait encore montré en juillet 1174 ; faute d'un appui terrestre, après la mort du roi Amaury, qu'ils ignoraient, les Francs durent rembarquer, mais l'alerte avait été chaude. Protégés, au nord, par le royaume arménien de Cilicie, ils contrôlent encore la côte de Syrie-Palestine et les plaines qui la bordent jusqu'à la première ligne, voire la seconde, des montagnes qui se développent du nord au sud ; leur territoire est défendu par un dense réseau de forteresses puissantes dont les garnisons surveillent les mouvements des armées ennemies, et sont parfois assez nombreuses pour contrecarrer leurs incursions ; ils disposent enfin d'une armée expérimentée dont au moins une partie, celle qui dépendait des ordres militaires, était permanente. Face aux Francs, Saladin reprend, mais sur une échelle plus étendue, la politique de *jihâd* et d'unification politique de Nûr al-Dîn. Il n'a de cesse d'accroître la puissance de ses armées, en diversifiant leurs armes, et d'augmenter ses effectifs. En 1185, il peut mobiliser jusqu'à 14 000 cavaliers, contre 1 000 pour les Francs, du matériel de siège, une marine puissante, et utiliser, sur terre comme sur mer, le feu grégeois, mélange de soufre, de salpêtre et d'huile de naphte dont les Francs ignorent encore le secret (cat. 60). Cette puissance considérable a toutefois ses faiblesses : le rassemblement des armées dépend pour une part de l'adhésion des émirs ; leur fidélité est en principe acquise, mais des guerres prolongées qui n'aboutiraient pas à des victoires pourraient les lasser et, finalement, remettre en cause leur mobilisation.

Dès 1177, sans attendre d'établir son autorité sur Alep et la Haute-Mésopotamie, Saladin entreprend des offensives puissantes et massives. Grâce aux effectifs nombreux dont il dispose, il est capable d'engager des actions simultanées sur plusieurs fronts. En 1177, pourtant, ses armées sont battues et mises en déroute à Montgisard. Par la suite, Saladin intensifie ses attaques ; il met les Francs sur la défensive et les contraint à renforcer leurs forteresses et à en construire de nouvelles. En 1179, il attaque sur terre, en Galilée, et par mer : la flotte égyptienne pénètre dans le port d'Acre, s'empare des navires, brûle les entrepôts. La puissance des États francs n'est pas entamée, mais ils doivent assister en spectateurs impuissants à la destruction ou à la saisie de leurs biens et de leurs récoltes. Épuisés et ruinés, les Francs obtiennent une trêve en 1180. La guerre reprend en 1181 puis en 1185. Le seigneur de Transjordanie, Renaud de Châtillon, tente la folle entreprise d'attaquer les Villes saintes de Médine et de La Mecque. Saladin riposte par des expéditions de pillage sur tous les fronts, surtout en Galilée où les seigneurs francs revêtus de leurs armures assistent à nouveau, sans pouvoir s'y opposer, à la destruction de leurs domaines. La trêve est rompue, en 1187, par les raids de pillage que Renaud de Châtillon lançait au mépris des accords conclus contre les caravanes musulmanes qui se rendaient d'Égypte en Syrie. Saladin proclame le *jihâd*, mobilise toutes ses forces. À Hattîn, à l'ouest du lac de Tibériade, dans une zone basaltique aride et dépourvue de sources, il anéantit la coalition des armées franques réunies. Chevaliers et piétons sont tués ou capturés. Saladin s'empare de toutes les villes et forteresses et

Le couronnement de Baudouin Ier (1171-1207), roi de Jérusalem,
Histoire d'Outremer, de Guillaume de Tyr, f° 89, Acre, vers 1287 **(cat. 64)**.
Photo Bibliothèque municipal. Boulogne-sur-Mer.

Guy de Lusignan, roi de Jérusalem,
devant Saladin après la défaite des Francs à Hattîn,
c'est l'une des plus anciennes représentations de Saladin en Occident.
Chronique des Empereurs, de David Aubert, vers 1450.
Paris, bibliothèque de l'Arsenal ; photo Jean Vigne.

finalement, en octobre 1187, de Jérusalem. Des États latins, il ne subsiste plus que Tyr, Tripoli et Antioche.

L'ampleur de la victoire de Saladin plonge la chrétienté d'Occident dans la stupeur. Une nouvelle croisade, la troisième, est organisée. Elle rassemble des effectifs considérables, et cette fois il s'agit de trois armées professionnelles bien équipées et dirigées par des chefs compétents : l'empereur germanique Frédéric Barberousse, Philippe Auguste, roi de France, et Richard Cœur de Lion, roi d'Angleterre. Après une grande victoire contre le sultan d'Iconium (Konya), l'immense armée de Frédéric Barberousse se disperse après qu'il se fut noyé dans un torrent du Taurus. Les deux autres réussissent à reprendre Acre, en juillet 1194. Après le départ de Philippe Auguste, Richard Cœur de Lion remporte deux victoires, à Arsuf en 1191 et à Jaffa en 1192. Affaibli par la lassitude et la démobilisation d'une grande partie de son armée, Saladin réussit néanmoins à empêcher Richard Cœur de Lion de prendre la route de Jérusalem : les Francs demeurent rivés à la mer. En septembre 1192, une trêve est conclue. Les Francs ne conservent que la côte, de Tyr à Jaffa, et sont ravalés au rang de puissance secondaire; ils ont perdu la possibilité d'entreprendre toute guerre d'envergure sans le renfort d'une croisade. La liberté des pèlerinages, à Jérusalem pour les chrétiens, à La Mecque pour les musulmans, est en revanche garantie. Bien que la présence franque subsiste en Orient, la victoire de Saladin est éclatante.

La guerre entre les Ayyoubides et les Francs n'est pas un obstacle au commerce. Si les échanges de biens culturels demeurent faibles ou quasi inexistants en Orient, le commerce des biens matériels, au contraire, revêt une importance croissante. Après une interruption presque totale de plusieurs siècles, le commerce transméditerranéen avait été ranimé, dès la fin du Xe siècle, par les marchands des républiques d'Italie du Sud, à l'initiative des Fatimides. Au milieu du XIIe siècle, ce sont les républiques italiennes du Nord, Pise et Gênes, qui prennent l'avantage : pour des raisons que nous ignorons, le monde islamique n'a pas cherché à empêcher les marchands italiens et occidentaux de prendre le contrôle de la majeure partie des échanges transméditerranéens et d'établir une sorte de monopole. Ils les empêchèrent, en revanche, de s'aventurer dans l'océan Indien, où le commerce continuait à être effectué par des Orientaux. En Orient, les Francs venaient chercher des matières premières : fibres, produits tinctoriaux ou indispensables pour les teintures, coton, lin, soie, indigo et aluns, et aussi tissus précieux. Ils importaient du bois, du fer, et même des épées et autres armures. Quand Saladin établit le blocus des États latins de Syrie, il ne s'oppose pas au développement du commerce des Francs en Égypte; en dépit des interdictions pontificales, il put se procurer de belles épées franques grâce à des marchands italiens. Par la suite, les marchands occidentaux purent reprendre leurs activités en Syrie-Palestine : en temps de paix, ils préféraient les ports musulmans, où ils échappaient aux taxes des Francs; en revanche, dans les périodes de tension, le souci de sécurité l'emportant, ils fréquentaient les ports tenus par les leurs.

Après la mort de Saladin, en 1193, la confrontation entre ses successeurs et les Francs s'inscrit dans un contexte nouveau. Le rapport de force entre l'Orient et l'Occident se renverse au profit de celui-ci : en Occident, des monarchies puissantes se sont édifiées en France et en Angleterre, tandis qu'en Allemagne et en Italie, le Saint Empire affirmait ses prétentions à la domination universelle et conservait la capacité de rassembler de très importantes armées. En Orient, au contraire, l'empire de Saladin se défait, du moins en apparence : à sa mort, il est partagé entre son frère et ses fils. Ces divisions, toutefois, n'empêchent pas l'unité d'action car, parmi les princes ayyoubides, l'autorité supérieure de l'un d'entre eux finit toujours par s'imposer : celle d'al-'Âdil, frère de Saladin, jusqu'en 1218, puis celle de son fils al-Kâmil entre 1218 et 1238.

Pourtant, en dépit de la supériorité politique et militaire des États occidentaux, les États latins d'Orient demeurent faibles; toutes les croisades se terminent par des échecs. Ce n'est pas que les armées occidentales aient été inférieures en nombre et en puissance à celles du XIIe siècle : bien au contraire, les armées franques du XIIIe siècle sont plus nombreuses, plus disciplinées, beaucoup mieux équipées. L'armée de Saint Louis (septième croisade) comptait des effectifs quatre ou cinq fois plus nombreux que toutes les forces réunies des États latins d'Orient à la veille de Hattîn, et elle leur était très supérieure par la variété et la qualité des équipements.

L'échec des Francs est en partie dû à leurs erreurs stratégiques. Faute de pouvoir attaquer directement Jérusalem avec quelque chance de succès, ils se rabattent sur des objectifs périphériques afin de pouvoir négocier avec Jérusalem. Mais ils ne comprennent pas que ceux-ci sont encore plus difficiles à atteindre que Jérusalem : deux croisades, la cinquième (1218-1219) et la septième (1248-1249), se déroulent en Égypte. La huitième a pour but la Tunisie (1270). À ce manque de réalisme s'ajoutent les nombreuses divisions et les conflits civils qui déchirent les États latins de l'intérieur.

Soumis à ces attaques puissantes, les Ayyoubides pratiquent une politique de prudence mais aussi de résistance acharnée. Ils ont manifestement compris que les États francs ne constituent plus réellement un danger, mais qu'ils peuvent le redevenir s'ils sont directement menacés, car, alors, de nouvelles croisades pourraient intervenir. Aussi se prêtent-ils à un règlement diplomatique avec Frédéric II (sixième croisade, 1228-1229) qui fait scandale

Linteau est du portail de la façade sud du Saint-Sépulcre à Jérusalem, marbre, vers 1149.
Jérusalem, Rockefeller Museum ; photo Zev Radovan, Jérusalem

en Occident : ils consentent à restituer le Royaume latin de Jérusalem, Nazareth, Bethléem et d'autres territoires, mais sans qu'il puisse en résulter pour eux un réel danger militaire. Ils opposent, en revanche, une résistance acharnée aux expéditions menées en Égypte. En 1219, ils bloquent l'armée franque, en marche vers Le Caire, en détruisant les digues. En 1250, ils capturent Louis IX (Saint Louis) après la bataille de Mansûra et obligent les Francs à une capitulation totale. Au moment où les Ayyoubides d'Égypte sont renversés par les Mamlouks, il est clair que les États francs ne sont plus que des vestiges destinés à disparaître.

L'organisation militaire des Ayyoubides

SALAH EL BEHEIRY*

* Salah El Beheiry est l'auteur d'une thèse, *Les Institutions de l'Égypteau temps des Ayyoubides*, soutenue à l'université Paris IV en 1971

La place accordée par les Ayyoubides à l'armée est conforme à l'esprit de la croisade et de la contre-croisade. Il ressort en effet des sources historiques que les Ayyoubides ont mis en place un régime quasi militaire orienté essentiellement vers la guerre et ses exigences.

En abordant ce sujet, l'historien se trouve devant un océan de faits et de dates. C'est pourquoi, pour reprendre les propos de Charles Samaran, il doit jouer le rôle du navigateur qui peut trouver « soit une phrase pour le guider, soit un port pour l'accueillir et lui permettre de refaire ses forces en vue d'un nouveau départ[1] ».

L'examen des sources parvenues jusqu'à nous montre que les Ayyoubides ont organisé leur armée en différentes divisions[2]. Cette armée comprenait principalement trois catégories d'unités militaires. La première regroupait les unités spéciales affectées au service direct du sultan, en temps de paix comme en temps de guerre. Puis venaient les divisions de l'armée régulière proprement dite. La troisième catégorie était formée d'unités « d'élite » auxquelles étaient assignées des missions précises. Enfin, l'intendance avait pour mission de pourvoir aux besoins élémentaires des combattants sur le champ de bataille.

Les unités affectées au service du sultan

Le terme *halqa* fait son apparition dans le langage militaire en 1174 ; il désigne alors l'unité la plus proche du sultan, notamment sur le champ de bataille. Cette unité formait, en effet, un cercle ou *halqa* autour du sultan. C'est pourquoi les militaires qui la composaient étaient entièrement dévoués au sultan, lequel pouvait, à tout moment, les envoyer au combat ou leur confier des missions particulières[3]. Au temps du fondateur de la dynastie ayyoubide, cette garde particulière, qui arborait les couleurs de Saladin, était connue sous l'appellation : « *al-halqa al-mansûra al-sultâniyya*[4] ». Ibn Wâsil rapporte qu'al-Malik al-Sâlih Najm al-Dîn Ayyûb, en 1248, avait nommé un cavalier au poste de commandant de la *halqa al-sultâniyya*[5]. Nous pouvons en déduire que cette unité était formée exclusivement de cavaliers. Son effectif atteignait une cinquantaine d'hommes à l'époque d'al-Malik al-Mu'azzam, alors maître de Hisn Kayfâ avant de devenir sultan d'Égypte. Comme al-Mu'azzam n'était alors qu'un petit prince ayyoubide, il y a tout lieu de croire que l'effectif de la *halqa* des sultans en Égypte était plus important.

En effet, les chroniqueurs al-Maqrîzî, al-Qalqashandî et al-Suyûtî nous apprennent que les membres de la *halqa* étaient répartis en divisions de quarante hommes. À la tête de chacune d'elles il y avait un *muqaddam*, émir libre ou affranchi, qui était en même temps un *muqta'* militaire. Les émirs de la *halqa* participaient aux conseils de guerre du sultan, c'est-à-dire qu'ils faisaient partie de l'état-major de l'armée ayyoubide.

Le régime de l'*iqtâ'* octroyait des concessions foncières dont les revenus mettaient chaque émir (*muqta'*) dans l'obligation de fournir et d'équiper des soldats pour les campagnes militaires du sultan.

La *jandâriyya*, terme d'origine persane, désignait ceux qui portaient les armes[6]. Mais l'usage seljoukide, zenguide et ayyoubide a fait apparaître une définition plus précise. Nizâm al-Mulk, dans son ouvrage le *Siyâset Nâmeh*[7], utilise le mot *silâhdârân* pour nommer les écuyers. Il les place parmi « les officiers les plus considérables du service particulier du prince ». Dans le vocabulaire militaire zenguide, le terme *jandâriyya* désignait la garde rapprochée du sultan, composée de mamlouks (esclaves turcs) lui appartenant[8]. Cette unité avait à sa tête un chef portant le titre de *jandâr al-sultân* qui, pour assurer la sécurité[9] du prince, le précédait toujours dans ses mouvements.

D'après les sources, il apparaît que les Ayyoubides disposaient aussi de leurs *jandâriyyas* veillant à la sécurité du sultan ou de l'émir. Au début, elles avaient le rôle de garde du corps du souverain, en temps de paix comme en temps de guerre. Le *naqîb al-jandâriyya*, qui était à leur tête, avait à ses ordres un certain nombre d'émirs *jandârs*, chacun commandant un groupe de *jandâriyyas*. À la fin de l'époque ayyoubide, le titre de *naqîb al-jandâriyya* fut remplacé par celui de *muqaddam* (commandant) marquant ainsi l'évolution survenue dans la structure même des *jandâriyyas*, devenues un corps militaire comme les autres, ayant pour tâche de combattre aux côtés du sultan, commandant suprême de l'armée, c'est-à-dire au centre même de l'armée. Nous n'avons pas de renseignements précis sur la structure de cette unité. Ibn Wâsil nous informe tout de même que l'émir *jandâr* Tughril commandait en 1188 une unité de cinq cents cavaliers[10]. On pourrait donc en déduire qu'une unité ayyoubide de *jandâriyyas* comptait cinq cents cavaliers. Cependant, le même chroniqueur mentionne, en 1250, un émir *jandâr* qui avait été nommé commandant d'un régiment de trois mille cavaliers[11].

Il n'est pas facile de définir les *tawâshiyyas*. On peut néanmoins supposer qu'elles étaient constituées d'un certain nombre d'ennuques (ou *tawâshî*) et qu'elles formaient une unité affectée auprès du sultan. C'est du moins ce qui ressort de plusieurs passages des chroniqueurs[12]. De même, il est aussi difficile de se faire une idée sur l'organisation militaire des *tawâshiyyas* ayyoubides. En effet, les informations qui nous sont parvenues ne permettent pas d'en fixer le cadre. Selon les chroniqueurs, l'armée de Saladin comprenait déjà en 1177, lors de sa marche sur Ascalon, un régiment de *tawâshiyyas* dont l'effectif était de huit mille hommes[13]. Quatre ans plus tard, en 1181, cet effectif, d'après al-'Aynî et al-Maqrîzî, atteignait six mille neuf cent soixante-seize *tawâshîs*, mille cent cinquante-trois *qarâghulâms* et cent

Détail d'un gobelet, verre émaillé et doré, Syrie, milieu du XIIIe siècle (cat. 204).
Photo © RMN/ Hervé Lewandowski.

onze émirs ou commandants [14]. Nous pouvons déduire de ce passage que le régiment des *tawâshiyyas* était composé de cent onze petites unités ayant chacune à sa tête un des cent onze émirs.

Al-Maqrîzî relate que le *tawâshî* avait auprès de lui un *ghulâm* pour lui porter son amure, ainsi que des *qarâghulâms,* des esclaves noirs. En toute logique, ce passage ne peut concerner que les cent onze émirs et ne s'applique pas à l'ensemble des *tawâshîs.* Ces six mille neuf cent soixante-seize *tawâshîs* étaient certainement les cavaliers fournis et équipés par les cent onze émirs, et les mille cent cinquante-trois *qarâghulâms,* appartenaient eux aussi aux cent onze émirs.

L'entretien en était assuré grâce au système de l'*iqtâ*ʿ par lequel l'État ayyoubide assignait à chacun des émirs un *iqtâ*ʿ correspondant au nombre de cavaliers qu'il devait former.

Le dernier terme rencontré dans les chroniques est celui de *janîb,* qui désigne une unité de cavaliers dont la tâche consistait à entourer le sultan au cours de ses déplacements pour rejoindre les différentes unités de son armée sur le champ de bataille. Quatremère rapporte « que l'on conduisait derrière le sultan, pendant ses marches, plusieurs chevaux de main, les "*janîbs* [15]" ». Dozy en donne à peu près la même explication, et précise que ce terme signifie « cavaliers ». Les sources historiques prêtent en effet à confusion car le terme *janîb* y désigne tantôt des cavaliers, tantôt des chevaux de main. Il nous semble cependant qu'il s'agissait d'une unité accessoire de cavaliers, choisis parmi les *ghulâms* les plus proches du sultan, avec des montures spécifiques (probablement des mulets) qui accompagnaient le sultan quand celui-ci passait en revue les corps de son armée en temps de guerre [16].

Les divisions de l'armée régulière

Les sources emploient des termes variés pour désigner les unités de l'armée, sans qu'il soit possible d'établir une stricte hiérarchie entre elles. Ainsi le mot *tulb* (d'origine kurde) se retrouve dans presque toutes les chroniques ayyoubides sans qu'une définition en soit donnée. La seule explication se trouve dans Maqrîzî, pour lequel *tulb* signifie, dans la langue des Ghuzz, l'émir commandant deux cents, cent ou soixante-dix cavaliers [17]. Mais l'usage militaire des Zenguides comme celui des Ayyoubides nous apprend que ce terme était appliqué à une certaine fraction de l'armée. Ibn al-Athîr rapporte que l'*atabeg* ʿImâd al-Dîn Zangî avait organisé son armée en la divisant en *tulbs.* Assurément le mot *tulb* signifie dans ce cas bataillon d'armée [18]. Selon Maqrîzî, le 11 septembre 1171, Saladin passa son armée en revue et celle-ci comprenait alors cent soixante-sept *tulbs* [19] : il s'agirait ici de bataillons, chacun étant commandé par un *muqaddam.*

Les chroniques ayyoubides sont truffées d'exemples témoignant de la permanence de l'usage de ce terme dans le vocabulaire militaire. À la veille de la reprise de Jérusalem en 1187, le sultan recruta douze mille combattants et les organisa en *tulbs* [20].

L'effectif d'un *tulb* demeure incertain. Sibt ibn al-Jawzî avance un chiffre qui est intéressant, bien que concernant l'armée mongole : il dit en effet que chaque

Bas-relief avec un bouclier et une épée,
mis au jour dans la citadelle de Sadr, seconde moitié du XIIe siècle.
Photo Jean-Michel Mouton.

tulb comprenait cinq cents cavaliers [21]. Cet effectif de cinq cents est acceptable, si nous le mettons en relation avec l'indication d'Ibn Shaddâd selon laquelle l'armée de Saladin comptait huit *tulbs* en 1188 [22]. Par conséquent il est improbable que l'armée de Saladin ait été composée de cent soixante-sept *tulbs* en 1171, bien que Maqrîzî dise avoir trouvé ce chiffre dans les chroniques d'al-Qâdî al-Fâdil. Il semble qu'il ait confondu *tulbs* et *muqaddams.*

D'autre part, les données historiques laissent penser que le *tulb* lui-même était organisé en plusieurs unités (*jamâ'a*) comportant chacune au moins deux cents cavaliers. Dire, comme Gibb [23], qui s'appuie sur Maqrîzî, que le *tulb* se composait de quatre-vingts cavaliers est sans fondement. Les témoignages des chroniques nous donnent à croire qu'un *tulb* se divisait en deux ou cinq *jamâ'as* selon qu'il était formé de cinq cents ou de mille cavaliers.

La *jamâ'a* aurait elle-même été divisée en trois *jarîdas,* ou groupe de soixante-dix cavaliers [24]. Ce mot, chez les Zenguides, désignait une division de cavaliers ayant pour rôle d'assurer la sécurité des corps d'armée [25]. Les Ayyoubides adoptèrent la plupart des institutions militaires zenguides, et, par conséquent, on pense que la *jarîda* ayyoubide était de même nature [26]. En effet, toutes les chroniques relatant les batailles menées par les Ayyoubides utilisent le mot *jarîda* dans le même sens que chez les Zenguides, c'est-à-dire celui d'une petite unité de l'armée. La *jarîda* se divisait à son tour en un certain nombre d'unités, désignées par le terme *sariyya* [27]. Les *sariyyas* intervenaient dans l'organisation d'embuscades ou pour provoquer des escarmouches [28]. Elles servaient également à faire des démonstrations de force afin d'impressionner l'ennemi et d'exercer sur lui une pression psychologique tandis que le gros de l'armée restait en retrait. L'effectif de la *sariyya,* selon Ibn Shaddâd [29], était de vingt cavaliers. En conséquence, la *jarîda* pouvait être divisée en quatre *sariyyas,* chacune d'elles constituant la plus petite unité de l'armée ayyoubide.

Cette brève étude nous permet donc de dire que cette armée était composée d'un certain nombre de *tulbs,* probablement huit, que chacun pouvait être divisé en deux ou cinq *jamâ'as,* selon qu'il était formé de cinq cents ou mille cavaliers, que chaque *jamâ'a* comprenait trois *jarîdas,* elles-mêmes divisées en quatre *sariyyas.* À la tête de toutes ces divisions était nommé un *muqaddam,* responsable de la bonne exécution des ordres donnés par le commandant en chef, souvent le sultan en personne. Il n'est pas exclu que ces commandants aient participé à l'élaboration des plans ou des tactiques militaires adoptés par l'armée. Mais on ne peut affirmer que ces commandants, quel que soit leur grade, appartenaient à l'état-major, c'est-à-dire au conseil de guerre des sultans ayyoubides. Il apparaît toutefois que les *muqaddams* des *tulbs,* c'est-à-dire les commandants les plus importants de l'armée, participaient bien à l'élaboration des stratégies adoptées pour affronter l'ennemi.

Il faut encore mentionner le terme militaire *sâqa,* rencontré dans les chroniques d'Abû Shâma et Ibn Wâsil. Il désignait une unité qui, sur le champ de bataille, restait derrière l'armée pour assurer sa sécurité. Elle avait pour tâche de combattre avec acharnement toute attaque qui pouvait venir de ce côté, par exemple lors du franchissement d'un cours d'eau [30].

Les unités «spéciales»

L'armée de Saladin comportait une unité appelée *yazak al-dâ'im,* formée des meilleurs cavaliers constituant l'avant-garde des troupes, et dont la tâche permanente était de surveiller les mouvements de l'ennemi afin de prévenir toute action de sa part. Ibn Wâsil et Abû Shâma nous laissent entendre qu'une autre de ses missions était d'assurer un blocus autour de l'ennemi pour le priver d'approvisionnement, de renseignements ou de liaisons [31].

Cette unité avait également la responsabilité de préparer le terrain pour le reste des troupes, par exemple en creusant les puits sur les points avancés des futurs champs de bataille [32]. Si ceux-ci tombaient aux mains de l'ennemi, l'armée empoisonnait l'eau ou endommageait les puits.

En outre, le *yazak* harcelait le camp ennemi par des attaques surprises dans le but d'évaluer ses forces et de préparer l'intervention de l'armée ayyoubide. Il cherchait ainsi à connaître sa tactique, son effectif, ses armes, sa discipline, ou bien s'informait du moral des soldats et de leurs qualités de combattants. Cette méthode était systématiquement appliquée et Ibn Shaddâd nous en donne un exemple précis à propos des engagements entre Ayyoubides et Francs aux abords d'Acre au cours de la troisième croisade [33]. Le *yazak* montait à l'occasion des

Prise d'Antioche par les croisés, en 1097, et massacre de la population,
Histoire d'Outremer, de Guillaume de Tyr, f° 49, Acre, vers 1287 **(cat. 64)**.
Photo Bibliothèque municipal, Boulogne-sur-Mer.

embuscades contre l'ennemi. Richard Cœur de Lion n'évita que de justesse de tomber dans une manœuvre de ce type le 3 octobre 1191[34].

Quant au *jâlîsh*[35], Quatremère rapporte que ce mot désignait « un drapeau et comme le drapeau, suivant l'usage, était toujours en tête de l'armée, le terme *jâlîsh* désignait, par extension, l'avant-garde des troupes[36] ». Chaque bataillon disposait de son propre *jâlîsh*, c'est-à-dire d'une unité de cavaliers jouant le rôle de cuirasse, par exemple dans le cas du siège d'une forteresse[37].

Le *qufl*, que Dozy interprète à tort comme une forteresse[38], était en fait une unité mobile ayant pour mission de fermer les voies de communication que l'ennemi risquait d'emprunter[39].

Les *harâfishas* agissaient quant à eux comme les commandos ou les guérilleros d'aujourd'hui ; cette unité se composait essentiellement de fantassins.

Enfin les *lisûs* (littéralement : les voleurs !) formaient une unité de cavaliers arabes spécialisés dans des opérations éclair, limitées dans l'espace et dans le temps, visant à infiltrer les rangs ennemis. S'introduire chez l'ennemi, sans que celui-ci remarquât la présence d'éléments étrangers, permettait d'assurer la réussite de l'opération. Les soldats ou les cavaliers de ce commando devaient enlever les commandants les plus importants de l'armée ennemie, mais aussi piller, ou plus exactement « voler », les plus grandes quantités posssibles de provisions ou sinon les détruire afin d'en priver l'adversaire. D'où leur nom de voleurs[40]. Ibn Shaddâd nous rapporte que les *lisûs* étaient essentiellement recrutés parmi les Arabes[41].

En dehors des aspects strictement militaires, les Ayyoubides ont également prêté une attention particulière au ravitaillement de leurs troupes en campagne afin de satisfaire au mieux leurs besoins quotidiens. La dimension humaine n'était pas oubliée, notamment pour ce qui relève des soins apportés aux blessés. Ainsi l'armée se déplaçait-elle avec un hôpital et un souk[42].

1. « L'histoire et ses méthodes » dans l'*Encyclopédie de la Pléiade*, Paris, 1961.
2. Notamment les chroniques d'Ibn Wâsil, d'Abû Shâma, d'Ibn Shaddâd, d'al-Makîn Ibn al-'Amîd, de Kamâl al-Dîn Ibn al-'Adîm, d'al-Nâbulusî, d'al-Maqrîzî, d'Ibn al-Athîr, etc.
3. *Cf.* Salah El Beheiry, *Les Institutions de l'Égypte au temps des Ayyoubides*, S. R. T., Université de Lille III, 1972, p. 6-7.
4. Bibliothèque nationale de France. Ms. Arabe n° 1703, folio 58 recto.
5. Abû Shâma, *Kitâb al-Rawdatayn*, vol. II, p. 161 et p. 183.
6. Voir Dozy, *Supplément aux dictionnaires arabes. Jandâr* : pers. Écuyer, celui qui porte les armes.
7. Ed. Schefer, Paris 1893, p. 111 du texte persan, chap. XXX.
8. Ibn Wâsil, *Mufarrij al-Kurûb*, vol. I, p. 105, éd. Shayyal, Le Caire, 1953.
9. Ibn al-Athîr, *al-Ta'rîkh al-Bâhir*, p. 82, Le Caire, 1963.
10. *Cf.* Ibn Wâsil, *op. cit.*, vol. II, p. 252.
11. *Ibid.*, ms. arabe 1703 folio 107 verso (B. N. F.).
12. Ibn al-Athîr, *al-Ta'rîkh al-Bâhir*, p. 156 op. cit. et Salah El Beheiry, *op. cit.*, p. 46-47.
13. Stanley Lene Poole, *Saladin and the fall of the kinfdom of Jerusalem*, p. 154, réimprimé à Beyrouth, 1964.
14. Al-Maqrîzî, *Khitat*, vol. I, p. 139, éd. Du Nil, Le Caire, 1324H ; cf. Gibb, « The Armies of Saladin », *Cahier de l'histoire égyptienne*, le Caire, 1951.
15. Quatremère, *Histoire des sultans mamelouks*, t. I, p.192.
16. *Cf.* Salah El Beheiry, *op.cit.*, p. 83-87.
17. *Cf.* Maqrîzî, *Khitat*, *op. cit.*, vol. I, p. 139.
18. *Cf. al-Ta'rîkh al-Bâhir*, *op. cit.*, p. 59, éd. Le Caire 1963.
19. *Khitat*, *op. cit.*, vol. I, p. 139.
20. Ibn Wâsil, *Mufarrij al-Kurûb*, *op. cit.*, vol. II, p.187 ; *cf.* J. Sourdel-Thomine, « Les conseils du ayh al-Harawî », p.250, dans *B. E. O.*, t. XVII, 1961-1962, et les autres chroniqueurs comme Abû Shâma et Ibn Shaddâd.
21. Cf. *Mir'ât al-Zamân*, vol. III, pt. I, p. 695, éd. Hyderabad-Deccan, 1951.
22. Abû Shâma, *Kitâb al-Rawdatayn*, t. II, p. 141.
23. Gibb (H.A.R.), « The Armies of Saladin », *op. cit.*
24. *Cf.* Ms. Arabe 583, folio 113 verso, conservé à la Bibliothèque nationale de France, reproduit dans Quatremère, *Histoire des Sultans Mamlouks*, t. I, p. 34 n. 41.
25. Ibn al-Athîr, *al-Ta'rîkh al-Bâhir*, p.95 ; Abû Shâma, *Kitâb al-Rawdatayn*, vol. I, p. 67 ; Ibn Wâsil, *Mufarrij al-Kurûb*, *op. cit.*, vol. I, p. 118.
26. Ibn Wâsil, *Mufarrij*, *op. cit.*, vol. I, p. 78.
27. Ibn Wâsil, *ibid.*, vol. I, p. 226-227.
28. J. Sourdel-Thomine, *op.cit*, p. 252.
29. *Cf.* Ibn Shaddâd, *Sîrat Salâh al-Dîn*, p. 100-101, éd. Shayyal, Le Caire, 1962.
30. Ibn Wâsil, *Mufarrij al-Kurûb*, *op. cit.*, vol. I, p. 227.
31. Cf. Ibn Wâsil, *ibid.*, vol. II, p.291-292 et p. 375 ; Abû Shâma, *Kitâb al-Rawdatayn*, vol. I, p. 142 et p. 194.
32. Ibn Wâsil, *ibid.*, vol. II, p. 363 ; Abû-Shâma, ibid, vol. II, p. 189.
33. *Cf.* Ibn Shaddâd, *Sîrat Salâh al-Dîn*, *op. cit.*, p. 105.
34. Ibn Wâsil, *op.cit.*, vol. II, p. 371 ; Abû Shâma, *op.cit.*, vol. II, p. 192.
35. Sur ce terme voir Salah El Beheiry, *op. cit.*, p. 142.
36. Quatremère, *op. cit.*, t. I, première partie, p. 225, n. 101.
37. Ibn Wâsil, ms. 1702 Arabe (B. N. F.), *op.cit.*, f° 185 r.
38. *Supplément aux dictionnaires arabes.*
39. Voir la lettre rédigée par al-Qâdî al-Fâdil et envoyée au nom de Salâh al-Dîn à son frère Sayf al-Islam du Yémen, in Qalqashandî, *Subh al-'âshâ*, vol. VII, p. 26. Pour d'autres détails, voir Salah El Beheiry, *op. cit.*, p. 150-155.
40. *Cf.* Salah El Beheiry, *op. cit.*, p. 156-159.
41. Ibn Shaddâd, *Sîrat Salâh al-Dîn*, *op. cit.*, p. 192-193.
42. Salah El Beheiry, *op. cit.*, p. 168-203.

Évolution urbaine et architecture au temps des Ayyoubides

JEAN-CLAUDE GARCIN

Citadelle d'Alep : résidence palatiale, cour et bassin.
Photo Annick Neveux-Leclerc.

Durant les quelque quatre-vingts années de l'époque ayyoubide, les villes entre l'Euphrate et le Nil ont été affectées de changements profonds. L'évolution a débuté vers l'Euphrate où les anciens maîtres des Ayyoubides, les princes turcs zenguides, avaient déjà, pendant près d'un demi-siècle, commencé à faire de leur capitale, Alep, un des premiers modèles de ces villes nouvelles, avant que Saladin ne les remplace. L'évolution a également débuté à Damas lorsque le Zenguide Nûr al-Dîn s'y est installé environ vingt ans avant l'avènement du pouvoir ayyoubide. Elle a enfin gagné l'Égypte à partir de la prise de pouvoir par Saladin. Lorsque la dynastie ayyoubide disparaît, au milieu du XIIIe siècle, le paysage urbain des deux capitales syriennes a profondément changé ; les transformations de la capitale égyptienne, établie sur un plus vaste espace, ne sont qu'amorcées, mais les éléments nouveaux déterminants sont déjà en place.

L'évolution des villes

Le fait majeur qui a commandé ces transformations est l'avancée, à partir de la Mésopotamie, des militaires turcs et kurdes venus combattre l'installation des Occidentaux sur la côte syro-palestinienne. Face à la menace, les principaux efforts ont d'abord été consacrés à l'édification des enceintes et des forteresses, à leur perfectionnement, ou à la reprise des travaux si ceux-ci avaient été interrompus et qu'un nouveau débarquement des forces d'Occident était annoncé. Ces grandes constructions militaires, parfois totalement nouvelles dans le paysage urbain, avaient également pour objet de garantir la sécurité des nouveaux groupes dominants qui entendaient bien établir durablement leur pouvoir sur les populations civiles qu'ils protégeaient, mais dont la soumission et la fidélité n'étaient pas acquises lorsque le danger paraissait moins proche.

Le résultat fut donc le réaménagement ou l'implantation, à côté des villes anciennes, de citadelles, villes nouvelles du pouvoir, comprenant généralement un palais et des logements pour les soldats, un arsenal et un lieu d'entraînement militaire, une mosquée et un lieu de sépulture au moins provisoire, des bains voire des lieux de commerce. On peut y ajouter, déjà à Alep et Damas, et bientôt au Caire, comme une annexe de la citadelle, faisant corps avec elle ou toute proche au bord de la ville ancienne, une « Maison de la Justice » (*dâr al-'Adl*) où le prince tranchait les conflits qui dépassaient la compétence du cadi ou mettaient en cause de trop puissants personnages.

D'autres traits caractérisent cet ordre nouveau qui s'impose aux villes anciennes. La nouvelle classe militaire dominante a besoin de champs de manœuvre pour l'entraînement et les parades des cavaliers. Ces hippodromes (*mîdân*), plus ou moins proches de l'ancienne ville, font désormais partie du paysage urbain. Là encore, à Alep, Nûr al-Dîn a innové : outre le réaménagement de deux hippodromes préexistants au sud-ouest de l'enceinte, un terrain d'entraînement a été créé dans la citadelle elle-même, un autre a été installé au sud-est, et un troisième, à plus d'un kilomètre au nord de la ville. À Damas, deux hippodromes sont également aménagés à l'ouest et au sud. Au Caire, trois hippodromes furent successivement créés, l'un à l'ouest de l'ancienne cité fatimide, sur les bords du Nil, avant l'achèvement de la citadelle ; puis un deuxième au pied de la nouvelle citadelle ; enfin un troisième, par al-Sâlih, sur un terrain également proche du Nil, auquel un pont construit sur le canal qui longeait la Vieille Ville fatimide, permettait d'accéder. Ces terrains aménagés, souvent dotés d'adduction d'eau et de pavillons de repos pour le prince, furent, jusqu'à la fin de l'époque médiévale, des éléments des nouveaux paysages urbains.

La création de ces villes du pouvoir pour les princes et leur entourage, et l'installation de corps de troupes nouveaux, avec leurs familles, eurent d'autres conséquences pour les anciennes villes. D'une façon générale, elles provoquèrent l'extension des faubourgs anciens (ou l'apparition de faubourgs nouveaux), et des changements dans l'activité ou l'implantation urbaine de certains métiers ou commerces.

Alep, Damas, Le Caire

Les effets furent différents selon les sites (celui d'Alep, à 390 m d'altitude, à l'extrémité d'un plateau, celui de Damas, à près de 700 m d'altitude, au pied d'une montagne, sont bien différents de celui de la capitale égyptienne) et selon l'état dans lequel se trouvaient les vieilles villes au moment des transformations.

À Alep, l'activité de l'axe majeur de circulation, hérité de la disposition de la ville antique, qui traverse la ville *intra muros* d'ouest en est, et sur lequel est située la Grande Mosquée, s'est trouvé confirmée, dès l'époque zenguide, par la reconstruction de la citadelle à l'est, à laquelle il permet d'accéder. La partie de la ville qu'il traverse attire de nombreux commerces (livres, étoffes, orfèvrerie, produits de consommation quotidienne) et des artisans (parmi lesquels les verriers qui travaillent pour les notables, militaires ou civils). Les métiers nécessitant de l'espace (tailleurs de pierres, tanneurs, teinturiers, fabricants de savon) et les

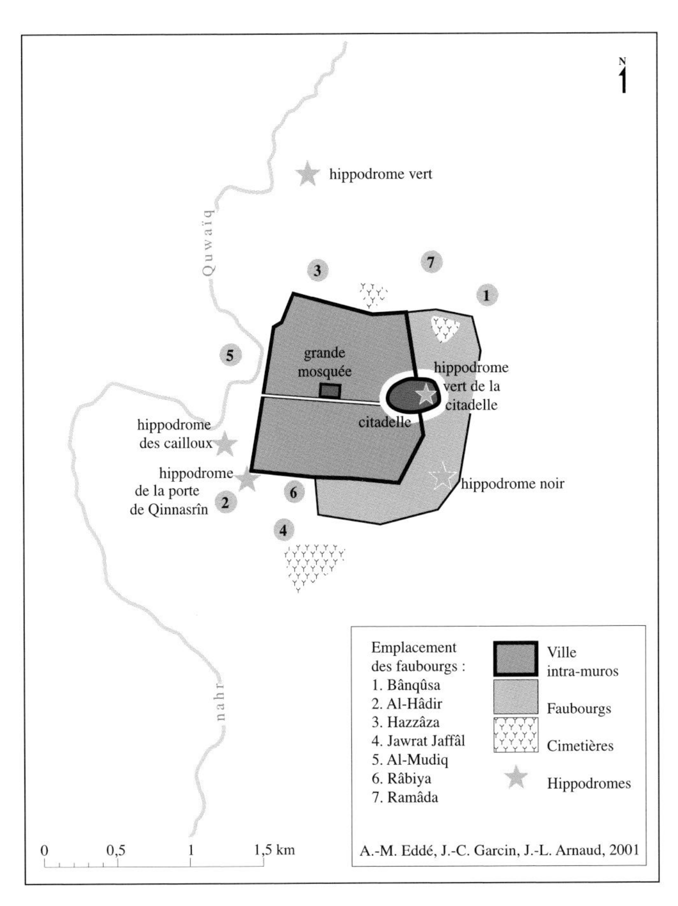

Plan de la ville d'Alep à l'époque ayyoubide.

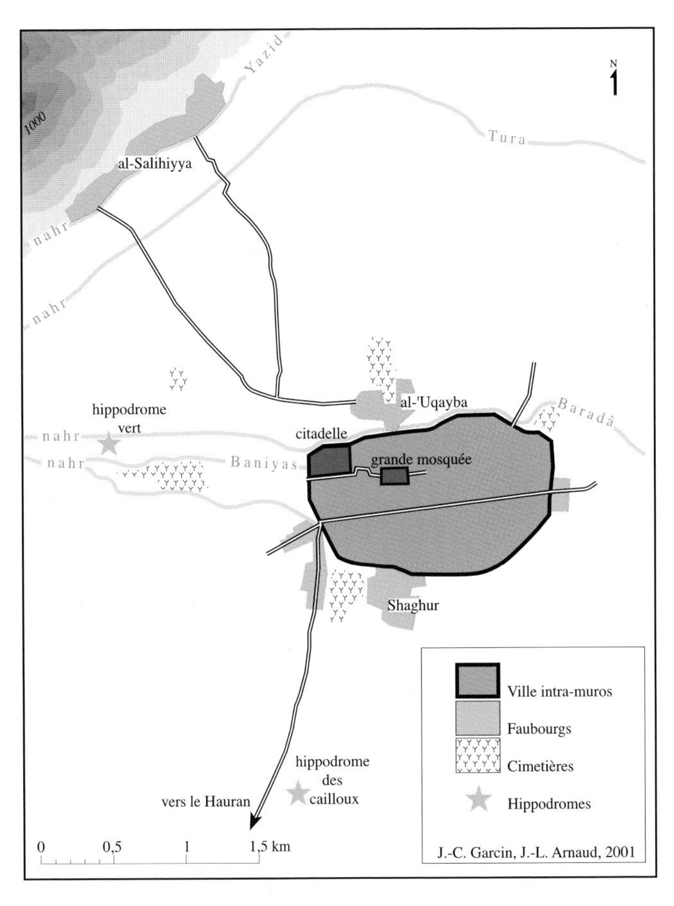

Plan de la ville de Damas à l'époque ayyoubide.

commerces de produits agricoles sont plutôt implantés dans la partie nord-est, plus aérée. On voit que cette disposition des activités ne répond pas à une hiérarchie particulière des métiers, mais s'ordonne en fonction des besoins d'espace et des possibilités de dégagement, ou en fonction de l'habitat d'une clientèle potentielle. Il n'y a pas non plus de regroupements confessionnels stricts : les juifs habitent surtout au nord de la ville, où se trouve la grande synagogue, et à l'ouest de la citadelle ; les chrétiens résident plutôt au sud-ouest et au sud de la cité où ils conservent encore deux églises. Les textes de l'époque distinguent davantage les origines ethniques, surtout celle des nouveaux venus, que les confessions. Dès le XIe siècle, des Turcs, puis aux XIIe et XIIIe siècles, des Kurdes, enfin des « orientaux » fuyant l'avance mongole, se sont implantés dans le vieux faubourg méridional du Hâdir qui s'accroît de deux nouveaux faubourgs, tandis que s'en créent d'autres, au XIIIe, à l'arrivée de la route commerciale d'Antioche à l'ouest, ainsi qu'au nord-est. La fondation de trois nouvelles grandes mosquées, l'une au sud, les deux autres, au nord-est, manifeste l'extension de ces faubourgs. Les canalisations d'adduction d'eau ont été refaites pour l'ensemble, permettant, entre autres, le fonctionnement des bains : à la fin de l'époque ayyoubide, on a pu évaluer le nombre des bains publics *intra muros* à soixante-dix, et dans le reste de la ville à quatre-vingt-treize (sans compter trente et un bains privés). L'effet majeur de l'installation du nouveau régime a été la naissance d'une cour dès l'époque d'al-Zâhir Ghâzî, dans la citadelle, et l'extension, à côté de la ville ancienne, de ces faubourgs, avec leurs populations plus typées, leurs mosquées et leurs marchés, leurs *khâns* ou *funduqs*, où sont taxées les marchandises entrant en ville.

À Damas, lorsque les Ayyoubides établissent leur pouvoir, ils trouvent une cité ancienne dont les murailles viennent d'être reconstruites, et, au-delà de la rivière Barada et des canaux d'alimentation en eau de la ville, au nord-ouest, le faubourg d'al-Sâlihiyya qui s'est constitué au cours du XIe siècle (autour d'un noyau de bâtiments religieux, occupé par des musulmans appartenant au rite juridique hanbalite), et a accueilli nombre de réfugiés de la côte syro-palestinienne ayant fui l'occupation croisée. La citadelle que les Ayyoubides transforment en ville royale est installée dans l'angle nord-ouest de l'enceinte, et n'est pas séparée de la vieille agglomération par un glacis, comme à Alep. La ville *intra muros* est pénétrée, à partir de l'ouest, par un premier axe de circulation, qui progresse près de l'enceinte de la citadelle avant de rejoindre la Grande Mosquée implantée dans l'espace de l'ancien temple romain, mais ne se poursuit pas jusqu'aux remparts est. Plus au sud, un second axe de circulation ouest-est, plus important, la « Rue Droite », ici encore hérité de la ville antique, traverse de part en part la cité. L'existence de ces dégagements importants explique sans doute l'implantation du commerce des céréales au sud de la Grande Mosquée, entre les deux grands axes, avec le marché au change, tandis que la vente des produits alimentaires (fruits, légumes verts et secs, volailles) se faisait plus vers l'est, sur la « Rue Droite ». Les commerces et métiers du textile (commerce de la soie, du filé et du coton, artisanat du feutre, de la broderie, des tapis) étaient au contraire installés au bout de l'axe nord, à l'est de la Grande Mosquée, avec également des commerces de produits alimentaires. Comme à Alep, certains artisanats lourds (fonderies de métal, verreries, pressoirs) se rencontraient *intra muros* ; d'autres ayant besoin d'eau (meunerie, fabrique du papier) étaient installés en dehors des remparts, au bord du Barada, tandis que c'était au sud-ouest de la ville, au-delà des murs, que se trouvait le marché aux bestiaux, avec quelques *funduqs*. Mais ici, à la différence d'Alep, on trouve surtout les *funduqs* dans la zone marchande *intra muros*, sans doute plus facile d'accès qu'à Alep, en particulier dans la zone commerciale où se trouvait le commerce des céréales, au sud de la Grande Mosquée ; il faut y ajouter les bâtiments appelés *qaysariyyas*, regroupant des artisans, surtout au nord-est de la Grande Mosquée, dans la zone du textile. Chrétiens et juifs habitent surtout le nord-est et le sud de la ville, alors que les musulmans sont plus proches de la citadelle et de la Grande Mosquée, dans l'ouest et le nord-ouest. La présence d'une cour princière dans la citadelle eut pour effet de donner un surcroît d'activité aux métiers, ainsi que la création d'un marché aux chevaux hors les murs, au nord-est. Comme à Alep, l'afflux de populations nouvelles provoqua le développement de quartiers *extra muros* au sud de la Vieille Ville et au nord, et au-delà, l'extension de Sâlihiyya, désormais flanquée d'un quartier kurde, à côté de celui des syro-palestiniens ; mais les différenciations ethniques semblent ici moins prises en compte qu'à Alep. Comme à Alep, l'eau était distribuée par des canalisations dont le nombre s'accrût, permettant le fonctionnement des bains publics : on en compte quatre-vingt-cinq à la fin de la période (contre cinquante-sept au début) dans la ville *intra muros*, et trente et un dans les faubourgs ; la proportion du nombre des bains de la Vieille Ville par rapport à ceux des faubourgs semble indiquer un moindre développement (ou peuplement) des faubourgs qu'à Alep.

La capitale égyptienne, établie sur la rive orientale du Nil, est installée dans un site plus contraignant. Limitée à l'est par les hauteurs du Moqattam, elle peut sans doute s'étendre vers l'ouest, sur les rives du fleuve dont le lent déplacement vers l'ouest fait surgir des terrains nouveaux, sur l'île de Roda, et sur la rive occidentale, à Guiza, qu'un pont de bateaux amovible relie à la rive orientale à partir des années 1217-1218 ; mais l'extension s'est surtout faite du sud vers le nord, depuis la fondation de la première capitale, Fustât, en 640, près d'une ancienne fortification byzantine, dans une zone où demeurent encore des étangs qui tendent à se réduire au cours du temps, et qui ne se

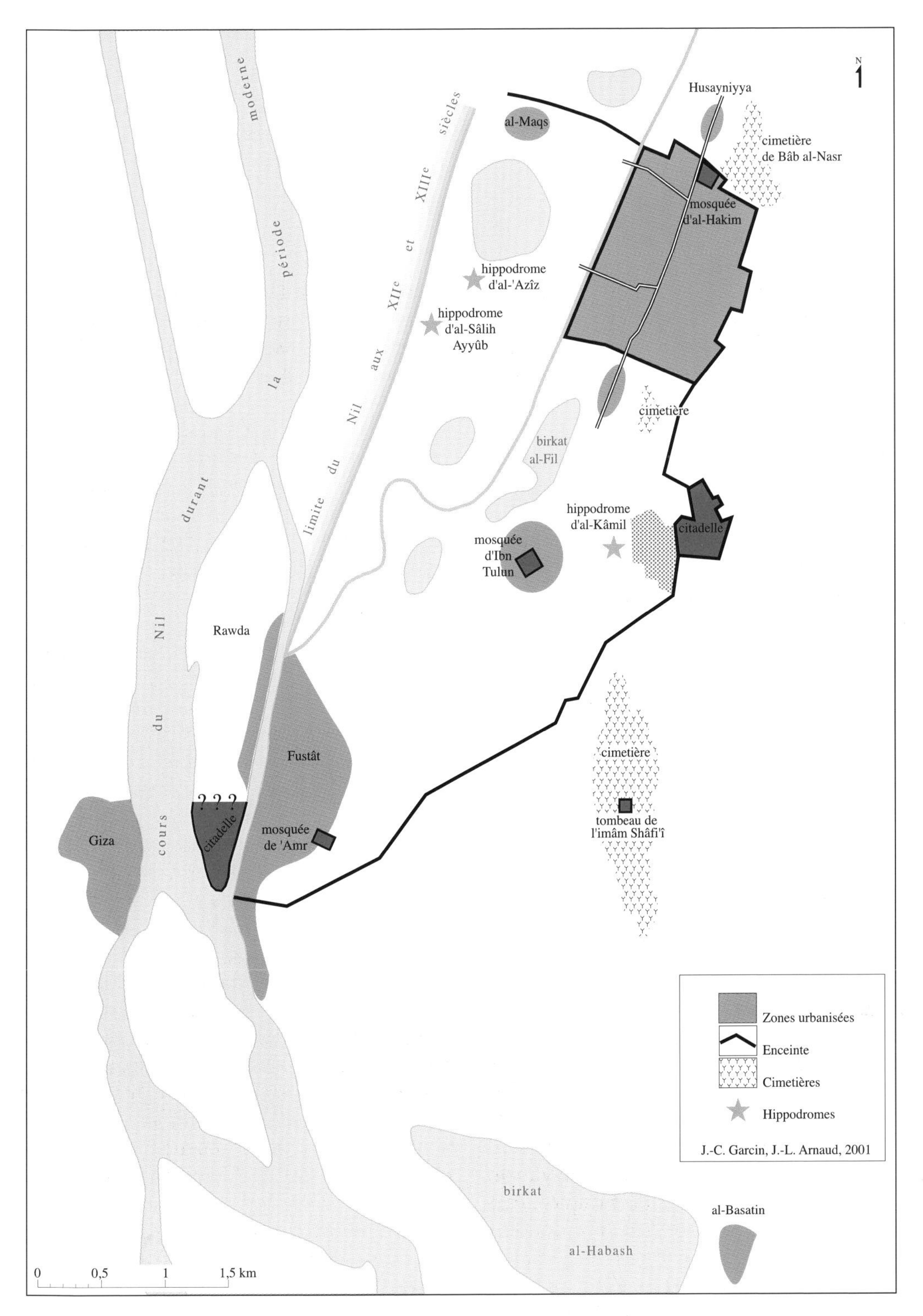

Plan de la ville du Caire à l'époque ayyoubide.

trouvent souvent mis en eau que pendant la crue du Nil. La puissance du fleuve, une bénédiction pour l'Égypte, n'est pas sans conséquences néfastes sur les agglomérations. Il faut ici en effet utiliser le pluriel. Lorsque Saladin établit son pouvoir en 1168, il trouve au sud, à Fustât, une ville sans remparts, dont les activités s'organisent en fonction du rivage du Nil, qui sert de port, de chantier de construction navale et de lieu de dépôt des produits volumineux (céréales, paille), et autour de la vieille installation byzantine et de la Grande Mosquée. Outre des activités commerciales de toutes sortes, les artisanats y sont nombreux : verrerie, travail des métaux, sucreries, production de céramique, de savon et de papier. Musulmans et non-musulmans sont mêlés, les uns plus nombreux autour de la Grande Mosquée, les autres, plus densément installés autour de leurs églises – une dizaine –, églises de l'ancien site byzantin, mais aussi églises dispersées depuis les rives de l'« Étang des Éthiopiens » (*Birkat al-Habash*) très au sud de la ville, jusqu'au nord de Fustât ; la ville compte également deux synagogues. L'agglomération vient d'être affectée par l'incendie allumé pour éviter que les croisés ne s'y installent, mais il est difficile de dire dans quelle mesure le feu a durablement atteint Fustât. À quelque deux kilomètres plus au nord, Le Caire fatimide, construit en 969 le long de l'antique canal qui permettait jadis de faire passer des barques du Nil vers la mer Rouge, avait d'abord été exclusivement une ville fortifiée réservée au pouvoir et à ses soldats, avec en son centre les deux palais califiens situés de part et d'autre de l'artère médiane sud-nord (bientôt appelée *qasaba*), la mosquée califienne d'al-Azhar en retrait à l'est, et la grande mosquée d'al-Hâkim, à l'extrémité nord de l'artère, contre le rempart. Ouverte à la population civile depuis le XIe siècle, des marchés s'y étaient installés, mais l'essentiel de l'artisanat était resté à Fustât. De l'autre côté du canal, sur les bords du Nil, le petit bourg d'al-Maqs, qui avait sa mosquée propre, servait de port au Caire. L'agglomération avait aussi souffert de la crise de 1168, du fait des combats que Saladin avait dû mener contre les troupes restées fidèles aux Fatimides, cantonnées dans le sud de la cité et dans de petits faubourgs, au-delà du rempart au sud : leurs quartiers avaient été incendiés.

Le nouveau pouvoir dut d'abord renforcer le système défensif de la ville qui venait d'être atteinte par l'invasion : restauration des remparts du Caire en 1171, puis, à partir de 1176, mise en chantier d'une vaste enceinte visant à protéger l'essentiel des agglomérations, articulée sur une citadelle à construire sur les derniers contreforts du Moqattam, tandis que, sur l'autre rive du Nil, une chaussée de quarante arches, surélevée, était édifiée pour permettre le déplacement des troupes au-delà de Guiza en période de crue. Lorsque Saladin quitta définitivement l'Égypte, en 1182, pour se consacrer en Syrie à la lutte contre les croisés, l'essentiel des parties sud et nord de l'enceinte était achevé ; la partie ouest qui devait longer le Nil ne le fut jamais, en dépit de la continuation épisodique des travaux jusqu'en 1240. La citadelle fut terminée en 1208 et al-Kâmil s'y installa. Mais cette cité royale, permettant désormais, comme à Alep et à Damas, une véritable « vie de cour » (al-Kâmil et son successeur al-Sâlih Ayyûb ne cessèrent de construire : salle d'audience, mosquée, écuries près de l'hippodrome en contrebas), fut doublée, entre 1240 et 1244, d'une seconde citadelle sur la moitié sud de l'île de Roda, face à Fustât, autre cité royale (comprenant palais, casernes et mosquée à l'intérieur d'une enceinte munie de soixante tours) dans laquelle se fixa alors le prince.

Le long temps exigé pour la réalisation de travaux aussi importants sur un espace aussi vaste explique sans doute que les effets sur la capitale égyptienne furent plus longs à se manifester qu'à Alep ou Damas. À Fustât, les dégâts causés par l'incendie furent vite réparés, et l'installation du prince à Roda, à partir de 1244, créa un surcroît d'animation suffisant pour qu'al-Sâlih Ayyûb envisageât de faire transférer un certain nombre d'activités commerciales et de résidences émirales à Guiza. Mais le projet ne fut pas réalisé. Progressivement Le Caire, où se trouvaient les plus belles constructions de l'époque fatimide, l'emporta sur Fustât. Mais ce fut au prix d'une totale réorganisation. La mosquée d'al-Azhar ne fut plus utilisée pour la prière du vendredi : la seule Grande Mosquée fut désormais celle d'al-Hâkim, près du rempart nord. Les palais califiens furent abandonnés aux émirs kurdes (les princes ayyoubides campèrent pendant trente ans dans l'ancienne résidence des vizirs à l'est de la cité, avant de s'installer dans la citadelle proche) : l'artère centrale, qui passait entre les deux anciens palais, et n'était plus limitée par leur présence, devint un axe de circulation, et elle attira le commerce et l'artisanat : des *qaysariyyas* et des *khâns* y furent construits, surtout dans sa partie sud (du côté de Fustât), puis s'y mêlèrent, vers le nord, les métiers à riche clientèle militaire (orfèvres, fabricants d'armes, maréchaux-ferrants), les vendeurs de plats préparés, puis le commerce des viandes et des légumes juste avant la porte nord (Bâb al-Futûh), et même au-delà. Le développement de cette zone économique centrale se fit d'autant plus aisément que des commerces existaient déjà à l'ouest, et qu'ils prospérèrent encore en suivant les deux axes secondaires qui menaient désormais, de l'artère centrale aux deux ponts sur le canal, et ensuite vers le Nil. Cette transformation interne de la Vieille Ville fut donc beaucoup plus considérable qu'à Alep ou Damas. En revanche l'enceinte ayyoubide étant davantage un dispositif de défense qu'une enceinte urbaine, on peut à peine parler de la création de faubourgs, sauf au nord de Bâb al-Futûh, à Husayniyya sous al-Kâmil. Ce fut davantage par la construction de quelques quartiers ou zones de résidence que se manifesta le pouvoir d'attraction de la nouvelle capitale, au sud de la cité fatimide, près des étangs et le long du canal, du temps d'al-Sâlih Ayyûb, le plus actif bâtisseur des Ayyoubides d'Égypte, et le seul qui eut peut-être une vision globale de l'espace urbanisable, du Caire à Guiza, mais qui finit cependant, on le verra, par admettre que le développement futur se ferait dans l'ancienne cité fatimide. Comme en Syrie, les princes assumaient la charge des travaux d'édilité les plus importants, en particulier d'importants travaux de dragage du Nil pour éviter un alluvionnement trop rapide de la rive ouest. En revanche, bien qu'al-Kâmil ait construit un aqueduc pour amener l'eau à l'hippodrome sous la citadelle, l'alimentation en eau pour les particuliers et les bains dépendait ici des puits et des porteurs d'eau. Les bains égyptiens de cette époque n'en étaient pas moins réputés, et sans doute déjà assez nombreux (plus de soixante-dix bains à Fustât et plus de quatre-vingts au Caire vers la fin du XIIIe siècle).

On constate donc que si les mêmes grands facteurs d'évolution se sont trouvé à l'œuvre en Égypte et en Syrie, à Alep et à Damas, l'évolution urbaine, déjà en cours et se déployant sur un espace plus restreint qu'en Égypte, y fut plus visible dans le déploiement des faubourgs. En Égypte, sur un plus vaste espace, une phase de mise en défense de l'ensemble et de déconstruction de l'ancienne cité royale fatimide (abandon des palais, célébration du vendredi uniquement dans une Grande Mosquée excentrée) a dû précéder un développement qui ne se fera que sous les sultans mamlouks. Les populations d'Alep et de Damas

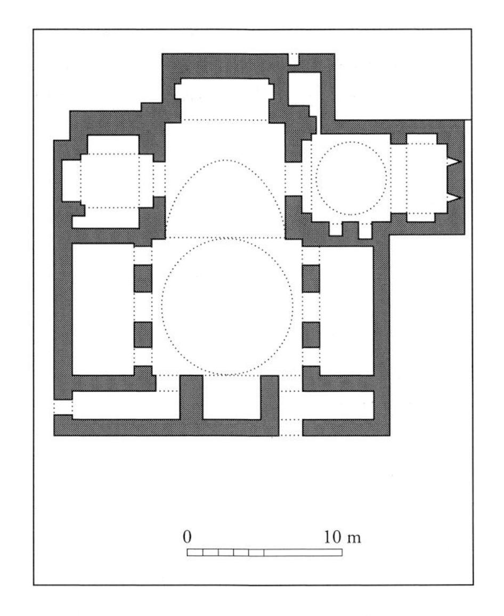

Plan du matbakh al- 'Ajamî,
une demeure du XIIe siècle à Alep.

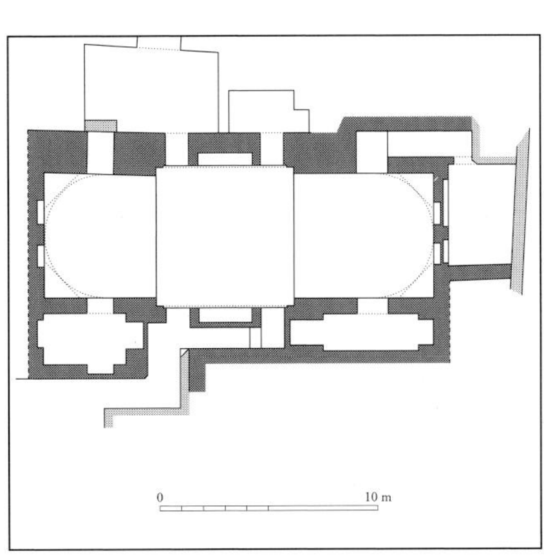

Plan de la qâ'a al-Dardir
représentative d'une unité d'habitation du Caire à l'époque ayyoubide.

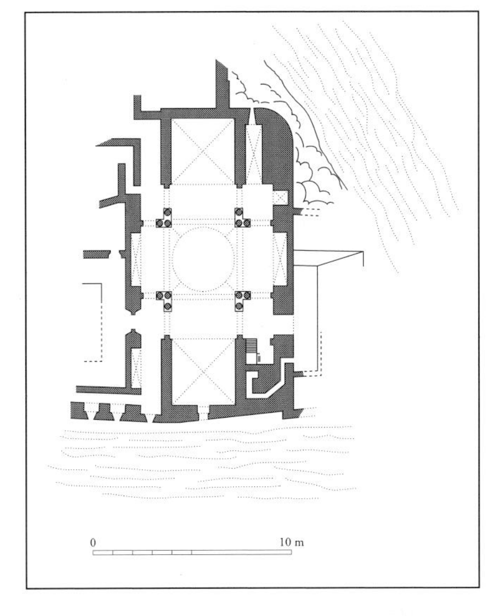

Plan du palais construit par al-Sâlih Najm al-Dîn Ayyûb entre 1240 et 1244 sur l'île de Roda.

ont augmenté sous les Ayyoubides, alors qu'on a l'impression que celle de la capitale égyptienne, qui a perdu son statut de capitale impériale, a stagné sinon régressé, une terrible famine, au début du XIIIe siècle, due à une mauvaise crue du Nil, ayant par ailleurs fait son œuvre.

L'architecture urbaine, les constructions civiles et l'habitat

L'architecture urbaine connut également des expressions différentes en Égypte ou en Syrie, à Alep et à Damas (pour ne pas parler des styles régionaux comme Homs, ou dans le Hauran). Les matériaux de construction les plus accessibles étaient différents : une excellente pierre à bâtir à Alep ; une pierre à bâtir de qualité médiocre à Damas, mais la possibilité d'avoir du bois de construction, le peuplier, qui sert d'armature aux murs de brique crue des maisons, la brique cuite étant réservée aux constructions monumentales ; l'utilisation majoritaire, à cette époque, de la brique, crue ou cuite, en Égypte.

Peu de témoins demeurent de l'architecture civile. Sans doute certains éléments architecturaux sont connus partout, en particulier l'*îwân*, vaste salle à l'ouverture béante sur un côté, qui s'est répandue, au moins dès le IXe siècle, de la Mésopotamie jusqu'à l'Égypte. Mais ce mot n'indique pas nécessairement des réalités semblables : l'*îwân* peut être voûté ou plafonné (comme le plus souvent, en Égypte) ; de même le terme *qâ'a* qui peut désigner des salles de réception de conception diverse, voire un habitat complet, en Égypte, à partir précisément de l'époque ayyoubide. Dans ce domaine de l'architecture civile, on est donc souvent réduit à des hypothèses.

À Alep, à part la salle centrale d'un palais ayant sans doute appartenu à un émir de Nûr al-Dîn (mais restauré à la fin de l'époque médiévale), avec *îwân* voûté ouvrant sur un espace central couvert d'une coupole, et les vestiges d'une salle du palais d'al-'Azîz à la citadelle, de plan plutôt cruciforme (et appelé *qâ'a*), il ne reste rien des résidences de l'élite, pour ne pas parler de celles des gens du commun. Si on peut tirer quelques conclusions d'éléments postérieurs, il semble que l'*îwân*, encadré, de part et d'autre, au rez-de-chaussée, d'une pièce voûtée (*qubba*), surmontée d'une autre en étage (l'*îwân* étant ainsi flanqué de ces deux constructions sur une grande partie de sa hauteur), pouvait constituer une unité d'habitation, parfois isolée au milieu d'un jardin. Mais il est clair que dans un tissu urbain où de telles unités se juxtaposaient, une cour, parfois agrémentée d'un bassin, et entourée d'autres salles, devait accompagner l'*îwân*, et constituer un ensemble à cour.

À Damas, mais ce n'est encore ici qu'une hypothèse, la disposition de la maison autour de la cour paraît plus essentielle ; c'est peut-être là l'effet d'une densification plus grande de l'habitat *intra muros* (on a vu que les faubourgs sont moins développés qu'à Alep), mais le principe d'organisation des habitations dans l'oasis de Damas est bien le même. L'*îwân* est également présent et, comme à Alep, il est généralement construit sur la partie sud de la parcelle, pour s'ouvrir largement au nord. D'autres pièces, parfois surmontées d'un étage, ferment la cour souvent agrémentée d'un bassin, dont une salle de réception longitudinale, au sol surhaussé par rapport à l'espace du seuil, généralement appelée *qâ'a*. On peut penser qu'à Damas comme à Alep l'époque ayyoubide a vu la mise au point de la formule de la maison à cour, qui restera employée jusqu'à la fin de l'époque médiévale et au-delà.

En Égypte, si l'on en juge par les fouilles menées dans la Fustât fatimide, le point de départ n'est pas très différent, du moins pour l'habitat aisé influencé par les modes mésopotamiennes. Une salle centrale flanquée de deux annexes, ou *majlis*, ouvre sur la cour par trois portes (dont une, au moins, avec de grands vantaux de bois, est monumentale), avec souvent de l'autre côté de la cour, un *îwân*, et parfois d'autres sur les côtés, sans doute seulement couverts d'un plafond de bois ; d'une fontaine située dans l'un des *îwâns* l'eau est amenée par une canalisation à ciel ouvert dans un bassin central. L'ensemble peut être aménagé au-dessus d'un rez-de-chaussée comportant écuries ou réserves. La disposition est ici plus savante qu'en Syrie mais ne concerne qu'une partie de l'habitat, puisque nous savons par les voyageurs qu'il existait aussi une tradition locale de la maison à étage avec fenêtres sur rue, sans cour centrale. L'époque ayyoubide (le mouvement a peut-être commencé avant) semble avoir été le moment où cet habitat se transforme : la cour est couverte, les grandes portes deviennent inutiles, et apparaît l'unité d'habitation dite *qâ'a* comportant en son centre un espace de circulation appelé *dûr qâ'a* (ou « entrée de la *qâ'a* »), situé en contrebas par rapport au sol légèrement surélevé d'un *majlis* face à un *îwân*, ou de deux *îwâns*. Ainsi se constitue peu à peu, le type d'habitat qui sera caractéristique de l'Égypte à la fin de l'époque médiévale, ensemble couvert, disposé plutôt en longueur, composé de deux *îwâns* de part et d'autre de l'espace central de la *dûr qâ'a* qui conserve sa fontaine, les pièces de service (latrines, réserves d'eau, éventuellement cuisine ou bain privé) étant réparties dans des espaces parfois fort réduits, tout autour. Cet ensemble fermé était mieux adapté au climat égyptien, et, sans orientation précise, il était plus aisé à insérer dans un tissu urbain déjà occupé. Une *qâ'a*, qu'on ne peut dater avec précision, remonte peut-être à cette époque ; ses *îwâns* voûtés peuvent indiquer une influence syrienne, de même que la disposition de la salle centrale du palais d'al-Sâlih Ayyûb à Roda (vers 1240) que les savants de l'expédition d'Égypte ont encore pu relever, avec ses deux *îwâns* et ses défoncements latéraux importants, suggérant une disposition cruciforme ; on ne peut donc pas dire que le « plan égyptien », en longueur, ait été alors déjà dominant. On doit également signaler l'existence, dans le domaine de l'habitat, des ensembles locatifs ou *rab'*, composés généralement d'unités d'habitation identiques qui, plus tard, se présenteront comme des juxtapositions ou des imbrications de *qâ'a*, sur deux ou trois étages ; mais aucun des *rab'* de cette époque, connus par les textes, ne subsiste, et nous n'en connaissons pas la disposition.

Nous n'avons pas de vestige de locaux à destination économique, remontant à cette époque. On pense naturellement pour les *funduqs* et les *khâns* à des ensembles de plan quadrangulaire, à cour centrale entourée de dépôts, le tout pouvant être surmonté d'un étage avec pièces servant au logement éventuel des marchands. Les *qaysariyyas* où travaillaient des artisans appartenant au même métier pouvaient aussi être structurées comme des passages fermés et ne comportaient pas nécessairement de cour, ni de logements en étage. Nous ignorons si l'époque ayyoubide a innové dans ce type de constructions.

L'architecture des bains publics en revanche semble être parvenue à la mise au point d'une formule (peut-être déjà trouvée dans le Caire fatimide) qui se distingue nettement de l'héritage antique : abandon du système des hypocaustes, recentrement du bain autour de la salle chaude à plan hexagonal, couverte d'une coupole ; quelques vestiges de ces bains existent encore au Caire et surtout à Damas. Dans ce domaine comme dans celui de l'architecture privée, l'époque ayyoubide a constitué une étape importante.

L'architecture religieuse, les *madrasas*

L'architecture religieuse est, avec l'architecture militaire, celle qui a laissé le plus de vestiges. Les monuments caractéristiques ne sont pas les grandes mosquées du vendredi : les princes ayyoubides ont restauré et embelli les grandes mosquées royales précédentes, mais ils n'ont pas senti le besoin d'en créer de nouvelles. L'expression de l'architecture religieuse ayyoubide est à chercher dans les *madrasas*, les *khânqâhs* et les monuments funéraires, avec lesquels elles peuvent se confondre. On ne peut comprendre les raisons du développement de ce domaine de l'architecture sans se référer aux évolutions que connaît alors l'islam.

Un phénomène qui a pris de l'ampleur au XIe siècle en Orient (ce qui suit ne serait pas vrai pour le Maghreb) et s'accroît encore sous les Ayyoubides, est le recours, à titre privé, à la pratique du *waqf* ou mise hors du circuit commercial par un particulier (prince, militaire de haut rang, noble dame, notable) de fonds servant à assurer un service charitable, ou à construire et faire fonctionner une institution religieuse ou funéraire. Ces fondations particulières, très nombreuses, viennent s'ajouter aux fondations en *habûs* (terme de sens analogue à celui du mot *waqf*), moins nombreuses et relevant davantage de communautés ou de l'État : ainsi les hôpitaux (*mâristân*), hospices pour malades musulmans pauvres, servant parfois également à l'enseignement de la médecine : il en existait un à Alep, datant du règne de Nûr al-Dîn, ainsi qu'à Damas où un second fut construit à l'époque ayyoubide ; au Caire, Saladin en fit également édifier un ; il en existait un autre plus ancien à Fustât, datant du IXe siècle.

La madrasa Rukniyya à Damas, 1228.
Photo Gérard Degeorge.

Un des principaux objets du recours au *waqf* fut la construction de *madrasas* (« fondations d'enseignement ») destinées à conforter l'islam sunnite (ce que l'on verra plus loin) par l'enseignement de disciplines relevant d'un des quatre rites juridiques de l'islam, ou de telle école de théologie islamique. On appelait la fondation *dâr al-Hadîth* ou *dâr al-Qurân* lorsque l'enseignement concernait essentiellement la Tradition prophétique ou la lecture coranique. Le terme *madrasa* pouvait désigner, assez rarement, la simple immobilisation de fonds pour assurer que tel enseignement soit délivré dans tel espace réservé d'une mosquée ; il faisait plutôt référence à la création d'un bâtiment où l'enseignement était donné, qui pouvait comprendre (mais pas obligatoirement), généralement disposés autour d'une cour, un espace pour les enseignements (souvent un *îwân*), un oratoire, des logements pour l'enseignant et les étudiants (qui recevaient par ailleurs une aide financière) au rez-de-chaussée ou à l'étage, des pièces de service. Le fait que ce système se diffusa à partir de l'Iraq et de l'Iran, fit que, là encore, la Syrie fut affectée par le phénomène avant l'Égypte sous domination chiite jusqu'à l'arrivée de Saladin, et qu'il prit en Syrie une ampleur particulière. En ce domaine, Damas précéda Alep où l'importance des milieux chiites dans la ville fut d'abord un frein. Il y avait à Damas douze fondations dès avant l'installation des Zenguides, vingt-trois lors de la prise de pouvoir par Saladin, et quatre-vingt-dix-neuf à la fin de l'époque ayyoubide (dont vingt-trois dans le faubourg de Sâlihiyya), soit douze *dâr al-Hadîth* ou *dâr al-Qur'ân* et soixante-dix-sept *madrasas*. Alep comptait seulement une fondation lors de l'installation des Zenguides, treize à l'avènement des Ayyoubides et cinquante-six à la fin de la période (dont neuf *dâr al-Hadîth* et quarante-sept *madrasas*). Dans la capitale égyptienne, il n'y avait aucune fondation de ce type avant Saladin, et il n'y eut que vingt-cinq fondations (une *dâr al-Hadîth* et vingt-quatre *madrasas*) d'abord installées à égalité entre Fustât et Le Caire, puis de préférence au Caire : la présence d'une forte population chrétienne à Fustât se fait ici sentir, ainsi que le développement désormais plus important du Caire. Le bilan donne donc quelque cent soixante-quinze fondations de ce type, alors qu'à la même époque Bagdad ne compte que trente-six *madrasas*, et l'Anatolie turque, une dizaine.

On construisit également des *khânqâhs* et des *ribâts*, termes qu'on peut traduire par « lieux de retraite », qu'il s'agisse d'une retraite plus ou moins provisoire, pour les mystiques, ou d'établissements destinés à l'accueil de veuves ou d'hommes âgés isolés (par exemple des eunuques) : on en compte près d'une trentaine à Alep à la fin de l'époque ayyoubide, une quarantaine à Damas et, semble-t-il, moins d'une demi-douzaine dans la capitale égyptienne. Leur structure n'était pas différente de celle des *madrasas*, mais la présence des logements y était évidemment nécessaire.

Le fait que les commandes aient émané de nombreux fondateurs privés qui restaient libres du choix de la disposition architecturale du bâtiment qu'ils finançaient, et qui devait répondre à une fonction assez nouvelle, a conduit à l'adoption de plans divers pour ces édifices. Leur fonction même n'était pas totalement fixée. À partir d'Alep, dès l'époque zenguide, s'est diffusé le modèle de la *madrasa* funéraire, le commanditaire prévoyant l'érection de son tombeau dans un édifice de plan carré, surmonté d'une coupole, à côté de la *madrasa*, ou dans le bâtiment dont il pouvait même constituer l'essentiel, et où un enseignement était donné, qui assurait au défunt le bénéfice spirituel durable de la fondation. La pratique qui se répandit à Damas ne gagna l'Égypte que vers la fin de la période, voire plus tard (le tombeau d'al-Sâlih Ayyûb n'a été construit à côté de sa *madrasa* qu'après sa mort). Il va de soi que les princes ont pu adopter pour leurs fondations la même disposition que celle de bâtiments alors célèbres ailleurs, ou la même destination, ce qui n'impliquait pas l'emprunt de la disposition architecturale : al-Sâlih Ayyûb, au Caire, a fait édifier sa *madrasa* à partir de 1242, en la destinant à l'enseignement du droit selon les quatre écoles juridiques du sunnisme, s'inspirant en cela de l'exemple donné à Bagdad, quelque dix ans plus tôt, par le calife al-Mustansir, mais cela a conduit à la construction d'un bâtiment sur un plan tout à fait différent de celui de la grande *madrasa* de Bagdad. Il n'y eut donc pas de plan uniforme pour les *madrasas*, d'autant que certaines fondations furent aménagées dans des demeures particulières que leurs propriétaires, à leur mort, constituèrent en *waqf* et firent transformer en *madrasa*. Il

Détail du décor surmontant l'entrée de la madrasa et du mausolée d'al-Sâlih Najm al-Dîn Ayyûb au Caire, 1244. Photo Philippe Maillard.

Coupole de la salle funéraire
à l'intérieur de la *madrasa* 'Âdiliyya, Damas, 1223. Photo Gérard Degeorge.

Îwân de la madrasa du Firdaws, Alep, édifiée en 1235 par la veuve d'al-Zâhir Ghâzî. Photo Anne-Marie Eddé.

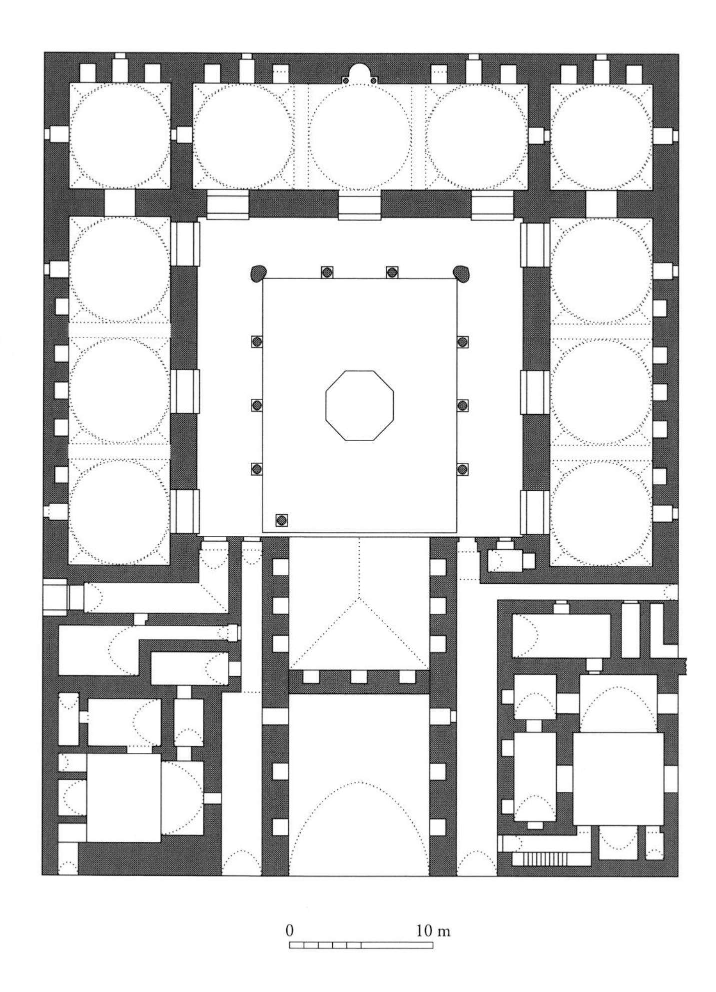

Plan de la madrasa du Firdaws, Alep.

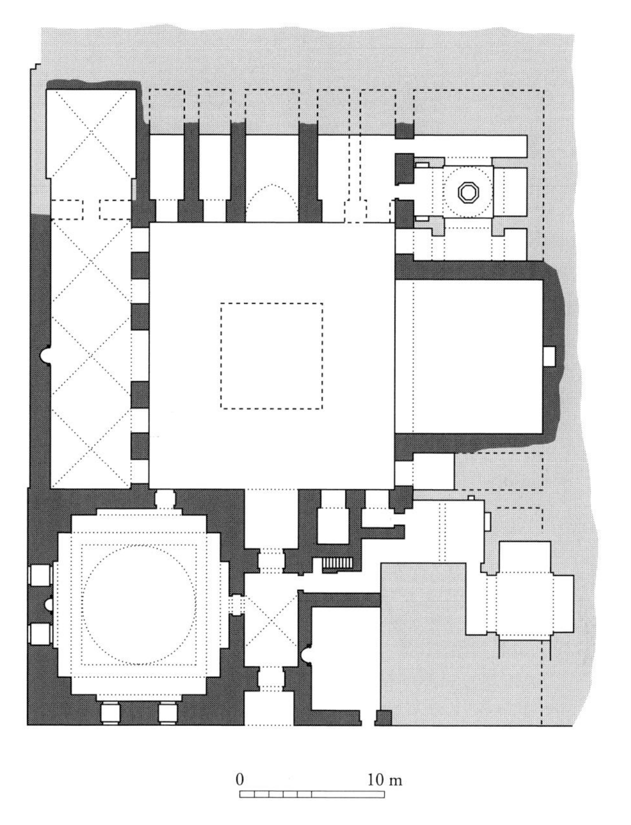

Plan de la madrasa 'Âdiliyya, Damas.

s'ensuit qu'on y retrouve beaucoup d'éléments architecturaux des constructions civiles de l'époque (*îwâns*, *qâ'as* rectangulaires des maisons syriennes, *qâ'as* plus particulières d'Égypte), mais les *madrasas* ne reprennent pas le plan exact des maisons.

C'est évident en Syrie : même quand il n'y a pas de programme architectural plus ambitieux (comme par exemple dans la *madrasa* du Firdaws d'Alep, 1235), lorsque la *madrasa* comporte une salle de prière, généralement une salle rectangulaire couverte de trois coupoles et ouvrant par trois portes sur la cour, l'*îwân* ou les *îwâns* (il pouvait y en avoir deux) ne se trouvent pas (à quelques exceptions près) sur le côté sud de la cour, comme dans la maison, puisqu'on y a placé la salle de prière : le plan de la 'Âdiliyya de Damas (1223) ne peut être celui d'une maison, bien qu'elle en ait l'allure et qu'on y retrouve beaucoup d'éléments de l'habitat domestique.

En Égypte, l'exemple de la *qâ'a* d'habitation a peut-être été davantage prégnant : si les premières *madrasas* furent aménagées dans des locaux disponibles reconvertis (une prison, une *qaysariyya*), d'autres le furent au Caire dans des parties d'anciennes résidences des notables du régime déchu, et si l'on examine les vestiges des deux seuls bâtiments qui nous sont connus, le *dâr al-Hadîth* d'al-Kâmil (1225) et la *madrasa* d'al-Sâlih Ayyûb (1242-1244), on a bien l'impression de retrouver des plans de *qâ'a* de grandes dimensions (la *madrasa* d'al-Sâlih, pour l'enseignement des quatre rites juridiques, étant en fait composée de deux constructions à plan de *qâ'a* juxtaposées) : même si ces plans en longueur ont pu être suggérés par celui de *madrasas* anatoliennes existant alors, leur similitude avec celui des *qâ'as* égyptiennes a sans doute joué quelque rôle dans leur adoption.

L'évolution architecturale

Cette demande importante de constructions eut pour résultat un renouveau de l'activité architecturale et un renouvellement de l'architecture, en particulier en Syrie. Ces bâtiments nombreux, mais de taille nécessairement plus modeste que celle des plus anciennes et plus rares constructions royales, trouvèrent naturellement leur place au milieu des maisons dont le nombre croissait également. Extérieurement, elles ne se distinguent d'elles que par les coupoles, visibles de la rue, et la majesté des portails d'accès pour les plus riches fondations. Alep et Damas (et d'autres villes encore) eurent chacune leur tradition architecturale. À Alep, des constructions en pierres de taille, des coupoles reposant à l'intérieur sur quatre trompes triangulaires ornés d'alvéoles décoratifs, qu'on retrouve dans les niches surmontant les portails, seule parure extérieure ; à peine quelques ornements internes : des sculptures sur pierre d'inscriptions ou de fleurons, parfois des incrustations de marbre gris et jaune en entrelacs, au-dessus des mihrabs. L'ensemble est rigoureux et plutôt sévère. À

Mausolée de l'imâm Shâfi'î, Le Caire,
édifié par al-Kâmil en 1211. Photo Gérard Degeorge.

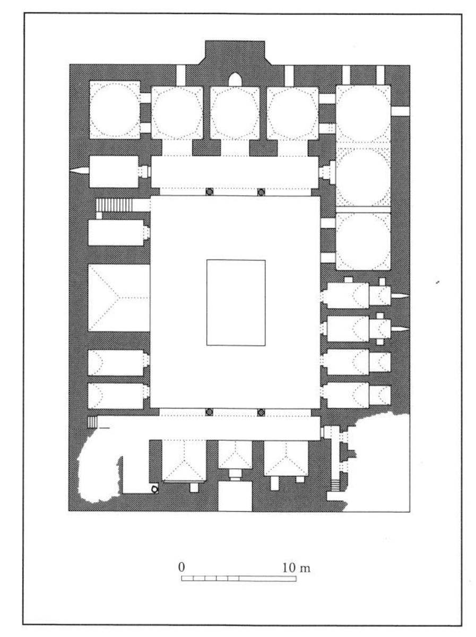

Plan de la madrasa Zâhiriyya, Alep.

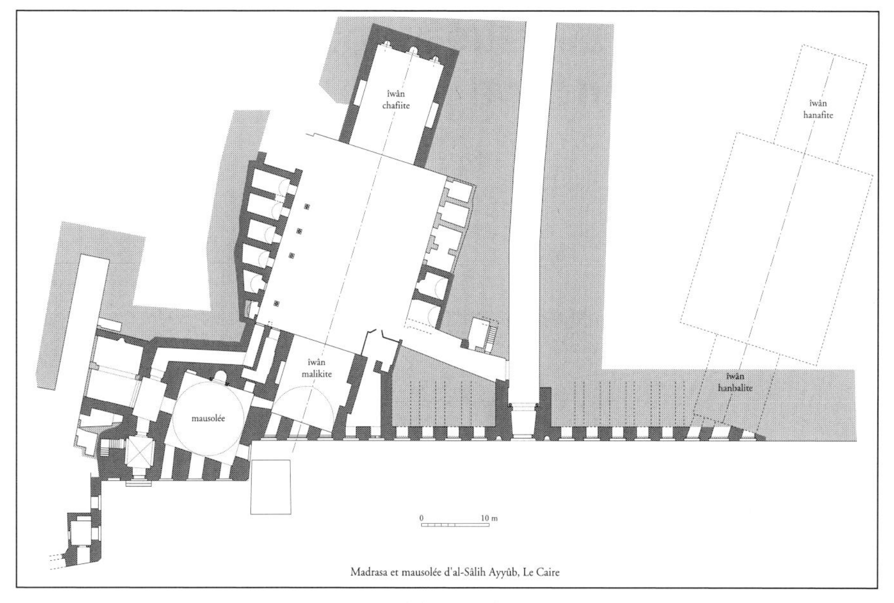

Plan de la madrasa et du mausolée d'al-Sâlih Najm al-Dîn Ayyûb, Le Caire.

Damas, des constructions de moellons et de briques recouverts d'un enduit de plâtre (avant que l'influence alépine croissante ne réduise aux coupoles l'emploi de la brique) ; des coupoles posées sur des niches d'angle se traduisant à l'extérieur par un double tambour, soit une ligne plus douce qu'à Alep ; l'emploi croissant des alvéoles de pierre à l'extérieur, à l'exemple d'Alep ; une ornementation de moulures, rosaces ou médaillons, en stuc ou peinte sur les enduits intérieurs ; les bois sculptés des linteaux, des chaires ou des cénotaphes ; des fenêtres garnies de dalles de plâtre ajourées où des verres de couleurs vives laissent passer la lumière. C'est là une tradition plus aimable. On peut penser que, dans les deux cas, il y eut bien quelque influence de constructions antérieures aujourd'hui disparues, mais c'est bien une synthèse nouvelle qui apparaît.

Dans la capitale égyptienne, l'évolution fut différente. L'héritage monumental fatimide était considérable, et la riche décoration de stuc des façades, où l'influence d'Ifriqiyya se faisait sentir, donnait aux monuments une visibilité que la Syrie ne connaissait pas. La tradition des petits mausolées funéraires ne fut guère reprise (sauf dans le mausolée tardif qui servit par la suite aux Abbassides d'Égypte), peut-être parce que trop liée à une forme de piété chiite qu'on redoutait. Le monument construit en 1211 par al-Kâmil au-dessus du tombeau de Shafi'î (le fondateur de l'école juridique à laquelle ces princes kurdes étaient attachés), en pierre et brique et haute coupole de bois, ne peut être confondu par sa taille avec les mausolées funéraires antérieurs : c'est un mausolée royal et la dépouille du prince y sera déposée, à côté de celle du juriste sunnite. Ce qui subsiste du *dâr al-Hadîth* construit par le même souverain en 1225 sur une partie de l'ancien palais califien de l'ouest, indique que ce fut aussi un monument de grande ampleur. Enfin la *madrasa* d'al-Sâlih, édifiée pour l'enseignement des quatre rites du sunnisme entre 1242 et 1244, même si elle n'a pas la belle ordonnance interne de la construction califienne de Bagdad, offre néanmoins une façade de plus de 70 mètres le long de l'artère de l'ancienne ville royale fatimide. La maçonnerie et les briques de la façade, et du minaret monumental qui la surmonte, sont recouvertes d'un décor qui, par les arcs en carène des hauts panneaux verticaux, les *muqarnas* et les médaillons, rappelle les monuments des califes chiites, tels les motifs d'anciens *tirâz* ornant le manteau des murs, legs fatimide subverti au service du sunnisme. L'influence syrienne se fait discrètement sentir dans les vitraux de couleur et les parements de marbre du mihrab dans le tombeau voisin du prince. Mais ni sa taille ni le luxe de sa façade ne rappellent la discrétion des monuments d'Alep et de Damas. Le monument n'a pas été conçu pour se fondre dans un cadre urbain bien établi ; il impose au contraire à l'artère de l'ancienne capitale encore bouleversée par les changements qu'elle a subis, le jalon d'une perspective urbaine qui se développera par la suite.

L'évolution urbaine et architecturale à l'époque ayyoubide a donc été considérable. Les paysages urbains ont changé du fait des constructions militaires et d'autres dispositions à l'usage du nouveau groupe dominant. Si les villes syriennes, de taille réduite, se sont visiblement agrandies de nouveaux quartiers, la capitale égyptienne n'en est encore qu'au début de la restructuration qui a suivi la chute des Fatimides. Le passé différent de la Syrie et de l'Égypte explique que ces pays, qui relèvent d'un même pouvoir, n'évoluent pas au même rythme. La politique de reconstruction de l'islam sunnite, qui est la même d'Alep au Caire, a également des effets différents, très prononcés en Syrie où les *madrasas* sont nombreuses, moins en Égypte à cette époque. L'architecture se renouvelle en Syrie plus qu'en Égypte ; des traditions locales se créent dans les diverses capitales, mais les emprunts architecturaux d'une région à l'autre commencent à peine. Tout est prêt cependant pour qu'une synthèse se fasse, et que la Syrie et l'Égypte soient entraînées dans le même mouvement architectural et urbain – entre le XIIIe et le XVe siècle – à l'époque mamlouke.

L'architecture militaire ayyoubide en Égypte et en Syrie

STEFAN KNOST

Enceinte nord de la citadelle du Caire, construite durant les règnes de Saladin et d'al-'Âdil Ier. Photo Philippe Maillard.

Tronçon oriental, récemment dégagé d'un rempart autour de l'agglomération du Caire, édifié par Saladin, vizir du dernier calife fatimide, avant 1171. Photo Stefan Knost.

Les châteaux forts, les citadelles et les impressionnantes fortifications qui s'élèvent en Syrie et en Égypte à l'époque ayyoubide ont exigé, pour leur réalisation, une organisation rigoureuse et la mobilisation de toutes les ressources humaines et matérielles disponibles. Cette circonstance exceptionnelle se réalise à la mort de Nûr al-Dîn en 1174, lorsque Saladin parvient à réunir l'Égypte, en s'appuyant sur la richesse de celle-ci, la Syrie et la Haute-Mésopotamie.

Afin de contrer la menace que représentaient les croisés, Nûr al-Dîn avait déjà entrepris de restaurer les fortifications des grandes cités syriennes. Sous les Ayyoubides, surtout après le renforcement de leur autorité par al-'Âdil, ces opérations prennent la forme d'un véritable programme de construction. Saladin lui-même lance dès 1176 la construction de la citadelle du Caire et d'un nouveau mur d'enceinte qui devait englober la ville royale des Fatimides, al-Qâhira, sa citadelle et le Vieux Caire, Fustât. Ce mur est encore visible à certains endroits et, récemment, une grande partie du tronçon oriental a été mise au jour.

À Alep et Damas également, de grandes parties des fortifications urbaines sont reconstruites et se caractérisent, en général, par une maçonnerie en pierres taillées en bossage. Le dispositif adopté pour le portail d'entrée constitue l'un des points importants de chaque fortification. Pour bon nombre de ces nouvelles constructions ayyoubides, l'accès à la porte n'est pas frontal, mais aménagé sur le côté. Le chemin qui mène à la porte dessine plusieurs coudes, ceci afin d'en rendre l'accès plus difficile à un éventuel assaillant et d'interdire l'emploi des machines de siège (béliers). À la suite des travaux de construction d'al-Zâhir Ghâzî (à partir de 1209) entrepris sur le mur d'enceinte d'Alep, la plupart des dispositifs d'entrée adoptent cette forme.

Celle-ci implique toutefois une reconstruction presque complète des portes déjà existantes. Quand cette solution n'a pas été retenue, par exemple pour quelques portes de l'enceinte de Damas, d'autres moyens pour les sécuriser ont été mis en œuvre. Comme un bras du fleuve Barada baigne le mur d'enceinte de Damas sur sa partie nord, des ponts avec des moulins fortifiés ont été aménagés. À d'autres endroits, des barbacanes sont édifiées en avant du portail d'entrée, avec un résultat semblable à celui des portes latérales coudées[1].

Les murailles et les tours sont équipées, du côté de l'attaque potentielle, de dispositifs défensifs tels que chemins de ronde, meurtrières, créneaux et mâchicoulis du haut desquels poix chauffée, naphte, ou huile étaient projetés sur les assaillants. Un grand nombre de tours érigées autour de 1200 sont de plan rectangulaire et d'une surface relativement grande, différentes en cela des tours semi-circulaires du mur d'enceinte et de la citadelle du Caire. Les progrès réalisés en matière d'armement ont nécessité cette transformation. Les plates-formes des tours rectangulaires peuvent alors supporter de grandes catapultes. Celles-ci ont été introduites par Saladin et utilisées au cours des différents sièges qu'il entreprit. Désormais, elles sont également utilisées comme armes défensives. Les catapultes et les projectiles, de plus de 100 kg pour certains,

Le site escarpé de la forteresse de Shayzar,
dominant la vallée de l'Oronte. Photo Annick Neveux-Leclerc

La citadelle de Damas, remaniée notamment
par le Zenguide Nûr al-Dîn, Saladin et son frère al- 'Âdil. Photo Gérard Degeorge.

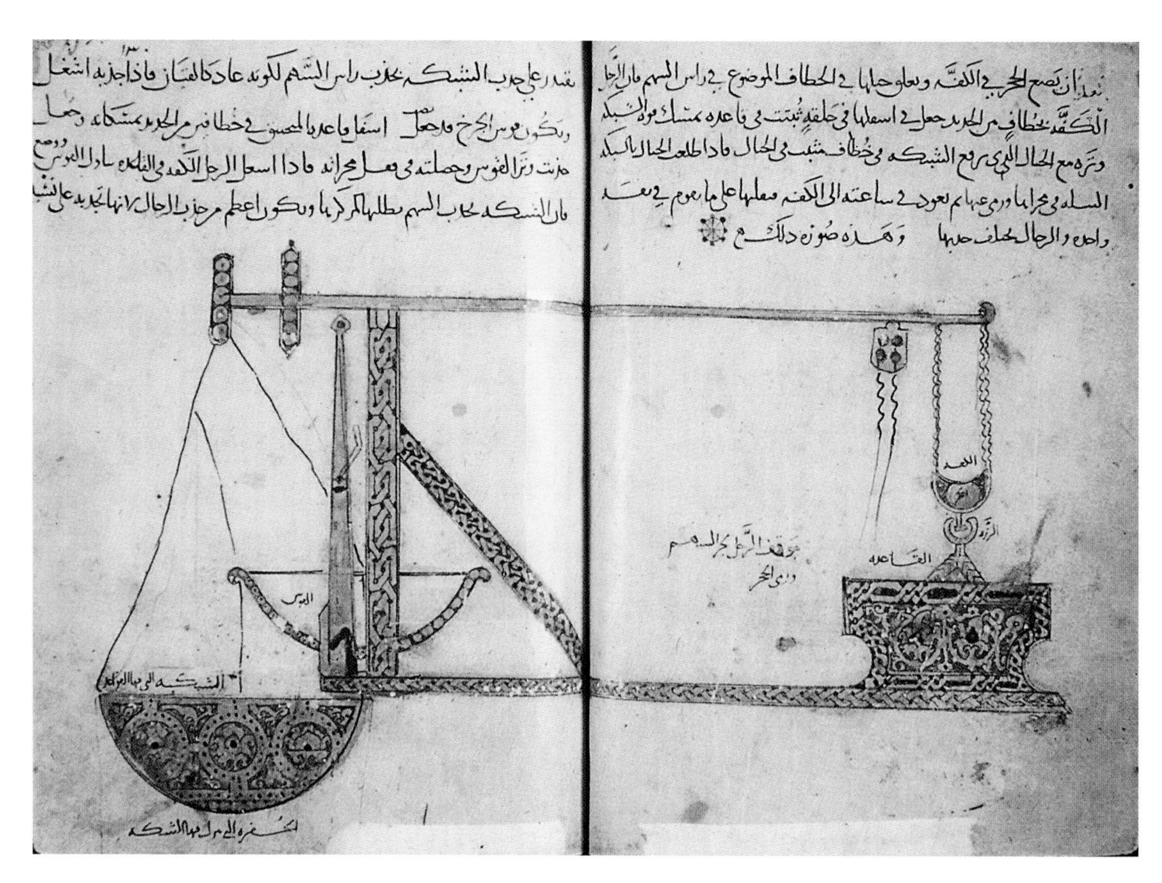

Modèle de mangonneau dans un traité d'armurerie rédigé pour Saladin,
Syrie, seconde moitié du XIIe siècle (cat. 60, f° 134 v°-135r°). Photo © Bodleian Library, University of Oxford.

étaient acheminés sur les plates-formes au moyen de palans, ce qui explique que ces tours, du côté de la ville, ne disposent en général pas de parapet[2].

Les citadelles d'Alep et de Damas ont également été adaptées aux besoins militaires. Celle d'Alep, située sur une colline, est transformée par al-Zâhir Ghâzî, dès 1208, qui en fait l'un des forts les plus imposants de l'époque. Il fait creuser le fossé, paver la pente avec des pierres taillées, entre lesquelles sont incorporés des fûts de colonnes antiques pour solidifier et renforcer l'ensemble. Il en fortifie l'unique accès par une porte monumentale reliée par un pont unique, protégé par une tour avancée.

Plus tard, à l'époque mamlouke, une grande salle a été aménagée sur ce dispositif; cependant la construction ayyoubide est aujourd'hui encore facilement reconnaissable, sa plate-forme étant à la hauteur des mâchicoulis. La partie antérieure est constituée de deux ressauts en forme de tour flanquant une niche profonde. L'accès est situé dans la partie est de la tour, il s'infléchit ensuite cinq fois et passe par trois portes avant de rejoindre l'intérieur de la citadelle. Les meurtrières, les mâchicoulis et surtout les anciennes plates-formes du sommet permettant de disposer des catapultes défendaient ces ressauts.

Les grandes citadelles ayyoubides d'Alep, de Damas et du Caire n'ont pas seulement une fonction militaire. Elles servent aussi de résidences princières. Contrairement aux dynasties antérieures, comme par exemple les Fatimides et leurs vastes palais, les princes ayyoubides préfèrent établir leurs résidences dans l'espace restreint des citadelles. Ces palais comptent parmi les chefs-d'œuvre de l'architecture ayyoubide, avec des éléments qui d'ordinaire sont caractéristiques de l'architecture religieuse, comme par exemple les portails ornés de *muqarnas*. Des portails de ce type, symbole du pouvoir, existent dans les citadelles d'Alep et de Damas ainsi que dans le château de Saladin[3] (château de Saône) dans les montagnes du littoral syrien, derrière le port de Lattaquié.

L'effort de construction ayyoubide ne se limite pas aux grandes villes ; des localités plus modestes, surtout dans les régions à la frontière avec les États francs, se dotent de nouvelles fortifications.

La citadelle de Bosra, dans le sud de la Syrie, revêtait une importance stratégique pour la protection de la principale voie de communication avec l'Égypte et les Villes saintes de La Mecque et de Médine. Le théâtre romain de la ville avait déjà été transformé en citadelle par les

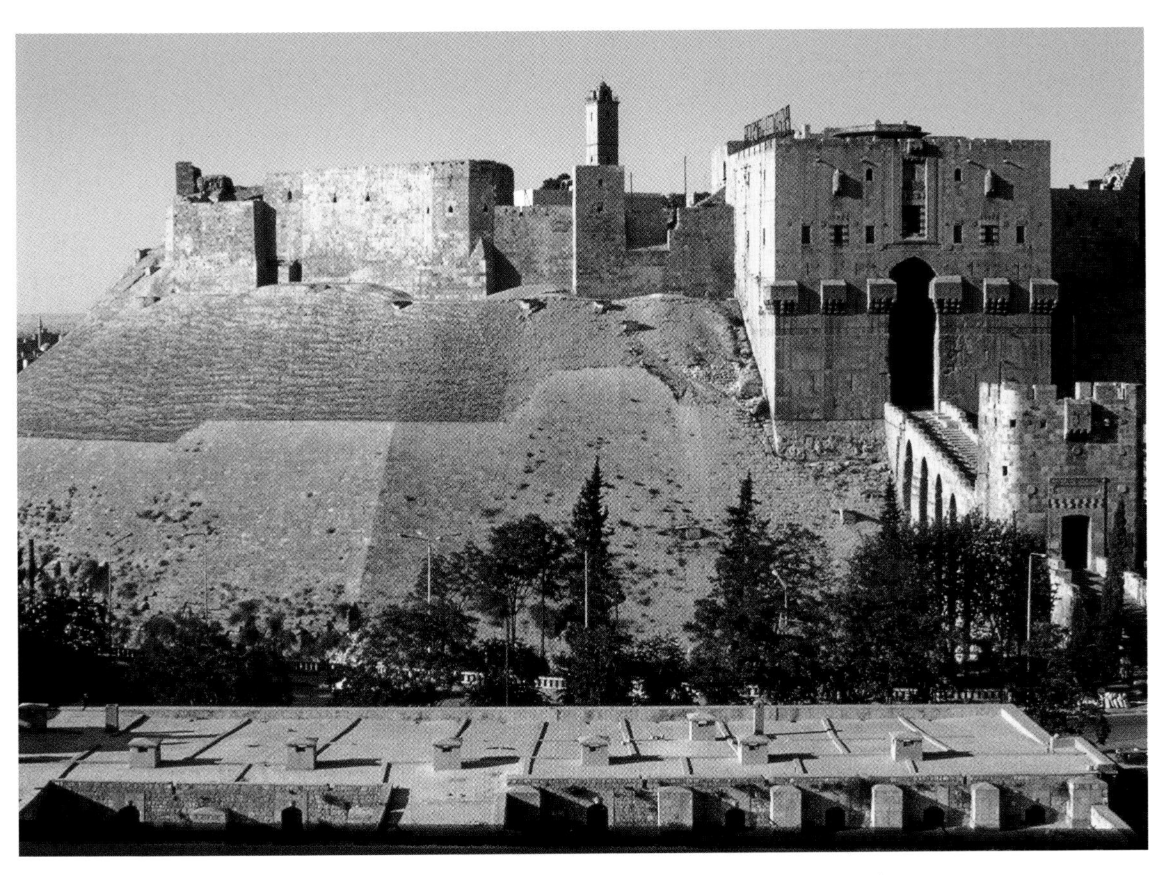

La citadelle d'Alep, construite sur un tell, remaniée par al-Zâhir Ghâzî, fils de Saladin.
Le bastion d'entrée a été rehaussé au-dessus des mâchicoulis à l'époque mamlouke. Photo Annick Neveux-Leclerc.

Seljoukides au XIe siècle. Sous le règne d'al-'Âdil, un important programme de construction est initié, qui comporte, entre autres, les huit gigantesques tours extérieures.

Des palais sont également aménagés dans les citadelles de localités plus modestes, ainsi à Bosra où réside temporairement le fils d'al-'Âdil, al-Sâlih Ismâ'îl, ou encore dans le château de Saladin où se trouve un portail à *muqarnas* déjà mentionné.

L'architecture militaire des Ayyoubides ne peut être considérée comme totalement distincte de celle de leurs principaux adversaires, les croisés. Les longues périodes de construction des grands dispositifs fortifiés ne permettent pas en effet, dans certains cas, d'établir avec certitude le sens du « transfert de technologie ». Le donjon, ou tour d'habitation fortifiée, est un élément d'origine européenne, présent dans de nombreux châteaux forts croisés. Celui du château de Shayzar, construit en 1233, domine l'Oronte et constitue un exemple de reprise par les Arabes[4].

En retour, les glacis et les portails d'entrée coudés des forteresses arabes ont certainement influencé l'architecture croisée et, par-delà, exercé une influence sur l'architecture européenne plus tardive.

La confrontation militaire dans un espace relativement restreint du bassin oriental de la Méditerranée a abouti à une « course aux constructions » de type médiéval dont les vestiges imposants suscitent aujourd'hui encore l'admiration.

1. Braune, Michael, Himam al-Zaym : « Stadttore und Stadtmauern von Damaskus », in *Damaskus – Aleppo. 5000 Jahre Stadtentwicklung in Syrien.* Mainz (von Zabern), 2000, p. 180-187.
2. Hanisch, Hanspeter : *Die ayyubidischen Toranlagen der Zitadelle von Damaskus. Ein Beitrag zur Kenntnis des mittelalterlichen Festungsbauwesens in Syrien.* dir. par Dr. Ludwig Reichert, Wiesbaden, 1996, p. 87.
3. Ce nom rappelle que cette forteresse croisée a été enlevée par Saladin en 1188 après seulement trois jours de siège. Le château a été donné en fief à une famille de notables qui fit construire ce palais fortifié.
4. Le château de Shayzar, situé près des châteaux croisés, était une des bases offensives dans la reconquête du littoral. Dans ce château était né en 1095 le chevalier arabe Usâma ibn Munqidh, qui nous a laissé une description de la lutte contre les croisés dans son autobiographie.

Bateau dans le golfe Persique, Maqâmât d'al-Harirî,
Syrie, vers 1220. Paris, Bibliothèque nationale de France,
département des Manuscrits orientaux, ms. Arabe 6094, f° 68 ; photo BNF.

Échanges et commerce au temps des Ayyoubides

ANNE-MARIE EDDÉ

L'Égypte avait connu un grand essor commercial sous les Fatimides et, dès la fin du Xe siècle, la route maritime de la mer Rouge vers l'océan Indien avait supplanté celle du golfe Persique qui faisait la fortune de Bagdad. Les Ayyoubides recueillirent cet héritage d'autant plus facilement qu'ils contrôlèrent politiquement les deux rives de la mer Rouge dès leur installation au Yémen, en 1174. En Syrie-Palestine et en Haute-Mésopotamie, le commerce avait souffert de l'invasion seljoukide, dans la seconde moitié du XIe siècle, puis de l'installation des Francs au début du XIIe siècle, qui rendaient les routes beaucoup moins sûres. Mais après les conquêtes de Saladin (1187-1188), les Ayyoubides profitèrent de l'unification des territoires musulmans du Proche-Orient et des bonnes relations qu'ils instaurèrent avec leurs voisins pour donner au commerce un nouvel essor.

Les grands courants commerciaux

Les produits d'Extrême-Orient et des rivages de l'océan Indien, épices, bois et pierres précieuses, soieries et porcelaines, arrivaient en terre ayyoubide par des chemins variés. Ils pouvaient atteindre la Syrie du Nord par voie terrestre et fluviale, en provenance d'Iraq et de Haute-Mésopotamie. Les marchands faisaient souvent halte sur leur route dans des *funduqs* (caravansérails) qui leur assuraient gîte et protection pour eux-mêmes et pour leurs marchandises. Plusieurs *funduqs* d'époque zenguide et ayyoubide sont encore visibles, de nos jours, sur la route entre Alep et Damas. Mais la route la plus importante était sans doute celle qui permettait de relier l'Inde à l'Égypte par l'océan Indien et la mer Rouge. Le contrôle de la navigation en mer Rouge a toujours été une priorité pour les dirigeants du Caire, ce qui explique la volonté de Saladin, dès son installation en Égypte, d'en interdire tout accès aux Francs qui occupaient, depuis le début du XIIe siècle, un fortin au large du golfe d'Aqaba. En 1182, une expédition de Renaud de Châtillon parvint jusqu'à 'Aydhâb et menaça les Villes saintes de La Mecque et de Médine. La réaction ayyoubide fut immédiate : les Francs furent sévèrement battus et les prisonniers exécutés jusqu'au dernier. Deux routes permettaient, en réalité, aux pèlerins musulmans et aux marchands de relier Le Caire au Hijâz et à l'océan Indien : l'une passait par Qûs en Haute-Égypte et 'Aydhâb sur la mer Rouge ; la seconde, moins dangereuse et plus fréquentée à partir de 1192, c'est-à-dire après la signature du traité entre Saladin et les Francs garantissant la sécurité et la libre circulation des caravanes, passait par l'ancienne route de Suez et 'Aqaba.

D'Afrique orientale les marchands rapportaient de l'or, de l'ivoire et des esclaves. D'Égypte, une partie des produits orientaux étaient envoyés vers le Maghreb et l'Espagne musulmane et échangés contre des soieries, de l'huile ou des chevaux. Ibn Sa'îd, un voyageur andalou du XIIIe siècle, affirme que le coton d'Alep était vendu jusque sur les marchés de Ceuta et du Maghreb.

Les Ayyoubides commerçaient aussi avec l'Anatolie byzantine et seljoukide. Sur les rivages de la mer Noire, dans la ville byzantine de Trébizonde, se rencontraient des marchands de toutes origines, anatoliens, russes, turcs, syriens et irakiens, qui échangeaient produits d'Orient et marchandises venues du nord telles que fourrures et esclaves. De même, Sîwâs, au nord-est de l'Anatolie seljoukide, et Antalya sur la côte sud, devinrent au XIIIe siècle d'importants lieux d'échanges fréquentés aussi bien par des marchands occidentaux qu'orientaux.

Les échanges avec les États latins et l'Occident chrétien tenaient une place plus importante encore. Le commerce entre l'Occident et l'Orient en Méditerranée datait de bien avant les croisades, mais celles-ci contribuèrent à son essor et les conflits militaires n'arrivèrent jamais à l'arrêter durablement. Tout au long du XIIe siècle, des villes comme Pise, Gênes et Venise développèrent leur commerce non seulement avec les États latins où elles obtinrent des privilèges économiques considérables, mais aussi avec l'Empire byzantin et les États musulmans, notamment l'Égypte. Sous le règne des Ayyoubides, les liens entre les villes italiennes et les grands marchés du Proche-Orient musulman ne cessèrent de se renforcer. Les marchands occidentaux ne se contentèrent plus de débarquer dans les ports du delta égyptien et au Caire ; des traités commerciaux les autorisèrent désormais à pénétrer jusqu'aux marchés des villes syriennes.

En Syrie comme en Égypte, les Italiens, rejoints progressivement par des Provençaux et des Catalans, achetaient des épices et autres produits « orientaux » ainsi que des matières premières nécessaires à leur industrie textile.

Un atelier de teinture à Damas. Tissus et produits tinctoriaux constituaient une part importante du commerce entre Francs et musulmans.
Photo Muhammad Roumi/ photothèque IMA

Tel était le cas du coton acheté à Alep, ou de l'alun que les Occidentaux se procuraient en Égypte au XIIe siècle, et de plus en plus en Anatolie au XIIIe siècle. Parmi les marchandises vendues par les Occidentaux figuraient des produits stratégiques tels que le fer, le bois et la poix qui servaient à fabriquer des armes et à construire les bateaux de la flotte égyptienne. Sans doute des armes déjà fabriquées étaient-elles vendues aux Égyptiens, ce qui ne manquait pas de soulever périodiquement des protestations en Occident et dans les États latins d'Orient. Les Italiens vendaient également des métaux tels que l'argent et le cuivre utiles pour la fabrication d'objets d'art et pour la frappe de la monnaie. De plus en plus, ils apportèrent aussi des draps de Flandre, d'Angleterre ou d'Italie qui concurrencèrent sérieusement les tissus orientaux plus précieux et donc plus chers.

Les États latins commerçaient, de leur côté, directement avec Damas et les ports du delta égyptien. Ibn Jubayr, lettré andalou qui fit le voyage de Damas à Acre en 1184, dans une caravane de marchands, décrit la fonde royale à l'entrée d'Acre (*Funda Regis*) : « Un caravansérail destiné à la station de la caravane. Devant la porte, sur des bancs couverts de tapis, sont assis les secrétaires chrétiens de la douane avec des écritoires d'ébène à ornements d'or. Ils savent écrire et parler l'arabe, ainsi que leur chef, fermier de la douane, qu'on appelle le *sâhib*[1]. » Le tarif douanier de la ville d'Acre (cat. 106) qui fournit la liste des taxes levées sur ses marchés, dans la première moitié du XIIIe siècle, nous apprend aussi que parmi les produits venant de « païenime », c'est-à-dire d'Égypte ou de Syrie, on trouvait des épices, des drogues médicinales, des parfums, des soieries et des étoffes (dont certaines devaient être fabriquées à Damas réputée pour ses brocarts), du coton, de la soie brute et divers produits tinctoriaux.

Des marchands d'origine très variée

Petits marchands des souks et grands négociants se côtoyaient dans la société ayyoubide, mais leur rôle n'était pas comparable. Les premiers écoulaient au détail les produits du commerce et vendaient parfois des objets qu'ils fabriquaient eux-mêmes au fond de leur échoppe. Les seconds jouèrent un rôle économique, financier et parfois même politique non négligeable. Une grande diversité de religion et d'origine caractérisait ces grands marchands. Les musulmans étaient sans doute les plus nombreux, mais on trouvait à leurs côtés un nombre important de juifs et de chrétiens ainsi qu'en témoignent les documents juifs de la Geniza, retrouvés dans une vieille synagogue du Caire. Iraniens, Irakiens, Syriens, Égyptiens et Maghrébins se rencontraient dans les grandes villes de Haute-Mésopotamie, de Syrie, d'Égypte et du Yémen. Une catégorie un peu particulière se développa au début de la période ayyoubide. Il s'agit des karimis, marchands du Yémen et d'Égypte chargés du commerce dans l'océan Indien, en particulier du commerce des épices. Ces marchands sur lesquels nous sommes peu renseignés pour la période ayyoubide, qui semblent avoir joui d'un statut particulier, jouèrent plus tard, sous les Mamlouks, un rôle économique et financier considérable.

Les grands commerçants se constituaient souvent d'importantes fortunes qu'ils réinvestissaient dans leurs propres affaires ou dans l'achat de terres. Cet argent leur permettait de servir de banquiers aux souverains ayyoubides à court d'argent, en particulier en période de guerre. Certains marchands itinérants servaient aussi d'ambassadeurs ou d'agents de renseignements. Ils pouvaient de même, à l'extérieur, faire la propagande de leur souverain. « Traite bien les marchands car ils font ta renommée » disait très justement, au début du XIIIe siècle, le cheikh al-Harawî à al-Malik al-Zâhir, fils de Saladin et maître d'Alep.

Les marchands occidentaux, italiens en particulier, furent de plus en plus nombreux à séjourner en pays musulman à l'époque ayyoubide. D'après l'historien égyptien al-Maqrîzî (m. 1442), le nombre des « marchands francs » aurait atteint le chiffre de trois mille, à Alexandrie, en 1215-1216[2]. En période de guerre ou de croisade, les relations commerciales s'arrêtaient, mais reprenaient dès la fin des combats. En Égypte, les traités conclus avec Venise, Gênes et Pise furent régulièrement renouvelés et des traités similaires furent accordés aux Vénitiens à Alep (cat. 105). D'importants privilèges leur furent ainsi concédés : réduction des droits de douanes et des différentes taxes qui pesaient sur la circulation des marchandises et les transactions commerciales, protection des personnes et des biens, autorisation de conserver leur propre juridiction (sauf en cas de litige avec des musulmans) et droit de se faire représenter par un consul, attribution d'un ou de plusieurs *funduqs*, d'une église et d'un bain, et parfois même droit de porter leur argent en barre à l'Hôtel de la Monnaie pour y faire frapper leur monnaie sur le modèle de la monnaie locale. Les marchands italiens virent ainsi leurs droits s'accroître considérablement et leur séjour sur place se fit souvent beaucoup plus long que par le passé.

Contrôle de l'État et infrastructures commerciales

Les dirigeants ayyoubides n'intervenaient pas directement dans la fixation des prix sauf en cas d'abus ou de stockage, notamment sur les denrées de première nécessité. Comme dans les autres États musulmans, c'était le *muhtasib* qui était chargé de contrôler les marchés et de veiller à ce que le jeu de l'offre et de la demande fonctionnât bien. Contrairement à l'époque mamlouke où plusieurs grands

Souks d'Alep. Le souk reste le lieu privilégié pour les échanges.
Photo Chris Kutschera/ photothèque IMA.

marchands accédèrent à cette fonction, à l'époque ayyoubide, les *muhtasibs* étaient surtout recrutés parmi les ulémas, conformément au caractère juridique et religieux de cette fonction. Le *muhtasib* était, en effet, d'abord chargé de faire appliquer l'obligation coranique « ordonner le bien et interdire le mal ». En Égypte, où la centralisation était plus forte qu'ailleurs, l'État intervenait dans la fixation du prix des produits stratégiques (bois, fer et poix) par l'intermédiaire d'un organisme spécial le *matjar* qui veillait aussi à ce que tous les besoins de l'État soient couverts avant d'autoriser la vente de ces produits aux autres marchands. L'État, d'autre part, fixait les taxes et droits de douanes, dont il pouvait, comme nous l'avons vu, exempter certains marchands pour encourager la vente de tel ou tel produit. À Damas et à Alep, il existait un organisme appelé *dâr al-Wakâla* chargé de la perception d'une partie de ces taxes.

Dans les principales villes, les marchandises du grand commerce étaient débarquées dans des entrepôts ou dans des *funduqs* pour y être vendues en gros aux marchands locaux qui les écoulaient ensuite dans les souks. Sur le plan architectural, ces *funduqs* s'organisaient autour d'une cour centrale sur laquelle ouvraient, au rez-de-chaussée, les magasins pour les marchandises et, au premier étage, les chambres des marchands. À Alexandrie ou à Damiette, les villes italiennes géraient elles-mêmes désormais les opérations de débarquement et d'entrepôt dont s'occupaient jadis les autorités locales. Toutefois, pour la vente de leurs produits, en Syrie comme en Égypte, les marchands étrangers passaient le plus souvent par des courtiers qui les renseignaient sur les prix, les taxes, servaient d'intermédiaires entre eux et l'administration fiscale et les aidaient à écouler localement leurs marchandises. Les paiements s'effectuaient en monnaie d'or (dinars), d'argent (dirhams) ou de cuivre (*fals*, pluriel : *fulûs*)[3].

La vie quotidienne des souks ne variait pas beaucoup d'une ville à l'autre. Partout les marchés offraient cette même activité grouillante dans des ruelles étroites, rarement pavées, où se bousculaient piétons et animaux de bât. Toutefois l'implantation des activités et des marchés dans la topographie urbaine tenait compte des critères locaux tels que la configuration du site, l'héritage historique, ou tout simplement les nécessités pratiques[4]. On constatait partout la place importante occupée par les marchés du textile, du livre, de l'orfèvrerie, du cuir, des épices et de l'alimentation. Pour disposer d'un espace suffisant, les marchés aux moutons et autres bestiaux étaient en général situés à l'extérieur des remparts. La présence dans les grandes villes d'une importante garnison militaire encourageait aussi le développement des marchés aux armes et aux chevaux. Damas et Alep étaient réputées pour leur dinanderie et leur verrerie émaillée et dorée. Il y avait un important souk des verriers à Alep, et Gengis Khan lui-même, dit-on, fut émerveillé par la verrerie d'Alep qui lui fut offerte. À côté des artisans et commerçants, on trouvait aussi dans les souks des changeurs, des barbiers, phlébologues, rebouteux, oculistes et autres praticiens que le *muhtasib* était chargé de surveiller afin d'éviter que ne se glisse parmi eux un trop grand nombre de charlatans.

La période ayyoubide connut donc une intense activité commerciale qui se traduisit dans la topographie urbaine, syrienne en particulier, par une extension des marchés à l'intérieur comme à l'extérieur des remparts. En Égypte, la prise de pouvoir par les Mamlouks, en 1250, ne gêna en rien la poursuite du commerce. La Syrie, en revanche, mit du temps à se remettre de l'invasion mongole de 1260, du climat d'insécurité qui régna dans les décennies suivantes et du déplacement des routes commerciales vers le nord. Les produits « orientaux » empruntèrent désormais l'axe Hormuz-Isfahân-Tabrîz-Trébizonde plutôt que la route Basra-Bagdad-Alep[5]. Mais dès le milieu du XIVe siècle la Syrie reprit progressivement sa place sur la scène commerciale du Proche-Orient.

1. Cf. Ibn Djubayr, *Voyages*, trad. M. Gaudefroy-Demombynes, p. 354.
2. Cf. al-Maqrîzî, *Khitat*, 2 vol., Le Caire, 1853-1854, I, p. 174.
3. Sur la monnaie ayyoubide, voir l'encadré de C. Bresc dans ce même ouvrage.
4. Pour l'emplacement des marchés dans les villes du Caire, Damas et Alep, voir l'article de J.-Cl. Garcin dans ce même ouvrage.
5. Cf. E. Wirth, « Alep et les courants commerciaux entre l'Europe et l'Asie du XIIe au XVIe siècle », *REMMM*, 55-56, 1990, p. 44-56.

60

Traité d'armurerie de Saladin

de Murdâ Ibn 'Alî al-Tarsûsî

Syrie, seconde moitié du XIIe siècle

Papier oriental, encre noire, couleurs à l'eau et or

Reliure médiévale orientale : cuir, décor de petits fers à chaud et à froid. Plats intérieurs occidentaux (1963) ; le f° 1 porte la trace d'un rabat ancien de la reliure.

25,5 x 19,5 x 5,5 cm (dimensions du volume fermé)

217 f. ; (feuillets originaux : 4 à 215)

Oxford, Bodleian Library, University of Oxford

Ms. Huntington 264

Bibl. : Cahen, 1948 ; Boudot-Lamotte, 1968

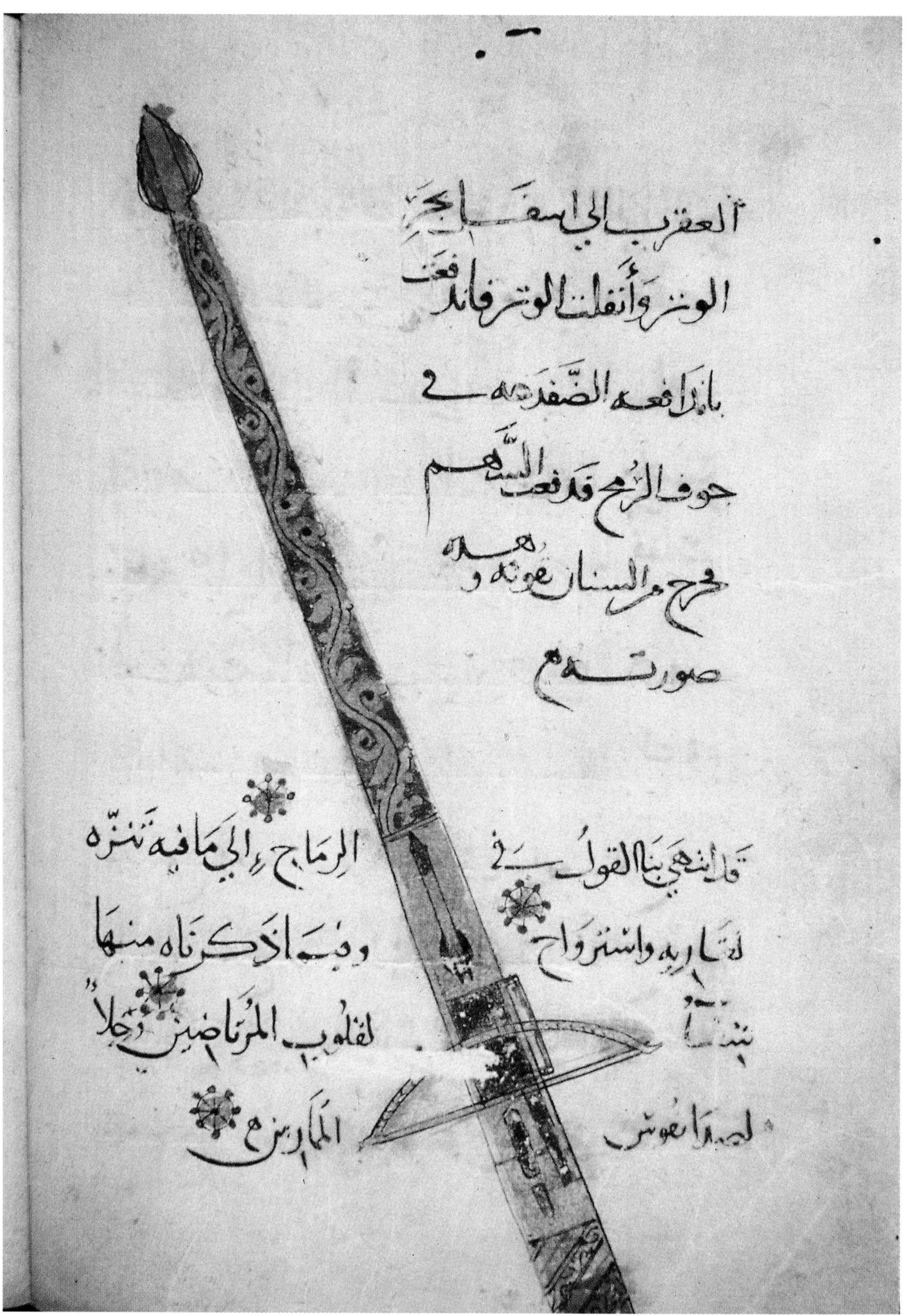

f° 102 v°

Le titre complet de cet ouvrage exceptionnel est : *Explication des maîtres de l'esprit sur les manières de se mettre pendant les combats à l'abri des dommages et développements de l'instruction relative aux équipements et aux engins servant à affronter les ennemis.* Il s'agit d'un traité d'armurerie dont le feuillet 206 v° conserve l'inscription au nom de la bibliothèque de Saladin. On sait peu de chose de l'auteur, Murdâ Ibn 'Alî al-Tarsûsî, ses dates de vie sont inconnues et son nom, en début et en fin d'ouvrage, ne nous est parvenu que grâce à l'*unicum* de la bibliothèque Bodléienne. Il pourrait avoir vécu à Alexandrie – il cite en effet à diverses reprises son maître (?) Abû'l-Hassan Ibn al-Abraqî al-Iskandarânî –, et sa *nisba* laisse peut-être sous-entendre des origines arméniennes, trait récurrent du « second siècle fatimide » (Cahen, p. 103). L'ouvrage traite des armes et de la tactique. Après des généralités sur l'armement, il traite dans l'ordre, du sabre et du minerai nécessaire à sa fabrication (f° 8 v° et 22 r°) ; de l'arc et des flèches, dont il fait l'éloge et auquel il consacre plusieurs pages techniquement très détaillées (f° 27 r° et 96 v°) ; des boucliers, cuirasses et armures, massues et masses d'armes ; puis viennent les machines de siège (f° 125 r° et 139 v°) : mangonneaux, béliers, tours et palissades ; il achève son traité par un chapitre consacré au naphte (f° 139 r° et 147 r°) et aux miroirs ardents, repris d'un ouvrage de 'Utârid Ibn Muhammad al-Hâsib. Le volume est luxueux, les titres sont écrits à l'or et la calligraphie *naskhi* est soignée, souvent vocalisée bien que les points diacritiques soient fréquemment absents. Le manuscrit compte treize illustrations inclues dans le texte, et quatorze illustrations en pleine page ; elles fournissent de précieuses informations sur les armements de siège en l'absence de tout matériel conservé. Au chapitre des mangonneaux, l'auteur décrit le mangonneau arabe, le persan (« qui est le mangonneau turc » ; voir p. 86) et le *rûmî* (« qui est le mangonneau franc ») avec, à chaque fois, son illustration et le détail de sa construction et de son emploi. Du naphte il donne la composition, où entre « du petit cédrat au fruit amer, répandu autour d'Alexandrie ». Il peut remplir le « cœur du fer de lance », ou bien être contenu dans un vase qui « doit être de terre cuite ». Faut-il reconnaître là les récipients sphéro-coniques si répandus au Moyen-Orient ? Cl. Cahen a donné une traduction partielle de l'ouvrage, et A. Boudot-Lamotte a traduit et commenté intégralement le chapitre consacré à l'archerie. Cependant une édition complète ainsi qu'une étude des illustrations font défaut. Ce manuscrit illustre en outre un des aspects peu connu de la personnalité de Saladin, à savoir ses commandes d'ouvrages historiques, techniques ou littéraires.

S. M.

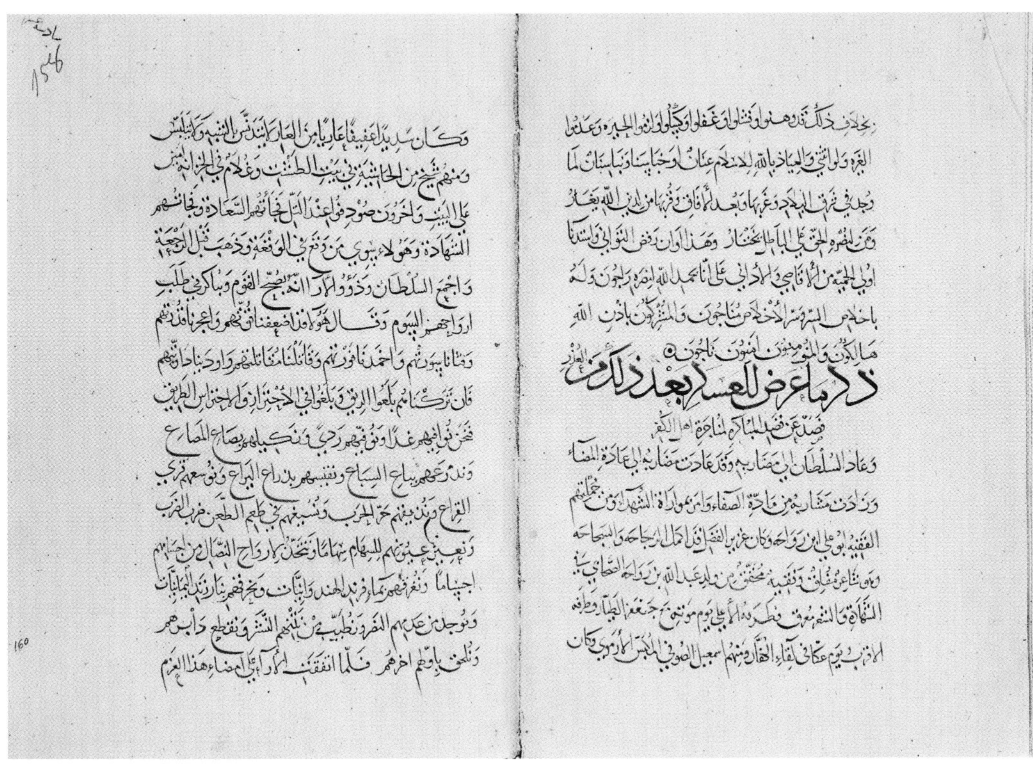

f° 157 v° — 158 r°

61

Muhammad 'Imâd al-Dîn al-Isfahânî (1125-1201)

Kitâb al-Fath al-Qussî fîl-Fath al-Qudsî
[Le livre de la capture de Jérusalem]

Copié vers la mi-sha'ban 595 H / mi-juin 1199 par Muhammad b. Muhammad b. Ahmad b. al-Bazdî b. 'Ikrima al-Jazîrî al-Kâtib à Âmid

Papier couché épais, 366 f.

24 × 16,5 cm
(texte sur 15 lignes)

Pagination originale par cahier de 10 f. et pagination européenne

Reliure de fabrication française en cuir clair à décor gaufré

Saint-Pétersbourg, Institut d'études orientales (ancien Musée asiatique)
C-345

Ancienne collection Jean-Louis Rousseau (1780-1831), consul général de France à Alep, entré au Musée asiatique en 1819

Bibl. : al-Isfahânî,1972 ; Rousseau, 1817, p. 49, n° 458 ; Romanovitch Rosen, 1881, p. 94, 95, n° 158 ; *Revue des manuscrits arabes* (Ligue des États arabes) V, Le Caire, 1959, p. 321 ; *GAL*, I, p. 314-315 ; *SB*, I, p. 548

Historien né à Isfahân en 1125, 'Imâd al-Dîn est le *kâtib* (secrétaire) du sultan Nûr al-Dîn. À la mort de son protecteur, en 1173, il doit abandonner ses fonctions et se réfugie à Mossoul. Quand Saladin s'empare de Homs en 1175, il lui adresse une *qasîda* qui lui vaut une invitation à la cour, où il devient un personnage influent. 'Imâd al-Dîn accompagne Saladin dans toutes ses expéditions et ne retourne à la vie civile qu'après la mort du sultan, en 1193. Il va consacrer les huit dernières années de sa vie à l'écriture d'une anthologie poétique, de plusieurs traités d'histoire et de récits autobiographiques des guerres de Saladin.

Le *Livre de la capture de Jérusalem* est rédigé en prose rimée (*saj*), dans un style compliqué qui joue sur les synonymes et les contraires, les phrases à double sens, les traits d'esprit, les allusions et les archaïsmes.

Le manuscrit renferme le texte intégral et raconte les batailles livrées et remportées par Saladin en Syrie et en Palestine entre 1187 et 1193.

C'est un document important, rédigé à l'époque des faits, par un témoin oculaire de la plupart des épisodes relatés.

Ce manuscrit a été copié du vivant de l'auteur, en juin 1199, dans la ville de Âmid au nord de la Mésopotamie. Son écriture cursive *nashki*, ferme et élégante, fournit un superbe exemple de calligraphie arabe à son apogée au Moyen-Orient. Le copiste a pris soin d'indiquer la plupart des signes diacritiques et des signes de vocalisation complémentaires. Les dix premiers feuillets sont plus tardifs. Quand Jean-Louis Rousseau a acheté le manuscrit, les deux premières pages avaient disparu. Un calligraphe les a reconstituées d'après un autre exemplaire.

E. R.

62

Scène de bataille au pied des remparts

Égypte, XIIIe siècle

Gouache sur papier

H. 21 ; l. 31 cm

Londres, British Museum
1938 3-12 01
Exp. : Washington DC, 1981, n° 21
Références : Ettinghausen, 1962, p. 75-78
Bibl. : Basil Gray, « A Fatimid Drawing », *British Museum Quarterly*, XII, 1938, p. 91-96

Ce fragment de peinture représente sept guerriers en plein combat aux abords d'un mur crénelé à ressauts. Au premier plan, un soldat barbu monté sur un cheval jaune s'élance vers la droite. On ne sait pas très bien s'il pointe son épée vers un ennemi invisible, ou s'il la retire du corps du combattant qu'il vient juste de tuer, et qui gît en travers de la selle, sur son cheval noir. En haut à gauche, deux archers tirent des flèches. En haut au centre, un soldat, dont la chemise a disparu sous l'effet d'un pigment corrosif, darde sa lance vers un adversaire muni d'un bouclier rond et d'une très large épée. Au-dessus du cheval noir, ou derrière, un personnage nu-tête brandit une lance à bout de bras et semble chanceler vers l'arrière, peut-être parce qu'il est blessé, ou parce qu'il prend son élan pour projeter son arme.

À la date de son acquisition par le British Museum, en 1938, Basil Gray rattachait cette peinture à la période fatimide. Mais tout porte à croire qu'elle date du XIIIe siècle, soit de l'époque ayyoubide, soit du temps des premiers Mamlouks. Dès l'aube du XIVe siècle, les sabres à lame recourbée remplacent les épées à lame droite, ce qui assigne une date limite à l'exécution de cette peinture, sans exclure pour autant la possibilité de la rattacher à la période fatimide. Malgré sa facture sommaire, le détail des armes et armures est suffisament précis pour en permettre l'identification. Les personnages de gauche et le cavalier mort portent une cotte de mailles, qui semble se fermer, non pas sur le devant, mais sur le côté. Des cottes de mailles semblables sont représentées sur des objets en métal incrusté de la fin du XIIIe siècle. Les personnages de gauche portent un casque de forme haute ou un turban prolongé par une longue aigrette qui leur pend dans le dos. Cette coiffure ressemble beaucoup aux turbans figurés dans des manuscrits enluminés attribués à la Syrie de la première moitié du XIIIe siècle. Le cavalier mort et le soldat représenté en haut à droite portent des casques pointus, indiquant qu'ils appartiennent peut-être au même camp, avec sans doute l'homme nu-tête. Tous, sauf celui du haut à droite, ont des boucliers pointus vers le bas ; ces écus introduits par les Normands sont couramment utilisés en Égypte à partir de la fin du XIIIe siècle, sinon plus tôt. Comme le cavalier mort a un écu en amande tandis que le soldat du haut à droite a un bouclier rond, on peut supposer que chacun des deux camps en présence disposait de l'un des deux types de protection. La muraille crénelée, qui doit représenter l'enceinte d'une ville fortifiée, se compose d'un appareil de brique ou de pierre où alternent des éléments verticaux et horizontaux, dessinant comme un motif de vannerie. Les couleurs rouge et jaune rappellent les façades en pierre bicolores (*ablâq*) caractéristiques de l'architecture mamlouke, mais que l'on rencontre en Syrie – Palestine dès le XIIe siècle, et dès la fin du Xe siècle à la Grande Mosquée de Cordoue. Aucun des édifices fatimides connus à ce jour ne présente un tel appareil, ce qui confirmerait la datation de la peinture entre l'époque ayyoubide et les premiers Mamlouks. À moins que l'artiste n'ait représenté les nattes en jonc tressé utilisées pour protéger les remparts lors des assauts dans l'Égypte et la Syrie médiévales.

Sh. C.

C'est au XIIe siècle que fleurissent, dans le monde occidental, les descriptions de Jérusalem tant littéraires que graphiques. Quatorze cartes sont conservées pour les XIIe et XIIIe siècles dont onze sont circulaires, de type O-T (un T inscrit dans un O, dérivant d'un modèle de carte du monde). La carte de Cambrai est trapézoïdale et s'inscrit dans une géographie qui n'est pas une représentation historiée du passé de la Ville sainte. En effet elle est de nature proprement topographique ; son auteur connaissait donc probablement les lieux qu'il dépeignait. Ainsi la brèche par laquelle les Francs pénétrèrent dans la ville en 1099, est indiquée par une croix surmontant une inscription qui stipule : « ici la cité fut prise par les Francs » (*Hic capta est civitas a Francis*). Plusieurs églises de cultes chrétiens orientaux sont nommées (Saint-Sabas, Saint-Georges, etc.). Le Saint Sépulcre est accosté de son nom grec d'*Anastasis* (Résurrection). Le clocher nouvellement édifié par les Francs y est représenté. Enfin, la carte est orientée au nord et non pas à l'est, symboliquement, comme les onze cartes rondes, soustrayant encore un peu plus la carte de Cambrai aux caractéristiques d'une géographie sacrée. Il s'agit donc ici plutôt d'une page à prétention documentaire et non d'une carte de la Ville de la Passion et de l'Apocalypse.

S. M.

63 *

Carte de Jérusalem

Jérusalem, vers 1170

Manuscrit sur parchemin

33,6 × 23,5 cm

Cambrai, Médiathèque municipale

Ms. 466

Exp. : Toulouse, 1997, p. 236, n° 54

Bibl. : Levy-Rubin, 2000, p. 231-232

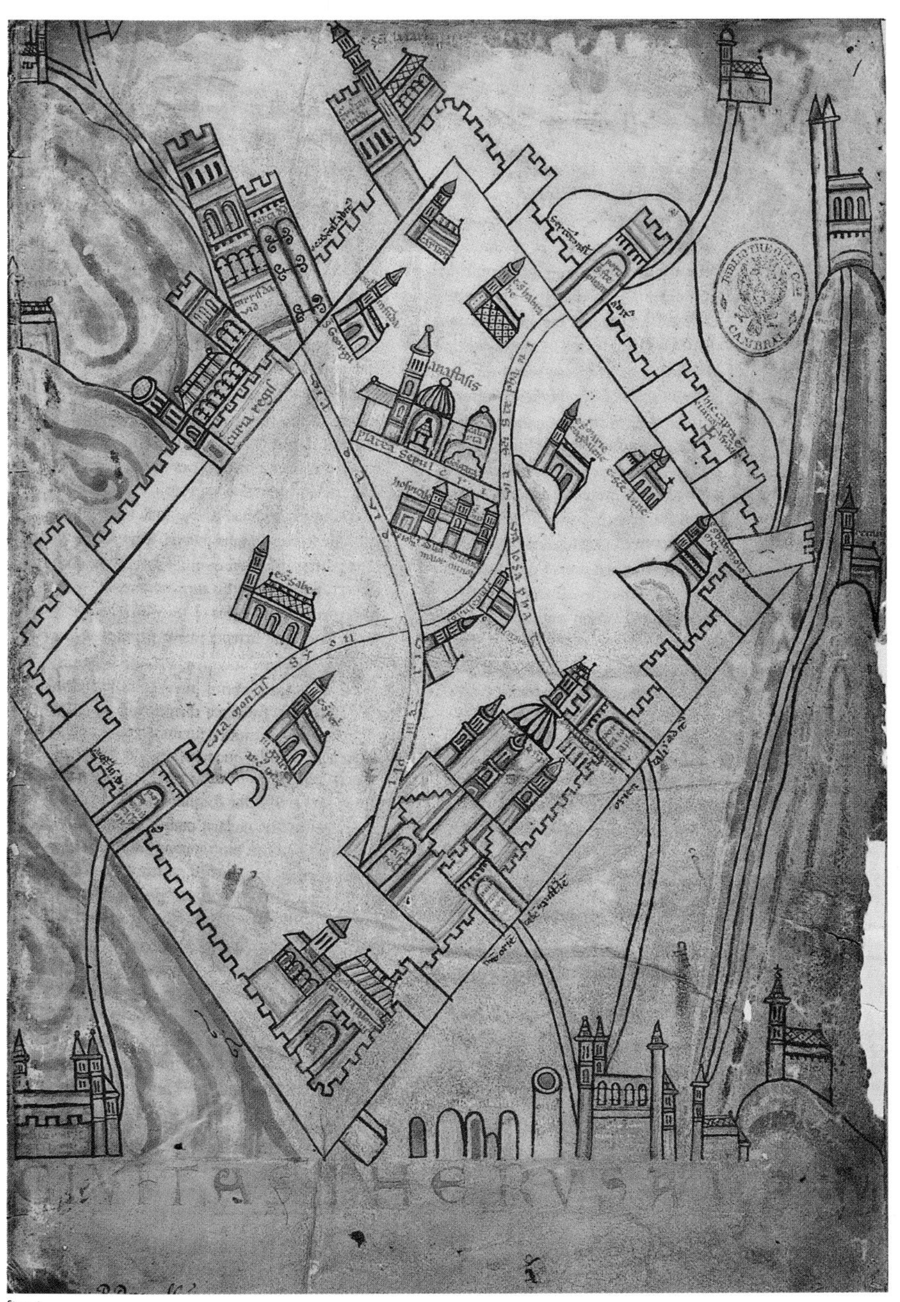

f° 1 r°

f° 16 r°

f° 153 v°

64

Histoire d'Outremer

de Guillaume de Tyr et sa continuation jusqu'en 1274

Acre, vers 1287

Parchemin, encre, couleurs à l'eau et or

38 × 28 × 11 cm (dimensions du volume fermé)

363 f.

Boulogne-sur-Mer, Bibliothèque municipale

Ms. 142

Bibl. : Le texte latin fut réédité par R.B.C. Huygens, *Willelmi Tyrensis achiepiscopi chronicon, Corpus Christianorum, Continuatio mediaevalis*, 63-63A, 2 vol., Turnhout, 1986 ; extraits en français moderne *Croisades et pèlerinages, Récits, chroniques et voyages en Terre Sainte, XIIe-XIVe siècle*, introd. par M. Zeller, éd. D. Régnier-Bohler, Paris, 1997, p. 499-724. La version en ancien français, avec sa continuation l'*Estoire d'Eracles Empereur*, fut éditée dans le *Recueil des historiens des croisades, Hist. occid.*, I et II, Paris, 1844-1859. Sur les différents manuscrits en ancien français, cf. J. Folda, « Manuscripts of the History of Outremer by William of Tyre : a Handlist », *Scriptorium, International Review of Manuscript Studies*, 27, 1973, p. 90-95 et *Crusader Manuscript Illumination at Saint-Jean d'Acre, 1275-1291*, Princeton University Press, New Jersey, 1976

L'*Histoire d'Outremer* de Guillaume de Tyr (1130-1186) dont le titre exact est *Historia rerum in partibus transmarinis gestarum* est une œuvre majeure non seulement dans l'historiographie des États latins mais dans toute la production historique française du Moyen Âge. Son auteur, natif de Jérusalem, suivit des études en Occident avant d'être nommé chancelier du royaume de Jérusalem en 1174, puis archevêque de Tyr l'année suivante. Témoin privilégié des événements de son temps, son *Histoire*, rédigée à la demande du roi de Jérusalem, se termine à la fin de l'année 1183. Pour la première croisade et le début des États latins, Guillaume de Tyr utilisa diverses sources tels les récits d'Albert d'Aix, Raymond d'Aguilers ou Foucher de Chartres, mais à partir des années 1130-1140, il est le seul représentant de l'historiographie latine. Son succès fut grand dès le Moyen Âge. En 1194, un auteur anonyme rédigea une continuation latine jusqu'en 1192 ; l'œuvre de Guillaume de Tyr fut ensuite utilisée par des historiens français et anglais dès le début du XIIIe siècle. À cette époque, elle fut aussi adaptée en ancien français, puis continuée dans cette langue dans de nombreuses versions dont l'étude s'avère embrouillée et délicate. Le manuscrit enluminé de Boulogne-sur-Mer contient, outre la traduction en ancien français de l'*Histoire d'Outremer*, l'une de ses continuations jusqu'en 1274. Selon Jaroslav Folda ce manuscrit fut écrit et enluminé à Acre vers 1287.

Guillaume de Tyr fit preuve, dans son ouvrage, de remarquables qualités d'historien. Récits de batailles, de guerres, de négociations et de paix entre Francs et musulmans alternent, entrecoupés d'informations très diverses sur les souverains de Jérusalem, les disputes politiques, les problèmes de l'Église, et bien d'autres aspects touchant à la vie en Terre sainte au XIIe siècle. Malgré son parti pris évident en faveur des Francs, il lui arrive de reconnaître des qualités à ses adversaires musulmans, tel Saladin, dont il dit qu'il était « un homme d'un esprit ardent, vaillant à la guerre et généreux au-dessus de tout ». À la question de savoir pourquoi les Francs de la première croisade remportèrent tant de succès alors que ceux qui combattaient Saladin lui cédaient du terrain, Guillaume de Tyr donne sa réponse : les Francs d'Orient sont devenus « des fils perdus, des fils scélérats, des prévaricateurs de la foi chrétienne » qui ne craignent plus Dieu alors qu'en face d'eux les musulmans, jadis divisés à l'extrême et sans expérience dans les combats, se trouvent à présent réunis sous le commandement d'un seul homme, Saladin.

A.-M. E.

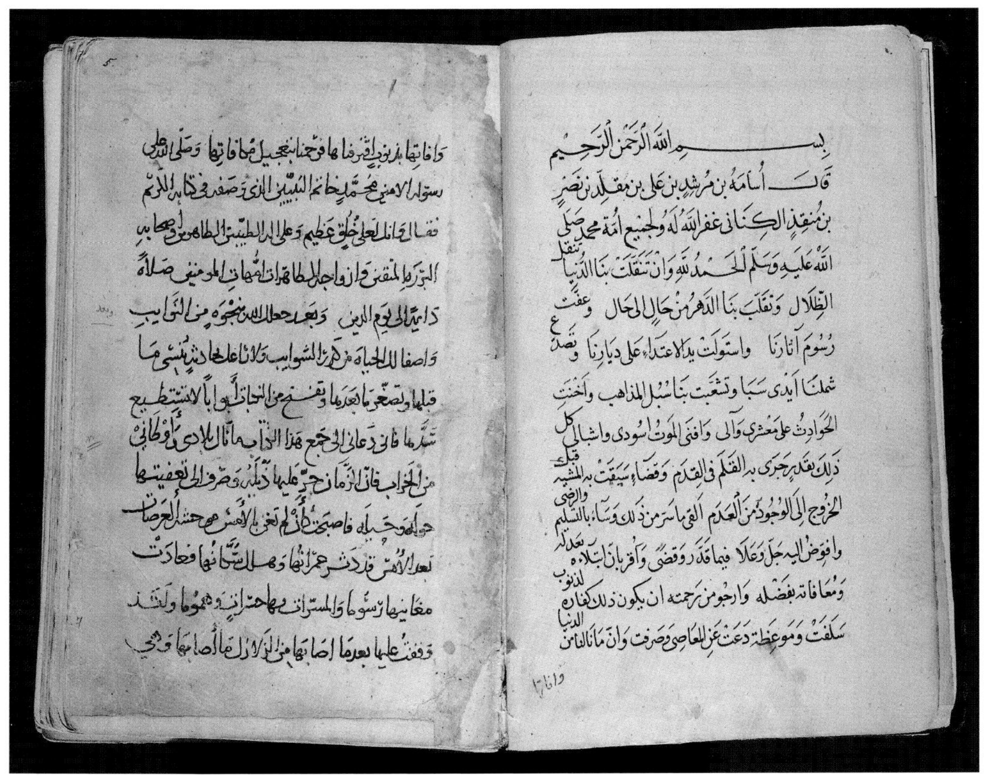

f° 4 v° — 5r°

65

Usâma ibn Munqîdh

(1095-1188)

Kitâb al-manâzil wa 'l-diyâr [Le livre des campements et des demeures]

Vers le milieu de 568 H / fin 1172

Copié par Abû al-Ghanâ'im à Hisn Kayfâ

Papier couché épais, 255 f.

25,5 × 18 cm (texte sur 13 lignes). Écriture *naskhi*, à l'encre noire

Plats de couverture d'une reliure en cuir noir à décor gaufré (motif central de cercles concentriques) exécutée en Syrie dans la première moitié du XIVe siècle (?), utilisés par le relieur du XIXe siècle

Saint-Pétersbourg, Institut d'études orientales (ancien Musée asiatique) C-35

Ancienne collection Jean-Louis Rousseau (1780-1831), consul général de France à Alep, entré au Musée asiatique en 1819

Bibl. : Khalidov, 1961 ; Kratchkovsky, 1956, p. 266-283 ; Kratchkovsky, *Selected Works*, Moscou et Leningrad, 1955, t. I, p. 71-74 ; Kratchkovsky, 1954, p. 96-102 ; voir aussi Derenbourg, 1893

En août 1157, un effroyable tremblement de terre secoue le nord et le centre de la Syrie, détruisant treize villes importantes, dont Shayzar, la place forte du clan des Banû Munqîdh, auquel appartenait Usâma.
Usâma ibn Munqîdh, courtisan et chevalier, politicien et diplomate, poète et lettré, est né en 1095 à Shayzar, au nord-ouest de Hama. Il y reste jusqu'en 1131 et consacre son temps à l'étude, à la chasse et à la guerre. Puis, il rejoint l'entourage de l'*atabeg* de Mossoul et part pour Damas, avant de gagner l'Égypte fatimide où il passe dix ans et participe aux tentatives d'union entre la Syrie et l'Égypte contre les Francs. Mêlé à plusieurs conspirations de cour, il doit revenir à Damas, où il est accueilli par Nûr al-Dîn. À l'âge de soixante-dix ans, il se retire à Hisn Kayfâ.
Saladin connaît Usâma depuis des années, et il admire son *dîwân*, qu'il emmène même dans ses campagnes, mais les sympathies chiites d'Usâma les éloignent.
Usâma a écrit une vingtaine de livres de poésie, de rhétorique, de belles lettres (*adab*), d'histoire et de religion. Plus de la moitié de ses manuscrits est perdue.
Le *Livre des campements et des demeures* rassemble plus de mille extraits de poèmes rédigés par plus de deux cents poètes, anciens ou contemporains d'Usâma, célèbres ou oubliés, issus de toutes les régions du monde musulman. Tous ces fragments versifiés (environ 5 000 distiques) tournent autour du vieux thème de la poésie arabe des campements de nomades et des maisons abandonnées. Le compilateur a cherché un écho de sa tragédie personnelle dans des poèmes qui évoquent tous la perte d'êtres chers, la séparation des parents ou amis, les souvenirs des jours heureux à jamais envolés, le deuil et le cours inéluctable du destin. Il s'agit d'une tradition littéraire bédouine restée fidèle à ses origines.
Usâma a divisé son anthologie en seize parties, correspondant chacune à un mot différent employé par les poètes pour désigner le lieu abandonné ou détruit où demeuraient autrefois des êtres chers.
Les poèmes sont entrecoupés de commentaires, de précisions lexicales, de récits d'événements datant des périodes préislamique et abbasside, de citations du Coran.
On a longtemps pensé que ce manuscrit, dont il existe un seul exemplaire, était autographe. Des recherches récentes ont révélé qu'il était de la main d'Abû al-Ghanâ'im, ami de l'auteur et fidèle compagnon de vieillesse. Mais on n'a aucune raison de mettre en doute les annotations d'un bibliophile indiquant qu'Usâma a achevé cette anthologie à Hisn Kayfâ, en décembre 1172, et qu'elle a été copiée immédiatement.

E. R.

66

Plaque à inscription

Syrie, Damas, 574 H / 1179

Calcaire, décor champlevé et gravé

L. 70 ; H. 60 ; ép. 23 cm

Damas, Musée national

A/4052

Références : Wiet, 1922 b, p. 307, III ; Van Berchem, *C.I.A.*, *Égypte*, I, p. 299, nº 4, 727

Cette inscription, légèrement bombée, est probablement celle considérée comme perdue par G. Wiet en 1922, mais connue de lui par les publications antérieures. Elle relate les travaux de « rénovation » faits à la citadelle (*burj*) à l'époque de Saladin. Le cadre rectangulaire est creusé sur les côtés, de motifs en queue d'aronde rappelant la disposition des inscriptions romaines en *tabula anseata*. Ce dispositif est employé sur de nombreux textes de fondations ayyoubides : une inscription inédite du musée de Damas, une autre du théâtre romain de Bosra, transformé en citadelle à l'époque ayyoubide. La présence des vestiges antiques explique d'ailleurs aisément cet emprunt formel aux inscriptions lapidaires romaines. L'inscription est disposée dans une cuvette aux bords biseautés, le champ est subdivisé par quatre lignes. L'inscription est traitée en méplat ; les contours des lettres superposées sont indiqués par gravure. Le *naskhi* se déploie avec une certaine monumentalité, mais il est clair que le sculpteur a manqué de place dans la dernière ligne, plus encombrée. La date y figure inscrite, comme souvent, sur deux lignes. Les deux lignes précédentes donnent la titulature de Saladin : Mawlana al-Malik al-Nâsir Salâh al-Dunyâ wa 'l-Dîn Abû 'l-Muzaffar Yûsuf Ibn Ayyûb. On remarquera que le titre de sultan n'y figure pas. Or M. Van Berchem signale que l'inscription de Damas de 574 donne à Saladin le titre de Sultan ; on le voit ce n'est pas le cas ici. Il est dans ces conditions difficile d'affirmer que c'est bien la stèle disparue évoquée par les deux savants dont il s'agit.

S. M.

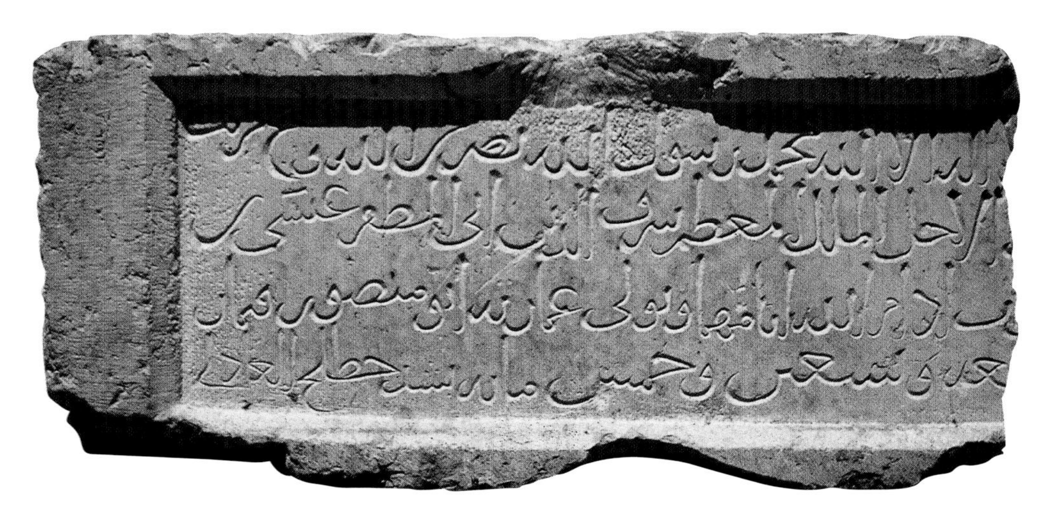

67 *

Inscription monumentale

Jérusalem, 599 H / 1202-1203

Calcaire gravé

H. 68 ; L. 160 ; ép. 32 cm

Jérusalem, Israel Antiquities Authority

2001-1400

Bibl. : À propos de deux autres inscriptions au nom de Mu'azzam 'Isa, voir M. Sharon, 1977, p. 179-193

Il s'agit de la plus ancienne parmi trois inscriptions ayyoubides, relatives aux réfections des murs de Jérusalem, connues et publiées à ce jour. La deuxième se trouve sur le mur est de la salle sud-ouest de la citadelle de Jérusalem (tour de David). La troisième a été découverte sur trois fragments issus d'une tour de fortification ayyoubide mise au jour près de la porte de Sion. Elle est d'un style plus fruste que nombre d'inscriptions ayyoubides, les caractères cursifs étant seulement gravés dans la pierre.

Cette inscription provient des fouilles entreprises par M. Broshi en 1973-1974, à cent soixante mètres au nord de l'angle sud-ouest des remparts de Jérusalem. Elle court sur quatre lignes, dont la partie droite (début du texte) manque. Elle se lit :

1- [Au nom d'Allâh le Miséricordieux, le Compatissant, il n'y a pas d'autre] dieu que Dieu. Muhammad est le messager de Dieu. La victoire et la volonté viendront de Dieu et le salut est proche.

2- Ces murs sacrés furent fondés par l'émir honoré al-Malik al-Mu'azzam Sharaf al-Dîn Abû 'l-Muzaffar 'Isa ibn

3- [al-Malik al-'Âdil Abû Bakr ibn Ayyû] b Dieu leur prêtera longue vie et la construction fut achevée par Abû Mansûr Kaymaz

4- ibn Abdallâh al-Mu'azzamî en l'an 599 de l'hégire sous la direction de Khutlukh al-'Âdilî.

L'inscription commémore la reconstruction des remparts de Jérusalem. Seize ans après, al-Mu'azzam Isa les faisait abattre en prévision d'une offensive des croisés contre toutes les fortifications du pays. L'épigraphie découverte sur un tas de pierres est le témoin muet de cette destruction.

A. L.

Établie à l'est de l'isthme de Suez, sur le plateau du Jabal Raha, dominant les cours convergents et praticables des *wadi* Sadr, Raha et al-'Arîsh, la citadelle de Ghindi jouit d'une situation stratégique particulièrement appréciable. Elle surveille les routes du rivage méditerranéen et celles de Suez; elle est donc une pièce maîtresse du contrôle de la péninsule du Sinaï. Saladin y fit édifier une forteresse; elle fut achevée en 1183 et lui servit dans sa lutte opiniâtre contre Renaud de Châtillon. En 1185, une citerne et une mosquée furent édifiées par les soins d'un esclave affranchi, fonctionnaire de Saladin. L'inscription dit : « Qu'Allâh fasse durer le règne de notre maître, al-Malik al-Nâsir Salâh al-Dunyâ wa l-Dîn, sultan de l'Islam et des musulmans, ami du prince des Croyants! 'Alî ibn Muhammad... al-Nâsirî al-'Âdilî al-Muzaffarî al-Taqawî a édifié cette citerne et la mosquée bénie. Son achèvement eut lieu dans le mois de Shawwal (?) de l'année 583. » Elle est rédigée dans un *naskhi* de petite taille, dépourvu de points et de signes et assez abrasé. La dernière ligne de l'inscription, qui en compte onze, est illisible, elle mord sur la bordure inférieure.

S. M.

68

Plaque de fondation

Égypte, Qal'at Ghindi Sadr

583 H / 1187

Calcaire, décor champlevé et gravé

H. 70 ; l. 51 cm

Le Caire, musée d'Art islamique 8115

Bibl. : Wiet, 1922, p. 308, II ; Wiet, 1922 c, p. 61, pl. X, fig. 1 ; Barthoux, 1922

Le décor de ce vase se concentre sur un large bandeau épigraphique avec une inscription assez curieuse par sa signification : « C'est la piété qui guide nos soldats, et non la boisson ou le temps. » De petites feuilles grasses entourent les grandes lettres cursives. Elles prennent sans doute leur origine dans les rinceaux en spirale à petites feuilles qui caractérisent souvent les céramiques de Raqqa, même si les tiges enroulées ont complètement disparu ici.

Les potiers de Raqqa ont produit plusieurs types de céramiques à décor peint sous glaçure. Les plus courantes sont sans doute celles qui ont un décor peint en noir sous une glaçure transparente turquoise. Une autre production de céramiques présente un décor peint en noir, bleu de cobalt et rouge, sous une glaçure transparente incolore. Quant à ce vase, il appartient à un troisième groupe, à décor peint en noir sous une glaçure incolore. Des similitudes de formes et de motifs semblent indiquer que ces trois types de productions se sont côtoyés à peu près à la même époque.

N. N.

69

Vase

Syrie, première moitié du XIIIe siècle

Pâte siliceuse, décor monochrome sous glaçure transparente

H. 25,2 cm

Londres, Nasser D. Khalili Collection of Islamic Art

POT 2

Exp. : Amsterdam, 1999, p. 188, n° 146

Bibl. : Grube, 1994, p. 292-293 et 336, n° 337

70
Cotte de mailles
Syrie (?), XIIIe siècle (?)

Mailles d'acier rivetées, traces de lanières de cuir au niveau du cou

L. 110 cm

Damas, Musée national
A/476
Bibl. : Mayer, 1952, p. 37

Les cottes de mailles sont connues dès la période préislamique. Le Coran y fait allusion à deux reprises : « Nous lui (David) avons appris, pour vous, / La fabrication des cottes de mailles / qui vous protègent contre les coups / Que vous portez les uns aux autres » (XXI, 80) ; et encore : « Nous avons accordé une grâce à David / [...] Nous avons amolli le fer à son intention : / « Fabrique des cottes de mailles ; / mesure attentivement les mailles ! » (XXXIV, 10-11). Le souvenir du raid effectué pour s'emparer des cottes de mailles du roi Imru 'l-Qays, à l'époque préislamique, s'est conservé dans le monde arabe. Mais il semble bien qu'aucune cotte de mailles ne soit antérieure à la période ayyoubide. Usâma ibn Munqîdh nous a laissé dans son *Livre des enseignements de la vie* des éléments détaillés sur l'équipement d'un cavalier ; il se composait, outre ses armes (dague, lance, couteau, javeline et bouclier), d'un casque, d'une cotte de mailles (*dir'* ou *zardiyya*) de chausses, de cothurnes (*sâq al-mûza*) et de bottes fourrées. Il est difficile de dater une cotte de mailles sans la présence d'un blason ou d'une inscription comme il s'en rencontre d'abondance à la période mamlouke. Elle pouvait être plus ou moins longue jusqu'à couvrir les jambes du cavalier auquel elle offrait une protection à la fois solide et souple. Elle pouvait être portée en simple ou en double épaisseur. La technique mise en œuvre est celle du rivetage, mais elle s'apparente surtout au tricot dans la création de forme par diminution ou augmentation du nombre de mailles. Celle-ci conserve la marque de coups portés au niveau du bas-ventre et au bras gauche.

Mo. M. – S. M.

71
Flèche
Proche-Orient, date incertaine

Bois ou roseau et métal, traces de peinture rouge dans l'encoche

L. 68,5 ; D. 1 cm

Damas, Musée national
A/5329
Références : Boudot-Lamotte, 1968, p. 10-11

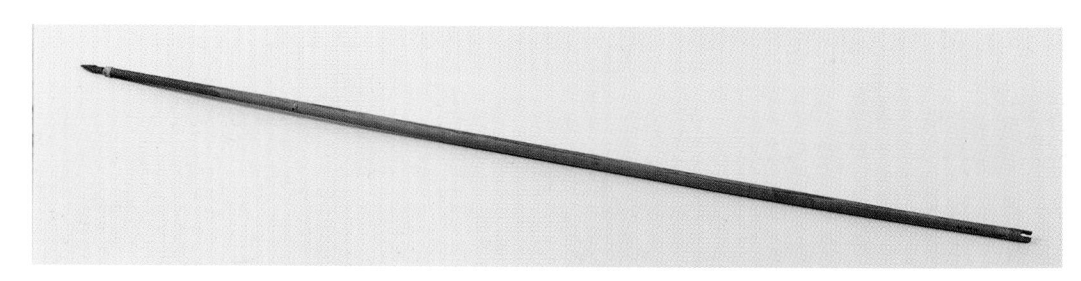

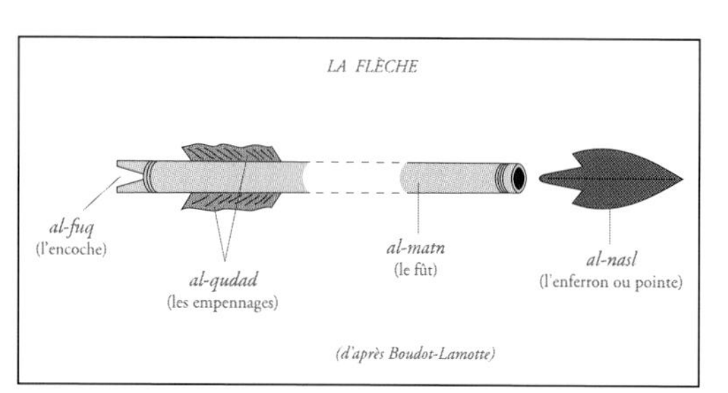

L'arc fut une des armes essentielles des attaquants à la période ayyoubide ; il est employé de fait dès les débuts de l'islam et probablement dès la période préislamique malgré la rareté du bois en Arabie. Le tir à l'arc était considéré comme une discipline supérieure à l'équitation suivant un *hadîth* du Prophète de l'islam. Selon une autre tradition remontant au Prophète, et rapportée par un de ses compagnons, « trois personnes entreront au Paradis pour une seule flèche : celle qui l'a fabriquée en ayant en vue le bien, celle qui la lance et celle qui la lui passe » (Murdâ Ibn 'Alî, voir Boudot-Lamotte, 1968, p. 40). Murdâ Ibn 'Alî, auteur d'un traité d'armurerie pour Saladin (cat. 60), accorde un chapitre de son ouvrage à l'arc parmi les autres armes – armes d'assaut, épées, lances, etc. – employées au combat ; son texte nous fournit les noms de ses différentes parties et les diverses techniques de tir. L'enferron (*al-nasl*) ou pointe de flèche est fixé sur un fût (*al-matn*) pourvu d'empennages (*al-qudad*) réalisés en plume de perdrix, mais qui ont ici disparu. Le bout du fût est entaillé d'une encoche (*al-fûq*) qui sert à positionner la flèche sur la corde.

Mo. M. – S. M.

Cette épée provient de fouilles sous-marines effectuées près d'Hahotrim et de Dor, sur la côte méditerranéenne.
Au début du XIIe siècle, les lames des épées deviennent plus étroites. La poignée plate, à contour arrondi, se termine par un pommeau de forme géométrique. Le fourreau est maintenu par un ceinturon sur les hanches, ou par un baudrier porté en bandoulière ou encore autour du cou. L'épée n'est pas seulement une arme, mais aussi un accessoire important lors des cérémonies. Le chevalier défunt est inhumé avec son épée.

A. L.

72 *

Épée franque

XIIe-XIIIe siècle

Fer

L. 107 ; l. 2,5 cm

Jérusalem, Israel Antiquities Authority 94-1705

Exp. : Jérusalem, 1999, p. 151

Cette dague a été découverte sur le site de Vadum Jacob, forteresse construite par Baudouin IV sur les rives du Jourdain au nord du lac de Tibériade. Sa poignée qui était maintenue par deux éléments métalliques est aujourd'hui manquante. La dague se portait généralement à la ceinture, du côté droit, et permettait d'atteindre directement ses ennemis dans les combats rapprochés.

A. F.

73 *

Dague

Vadum Jacob, XIIe-XIIIe siècle

Fer

L. 34 ; l. 3,5 cm ; ép. 0,5 cm

Jérusalem, Israel Antiquities Authority 1999-1847

Exp. : Jérusalem, 1999, p. 152

Plusieurs de ces pointes de flèches proviennent du château de Jacob (Bayt al-Ahzan) au nord du lac de Tibériade, sur la rive ouest du Jourdain. C'est Baudouin IV le Lépreux qui fit construire cette forteresse. Les travaux avaient commencé depuis quelques mois seulement, quand Saladin proposa de l'acheter pour cent mille dinars. Baudouin refusa. Après une vaine tentative au printemps 1178, Saladin réussit à prendre d'assaut la forteresse en août 1179. Les fouilles ont amené la découverte de près de mille pointes de flèches sur le site. Ces flèches étaient conçues pour percer les armures. Rien ne permet de différencier à première vue les flèches des chrétiens de celles des musulmans.

A. L.

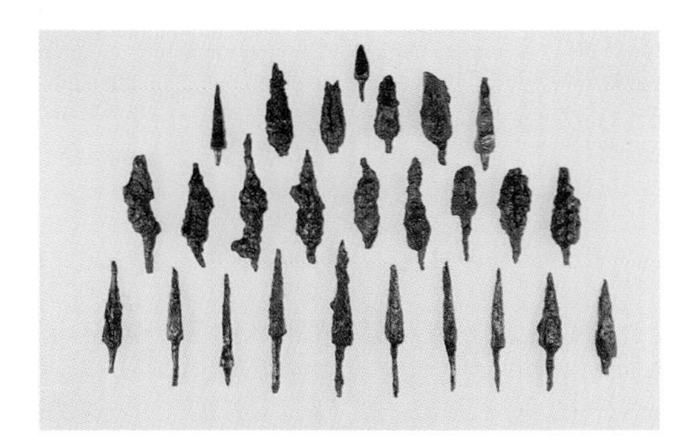

74 *

Pointes de flèches franques et musulmanes

XIIe-XIIIe siècle

Fer

L. 4,5 à 5,5 cm environ

Proviennent en partie de Tibériade

Jérusalem, Israel Antiquities Authority 2001-1486 à 1498 et 2001-1500 à 1512

Exp. : Jérusalem, 1999, p. 154

75

Coupe à l'archer à cheval

Syrie du Nord, XIIIe siècle

Pâte argileuse, décor incisé sur engobe sous glaçures transparente et colorées

D. 26,3 cm

Londres, British Museum

1931 7-16 1

Bibl. : R. L. Hobson, « A Near Eastern Pottery Bowl », *British Museum Quarterly*, XL, 1931, p. 37, pl. XVIIIa ; Lane, 1947 ; Riis et Poulsen, 1957, p. 232-236 ; Soustiel, 1985, p. 126 ; Tonghini, 1998, p. 73-74

Quand cette coupe figurant un archer à cheval est entrée dans les collections du British Museum, elle était présentée comme un objet découvert dans la région d'Alep. Sa technique et sa gamme de couleurs la rattachent à une longue tradition de céramique à décor incisé, ou *sgrafiatto*, relativement répandue dans le monde médiéval aussi bien islamique que chrétien. Son style l'apparente aux céramiques dites d'Aghkand, produites en Iran aux XIIe et XIIIe siècles, qui se caractérisent notamment par une composition à motif central, au dessin vigoureux, et par les incisions qui délimitent les différentes plages de glaçure colorée. On pense qu'il existait en Syrie et en Anatolie plusieurs centres de production de céramiques de ce type, présentant des décors très divers. La tradition en demeurait également vivace dans les provinces byzantines, dans les royaumes francs et dans plusieurs régions d'Italie. La coupe du British Museum appartient à un groupe particulier qui inclut aussi une coupe à décor peint figurant un lièvre, mise au jour à Qasr al-Hayr al-Sharqî, le grand château umayyade construit dans le désert syrien et réoccupé à l'époque ayyoubide. Les fouilles de Hama ont quant à elles permis de découvrir un important dépôt de pièces similaires. D'autres exemplaires proviennent du château de Qal'at Ja'bar qui dominait autrefois l'Euphrate et qui ne comporte qu'une seule couche archéologique. La facture hardie et vigoureuse rappelle les céramiques de Raqqa des XIIe et XIIIe siècles à décor figuré, ainsi que les pièces non glacées ornées de motifs analogues, retrouvées à Alep et datant de la même période.

V. P.

76

Plat aux fiancés

Syrie côtière ou Chypre (?), XIIIe siècle

Pâte argileuse, décor gravé sous glaçure transparente incolore et rehauts de glaçure colorée

D. 28 ; H. 13 cm

Collection Croisier, dépôt à l'Institut du monde arabe

C-S5

Exp. : Genève, 1981, p. 70, n° 111 ; Paris, 1993, n° 349, p. 453

Bibl. : Mouliérac, 1999, p. 140 ; François, 1999, p. 80, fig. 3 ; Paris, 1991, p. 168 ; Paris, 1992, p. 494, n° 387

Ce plat, proche par sa technique des céramiques dites d'el-Mina, est l'exemple même des proximités avec la céramique chypriote. Il permet sans doute de parler d'une production spécifique à une clientèle franque sans présumer de l'appartenance religieuse de ses auteurs. Car ce décor appartient bien à « l'univers culturel des Francs » (François, p. 60). Le thème fréquent des fiancés semble issu de la littérature courtoise, moyen d'identification des chevaliers francs dans un Orient où ils se sentent isolés. En revanche sur les exemples indubitablement chypriotes, l'homme est le plus souvent vêtu de chausses et de poulaines, et tient une épée à lame droite, éléments ici absents (voir p. 134). La femme a cependant conservé le voile de tête pendant qui figure sur les pièces chypriotes. La bague tenue par la femme, ainsi qu'un anneau ou une pièce dans la main de l'homme, sont sans équivalent dans la production de l'île. Ces légers glissements qui affectent costume et accessoires permettent de proposer plutôt une production locale syrienne ; quant à la datation, les pièces chypriotes sont souvent considérées comme plus tardives (XIVe) bien que leur chronologie tendent désormais à être remontée.

S. M.

Cette coupe appartient à la production étiquetée sous le nom d'el-Mina, un site proche d'Antioche (actuellement en Turquie) où A. Lane mena des fouilles qui amenèrent au jour une quantité importante de céramiques argileuses à décor incisé sous glaçures colorées. Elles sont tantôt hémisphériques, tantôt pourvues d'une aile droite ornée, le plus souvent, d'un motif d'amandes disposé en zigzag. Dans cette production se mêlent des influences diverses : franque, islamique et sans doute pour une part byzantine. Elles présentent parfois des similitudes frappantes avec une production bien attestée dans le royaume des Lusignan de Chypre (cat. 76).

S. M.

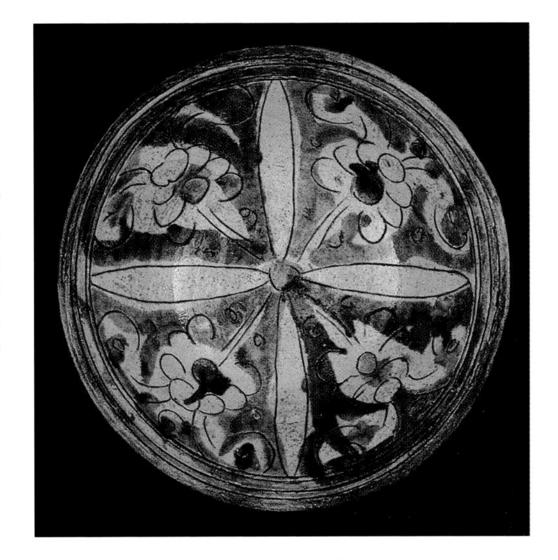

77

Coupe à décor rayonnant

Syrie côtière, XIIIe siècle

Pâte argileuse, décor gravé sous glaçures transparentes colorées et incolore

D. 24,5 ; H. 9,8 cm

Paris, musée de l'Institut du monde arabe

AI 85-11

Bibl. : Mouliérac, 1999, p. 141 ; Lane, 1938

Cette coupe au décor assez sommaire s'apparente encore à la production des sites côtiers de Syrie et de Palestine. Sa technique peu soignée la désigne comme une pièce courante : la glaçure colorée a largement fusé, la mise en place du dessin est expéditive et une large bande sur le bord n'a pas été décorée. Le dessin, la forme et la palette de plusieurs pièces d'el-Mina offrent des comparaisons étroites.

S. M.

78

Coupe aux rubans croisés

Syrie côtière, XIIIe siècle

Pâte argileuse engobée, décor incisé sous glaçures colorées

D. ouverture 25,5 ; H. 10 cm

Acquise à Alep en 1936

Paris, musée du Louvre, section Islam MAO 280

Legs François Chandon de Briailles, 1955

Exp. : Paris, 1983, n° 356

Également rattachable au groupe « el-Mina », qui semble avoir été répandu sur l'ensemble des sites côtiers de Syrie et de Palestine (Césarée...), cette coupe porte un soleil qui apparaît sur une pièce trouvée par Lane bien que les détails du traitement diffèrent. Il évoque plus nettement des céramiques chypriotes : œil rond à la pupille incisée, souligné d'un cerne, qui apparaît sur plusieurs pièces chypriotes. La provenance ancienne de cette pièce peut d'ailleurs alimenter l'hypothèse. Une pièce ornée d'un soleil, découverte à Qal'at Ja'bar (musée d'Alep) sur l'Euphrate, reprend de façon frappante plusieurs traits présents ici.

S. M.

79

Coupe au soleil

Syrie côtière ou Chypre (?), XIIIe siècle

Pâte argileuse, décor gravé sous glaçures transparentes colorées et incolore

D. 14,5 ; H. 8,5 cm

Collection Croisier, dépôt à l'Institut du monde arabe

C-S7

Ancienne collection R. Servoise, Chypre

Bibl. : Mouliérac, 1999, p. 74 ; Lane, 1938, pl. XXIII, 1 b ; François, 1999, p. 80, fig. 3

Monnaies croisées d'imitation

À leur arrivée en Orient, les croisés se trouvèrent en présence d'un monnayage depuis longtemps abandonné chez eux, celui de l'or. Le système monétaire alors imaginé par les croisés est double : d'une part un monnayage local d'argent, et de l'autre un monnayage d'or, d'abord destiné aux échanges intérieurs des États latins, mais vite étendu à l'ensemble de l'Orient de la Méditerranée. La plupart de ces monnaies, imitations plus ou moins grossières de celles des derniers Fatimides, ne portent pas de nom d'atelier ni de date, et leur attribution a suscité de nombreuses disputes parmi les historiens. Nous savons que ces monnaies proviennent des ateliers d'Acre, Tyr, Tripoli et Antioche, et que l'or frappé devait appartenir à des marchands italiens et vénitiens.
Les deux monnaies présentées ici sont d'imitation grossière, les légendes difficilement lisibles, composées de caractères angulaires alternant annelets et traits verticaux sur quatre lignes. Il s'agit des fameux « besants sarracènes ».

C. B.

Imitations des monnaies fatimides

80
Besant
XIIe siècle
Or
D. 2,3 cm ; poids 3,60 g
Damas, Musée national
A/5353
Bibl. : P. Balog et Yvon, «Monnaies à légendes arabes de l'Orient latin», *Revue numismatique*, 1958, p. 133-168 ; n° 12, type C

Sur le droit de ce dinar, on peut tenter de lire comme légende au centre : « Il n'est de Dieu que Dieu, Muhammad est son Prophète et 'Alî son défenseur ». En légende extérieure : « Muhammad est le Prophète de Dieu. C'est lui qui a envoyé son Messager avec la bonne direction et la religion de la vérité, afin qu'elle triomphe sur toute autre religion, quelque répulsion qu'en aient les associateurs ». Au revers, au centre, figure la titulature du calife fatimide al-Mustansir.

Mo. M.

81
Besant
Antioche (?), XIIe siècle
Or
D. 2,2 cm ; poids 3,28 g
Damas, Musée national
A/5897
Bibl. : P. Balog et Yvon, n° 9, type C

Comme pour le précédent, ce dinar croisé est difficilement lisible, à l'exception des noms 'Alî, au droit, et Muwad au revers.

Mo. M.

Imitations des monnaies ayyoubides

Les croisés émirent des monnaies à l'imitation de celles des Ayyoubides, monnaies d'argent, mais aussi parfois d'or. Le prototype de celles d'argent est le dirham frappé à Damas par al-Sâlih Ismâ'îl. Les imitations croisées ont des légendes identiques à leur prototype, dans un arabe parfait, avec la même écriture *naskhi*. Elles sont à ce point similaires qu'il est souvent très difficile de les différencier. L'atelier est toujours Damas ; la date, 641 ou 644 H / 1243 ou 1246, n'est pas toujours lisible ; et parfois une petite croix a été ajoutée dans les marges circulaires. Pourtant les deux monnaies ici présentées appartiennent à deux séries différentes, la première date des années 1243-1250, et il s'agit d'une imitation plus parfaite, la seconde peut être datée entre 1253 et 1260, après la tentative ratée d'Eudes de

Châteauroux de réformer ces imitations, et ne porte plus la *kalima*, mais simplement : *Bismi-llâh al-Rahmân al-Rahîm* (« au nom de Dieu, le Clément, le Miséricordieux »). Toutes deux pourraient provenir d'Acre.

C. B.

Au droit de ce dirham, dans le carré, figure le nom d'al-Sâlih Ismâ'îl et à l'extérieur : « Frappé à Damas en l'an 641 », (1243). Au revers et au centre, on peut lire le nom du calife abbasside al-Mustansir et, au centre, « Au nom de Dieu, le Clément, le Miséricordieux ».

Mo. M.

82

Dirham

Damas, 641 H / 1243

Argent

D. 2,1 cm ; poids 2,65 g

Damas, Musée national

A/19422

Bibl. : Bates, 1974, type III b ; D. M. Metcalf, *Coinage of the Crusades and the Latin East*, Londres, 1995, p. 98-106

Ce dirham a des légendes équivalentes au précédent ; celles à l'extérieur sont cependant coupées, notamment à l'endroit donnant le lieu de frappe.

Mo. M

83

Dirham

Damas, 1253(?)

Argent

D. 2 cm ; poids 2,20 g

Damas, Musée national

A/18195

Bibl. : Bates, type VI

Monnayage croisé en arabe

L'arrivée du légat du pape, Eudes de Châteauroux, au printemps 1250 dans les États latins d'Orient, interrompit le monnayage d'imitation croisé. Le légat fit immédiatement interdire un monnayage qu'il jugeait scandaleux, portant, qui plus est, les noms de souverains musulmans, du calife et celui du prophète Muhammad ! Soutenu par le pape, il fait battre entre 1251 et 1258 à Acre un nouveau numéraire, d'or et d'argent, en arabe, mais avec des légendes chrétiennes. Au droit se trouve l'affirmation de l'unicité de Dieu : *Allâh wâhid*, entourée dans un premier cercle de celle de la Trinité : *al-Ab wal-Ibn wal-Ruh al-Quds*, et dans un second de la date et de l'atelier. Au revers, une croix pattée occupe le centre, entourée d'une inscription en *naskhi* qui exhalte « la croix de Jésus, Notre Seigneur, le Sauveur, Il est notre salut, notre vie, nous promet la résurrection / et nous porte délivrance et pardon ».

C. B.

Il est à remarquer sur ce dinar frappé à l'époque de la septième croisade conduite par Louis IX que les légendes, dans une graphie cursive pas très soignée, contiennent quelques erreurs d'orthographe.

Mo. M.

84

Besant

Acre, 1258

Or

D. 2,3 cm ; poids 3,17 g

Damas, Musée national

A/5354

Bibl. : Balog et Yvon, n° 40 ; D. M. Metcalf, *Coinage of the Crusades and the Latin East*, Londres, 1995, p. 43-51

La trouvaille de Rusâfa‘

En 1982 fut découvert dans la cour nord à péristyle de la basilique Sainte-Croix à Rusâfa‘ un vase de terre émaillé qui contenait un ciboire, un pied de ciboire, une patène et une coupe, ainsi qu'un encensoir muni de ses chaînes d'une facture visiblement différente. Le contexte indiquait que le « trésor » avait été enfoui après 1243 et avant 1259, date à laquelle la ville fut la proie des Mongols. C'est la plus importante trouvaille de ce type faite en Syrie, du fait du contexte précis de la découverte. Thilo Ulbert, le « découvreur » considérait que « les objets comportaient des éléments occidentaux s'insérant dans un décor à prédominance orientale ». Un examen attentif des modèles possibles indique au contraire clairement que la source est occidentale même si l'on doit plus probablement supposer une fabrication locale. Il est tout aussi hasardeux de vouloir réduire les objets à un seul « trésor » : les inscriptions rajoutées en syriaque, en grec et en arabe indiquent que les objets furent dédiés à des lieux de culte différents, par des personnes qui ne sont pas apparentées.

S. M.

85

Coupe ou gémélion

Nord de la France (?), vers 1190 avec gravures en partie ultérieures (?)

Argent, traces de dorure, décor au repoussé et guilloché

D. 15,7 ; H. 8,5 cm

Provient de Rusâfa'

Damas, Musée national

29313/15, AN 30

Exp. : Linz, 1993, p. 460, n° 118 ; Québec, 1999, p. 291, n° 318

Références : Pinoteau, 1984, p. 155-177 ; Gauthier, 1984, p. 177-184

Sur un pied godronné une coupe dont les flancs sont animés de motifs d'écailles travaillées au repoussé s'ouvre largement sur un décor héraldique. H. Pinoteau a longuement analysé le puzzle que constituent les onze écus (dont un a été mal repositionné au moment de la restauration) ; il en ressort quelques points sûrs et de nombreuses questions. En premier lieu, la forme des écus triangulaire est datable vers 1200 ; en second lieu, il s'agit d'une œuvre de facture occidentale, hormis une inscription postérieure en arabe indiquant : « Ceci a été donné par Zayn al-Dar, la fille du maître Abû Durra à l'église du Bienheureux Qal'at Ja'bar. » Enfin l'essentiel des armes figurant sur la pièce renvoie à un milieu de chevaliers picards ayant largement pris part aux croisades. L'écu central « fascé de vair et de gueules » forme un ensemble familial autour du Sire de Coucy, avec trois autres sur le pourtour. On trouve également l'écu des Ham (sur la Somme), seigneurs apparentés aux Coucy ; Eudes III de Ham participa à la troisième croisade. Un autre écu appartiendrait à la famille de Roye (Amiénois) ; un autre encore à Dreux d'Amiens, mort lors de la troisième croisade. Enfin, si l'un des écus est d'une identification incertaine, les deux autres semblent renvoyer à deux familles anglaises. Le sens de cette « camaraderie héraldique » est assez obscur ; s'agissait-il d'un objet commémoratif ? H. Pinoteau a proposé d'identifier le blason central autour duquel les liens s'ordonnent à celui de Raoul Ier de Coucy qui lui aussi participa à la troisième croisade et mourut à Acre en 1191. L'existence d'ateliers d'émailleurs et de dinandiers francs en Terre sainte est bien établie (Gauthier) et l'hypothèse d'une fabrication locale ne peut être exclue. Cette coupe serait, si les environs de 1190 sont admis, le plus ancien exemple de gémélion armorié.

S. M.

86

Pied de calice

Atelier franc en Syrie (?), début du XIIIe siècle

Argent, décor au repoussé, partiellement doré

H. 7,4 ; D. 12,8 cm

Provient de Rusâfa'

Damas, Musée national

29314, AN 32

Exp. : Linz 1993, p. 461, n° 120 ; Québec, 1999, p. 291, n° 319

Références : Paris, 1965, p. 87, n° 175 ; Londres, 1987 p. 307

Le pied isolé de calice partage avec le calice suivant l'allure générale et surtout le nœud à côtes. Cet élément est, de par son alternance de côtes en saillies et zones plates traitées par guillochage, très proche du calice trouvé dans la tombe de l'abbé Hervé de Troyes, enterré en 1223 dans la cathédrale de Troyes. Le motif végétal dont la corolle se répand sur le pied est également proche du modèle de Troyes ou de celui de Dolgelly.

S. M.

87

Calice

Atelier franc en Syrie (?), début du XIIIe siècle

Argent, décor au repoussé doré et niellé

H. 20,9 ; D. coupe 14,5 cm

Provient de Rusâfa'

Damas, Musée national
29311, AN 29

Exp. : Linz 1993, p. 458, n° 116 ; Québec, 1999, p. 291, n° 317
Bibl. : Londres, 1987, p. 307

Le calice se distingue par un pied élancé sommé d'un nœud à côtes encadré de torsades; au-dessus une coupe surbaissée, dorée à l'intérieur a été surchargée d'un décor niellé. Une inscription syriaque se déroule sur un bandeau aux pendeloques palmettiformes interrompu par un médaillon avec le buste du Christ accosté des lettres grecques IC XC abrégeant « Jésus-Christ ». L'inscription dit : « Pour que ton sang soit préservé, Oh porteur de Grâce, Ioannis, il est fait don à l'Honneur de ce calice que tu as donné en gage à tes disciples. Et vois : il te porte comme un don. Reçois-le et comme promis, attribue en récompense le sacrifice du prêtre ! » À l'intérieur une Vierge à l'enfant trônant, entre les archanges Gabriel et Michel, vêtus d'une longue tunique et portant une lance, relève d'une iconographie chrétienne orientale. En outre l'emploi de caractères grecs est, à l'époque probable de fabrication de l'objet, invraisemblable en Occident. C'est pourtant encore à l'orfèvrerie occidentale que renvoie l'objet ; le calice de Dolgelly, vers 1230-1250, présente un nœud à côtes et une coupe surbaissée bien que le nœud du calice de Rusâfa' soit plus arrondi et ne fasse pas alterner creux et côtes en relief. Le jonc torsadé qui l'encadre n'évoque pas non plus un modèle occidental et on peut, là encore, sur la base de ces indices, proposer de voir dans cet objet une production d'un atelier franc en Syrie. L'objet a été ensuite lui aussi redécoré dans un milieu chrétien oriental.

S. M.

88

Encensoir

Mésopotamie ou Iran, XIIe - début du XIIIe siècle

Argent, décor au repoussé doré et niellé

D. 11,5 ; H. 6,7 cm

Provient de Rusâfa'

Damas, Musée national

29316, AN 31

Exp. : Linz, 1993, p. 461, n° 119 ; Québec, 1999, p. 291, n° 319

Bibl. : Ann Arbor 1959, n° 16 ; *S.P.A.*, pl 1352 c

L'encensoir de Rusâfa' est la seule pièce visiblement orientale parmi les objets de la trouvaille. Sur un pied bas annulaire la pièce est entièrement ornée d'un bandeau niellé sur lequel les motifs apparaissent en réserve dans des panneaux entre des médaillons en léger relief obtenus au repoussé dans la mince feuille de métal. Les panneaux contiennent alternativement un face-à-face entre deux sphinx auréolés sur fond de palmettes et de simples palmettes sur des rinceaux à enroulements. Les médaillons circulaires enferment un vautour attaquant un oiseau, une iconographie fréquente au Proche-Orient. Le traitement de détail et le recours au nielle évoquent des pièces attribuées à l'Iran et datables du XIIe siècle (encensoir, Cincinnati Art Museum ; bouteille à long col, anc. coll. Hariri, pl. 1350 ; encensoir, *S.P.A.*, pl. 1352 c). Sur une page du lectionnaire jacobite de 1220 réalisé au monastère de Mar Mattây, près de Mossoul, l'empereur Constantin porte un vêtement dont le décor végétal est très proche de celui de l'encensoir (cat. 90). Mais il évoque aussi le décor des écoinçons sur la page d'un *Kalila et Dimna*, représentant l'entrevue entre Barzûya et le roi Nûshîrvân (BNF, ms. ar. 3465, f°. 20 v°). Ce manuscrit est attribué à la Syrie vers 1200-1220 (Buchtal, 1940, fig. 31).

S. M.

89

Patène

Atelier franc en Syrie (?), début du XIIIe siècle

Argent, décor au repoussé doré

D. 13 ; H. 1,1 cm

Provient de Rusâfa'

Damas, Musée national

29312, AN 28

Exp. : Linz, 1993, p. 459, n° 117 ; Québec, 1999, p. 291, n° 320

Bibl. : Paris, 1965, p. 87, n° 175 ; Londres, 1987, p. 307

La patène porte, gravé et doré, un décor lobé sur le pourtour et au centre un disque crucifère et une main bénissante. Le motif du disque central chargé d'une tresse ondulante rappelle très exactement la patène trouvée dans la tombe de l'abbé Hervé (m. 1223). Le motif lobé du pourtour a quant à lui des équivalents dans l'orfèvrerie occidentale des XIIe et XIIIe siècles. Cependant les lobes y sont habituellement traités en relief (patène de l'abbé Pélage, Espagne, vers 1130-1140, musée du Louvre, ou patène de Dolgelly, Angleterre, vers 1230-1250). La patène de Rusâfa' simplifie en quelque sorte le modèle. Sur le pourtour elle porte une inscription en syriaque ajoutée *a posteriori*, qui dit : « Hanon, le fils du défunt Abel d'Édesse, a donné cette patène à l'église Mar Sergios de Rusâfa' ; que celui qui lit prie pour le donateur. » L'objet est, comme d'autres de la même trouvaille, passé aux mains de chrétiens orientaux dans des circonstances qui ne peuvent être établies.

S. M.

f° 17 r°

f° 57 v°

90

Lectionnaire jacobite

Iraq, Mossoul, monastère de Mar Mattây, 1531 de l'ère séleucide/1220

Gouache et encre sur papier

44 × 25 cm (dimensions du volume ouvert)

Vatican, Biblioteca Apostolica Vaticana Ms. Siriaco 559

Bibl. : Buchtal, 1940 ; Jerphanion, 1940 ; Baer, 1989

Ce manuscrit, comme d'autres productions syriaques, pose le problème de la source à l'origine de la floraison des métaux à iconographie christianisante durant la première moitié du XIIIe siècle. Les communautés syriaques avaient essaimé de la Méditerranée (Syrie du Nord, Palestine) à la Mésopotamie. Les *scriptoria* des monastères de Mésopotamie ont produit des manuscrits de grande qualité dont il reste quelques exemplaires. Ils montrent bien souvent des contaminations réciproques entre l'iconographie chrétienne orientale et celle issue du monde islamique. D'ailleurs, pour la part islamique, elle se réduit plutôt à des apports formels et décoratifs dans les manuscrits syriaques. Ce sont des détails dans le traitement des éléments architecturaux (décor panneauté ou étoilé des dômes, des arcatures), des textiles au décor de grandes palmettes (f°. 223 v°), des couronnes visiblement issues du même répertoire (f° 57 v°). En revanche l'emprunt est plus massif dans le monde islamique comme en témoigne la célèbre gourde de la Freer Gallery (voir p 27 et 126), le bassin « d'Arenberg » (p 129) du même musée ou encore nombre des métaux à iconographie en partie chrétienne (cat. 100). Sur la gourde de la Freer, l'iconographie de l'entrée à Jérusalem se rapproche de la même scène dans le manuscrit du Vatican : les éléments architecturaux sont rejetés sur le côté et couverts d'un dôme, mais la scène est simplifiée, ce qui s'explique aisément par la différence de matériaux. La scène de la Ñativité est tout orientale dans le manuscrit ; on y retrouve en particulier une insistance sur le bain de l'Enfant, élément issu du Proto-Évangile de Jacques, si prisé en Orient et à Byzance. Ce même épisode est représenté en bonne place dans la Nativité de la gourde de la Freer. Les rois mages de la Nativité du manuscrit syriaque sont coiffés de couronnes empruntées à l'Orient islamique (f°. 16 r°). On pourrait ainsi explorer dans le moindre détail l'abondance des éléments que se sont mutuellement fournis les communautés chrétiennes orientales et les milieux artistiques œuvrant pour le pouvoir ou son entourage.

S. M.

f° 223 v°

91 à 95

Cinq fragments de verre émaillé

Syrie, milieu du XIIIe siècle

Verre incolore à décor émaillé et doré

Dim. max. 6 ; 4,4 ; 5 ; 4,2 et 3,4 cm

Athènes, musée Benaki, 19065, 3663, 3658, 3658b, 3709

Exp : New York, 2001, p. 243-245, nº 121

Bibl : Clairmont, 1977, p. 127, nº 458 et 460, pl. XXVII

Les fragments visibles en bas et en haut à gauche (91, 92) présentent des architectures en brique à un étage et galerie ouverte, surmontées d'une tourelle. Des personnages auréolés regardent par les baies en arcade. L'un d'eux est barbu et coiffé d'un bonnet pointu qui ressemble à un capuchon de moine.

Sur un fragment (93), on reconnaît un vieux moine en capuche, de profil sous un bandeau épigraphique.

En bas à droite (94), le décor figure deux personnages. Le premier, de face, porte une étole d'évêque blanche (homophorion) ornée d'une croix dorée. Le second, de profil, lève la tête et son capuchon lui retombe sur les yeux.

Sur le fragment 95, la bande décorative représente un quadrupède doré sur un fond bleu à rinceaux.

Plusieurs fragments de verre figurant des architectures et des personnages chrétiens nous sont parvenus, attestant la diffusion de ces motifs en Syrie, au temps des Ayyoubides et des premiers Mamlouks. Dans l'iconographie chrétienne du XIIIe siècle, les personnages placés dans des galeries à arcades assistent à une fête religieuse ou à une cérémonie, comme ceux de la miniature de l'Entrée à Jérusalem dans le lectionnaire de Mar Mattây (cat. 90). Ces fragments appellent la comparaison avec une bouteille intacte conservée à la Furusiyya Arts Foundation, où des arabesques et une frise d'animaux passant entourent un décor d'architectures chrétiennes et de travaux agricoles monastiques peut-être inspiré de compositions sur le thème des travaux et des jours. La vie chrétienne sous la domination musulmane gravitait autour des monastères et des domaines placés sous leur protection. Les images de moines sur la bouteille et sur les fragments de verre semblent souligner cette donnée historique, qui s'est traduite aussi par le développement de la peinture chrétienne dans les *scriptoria* des monastères.

A. B.

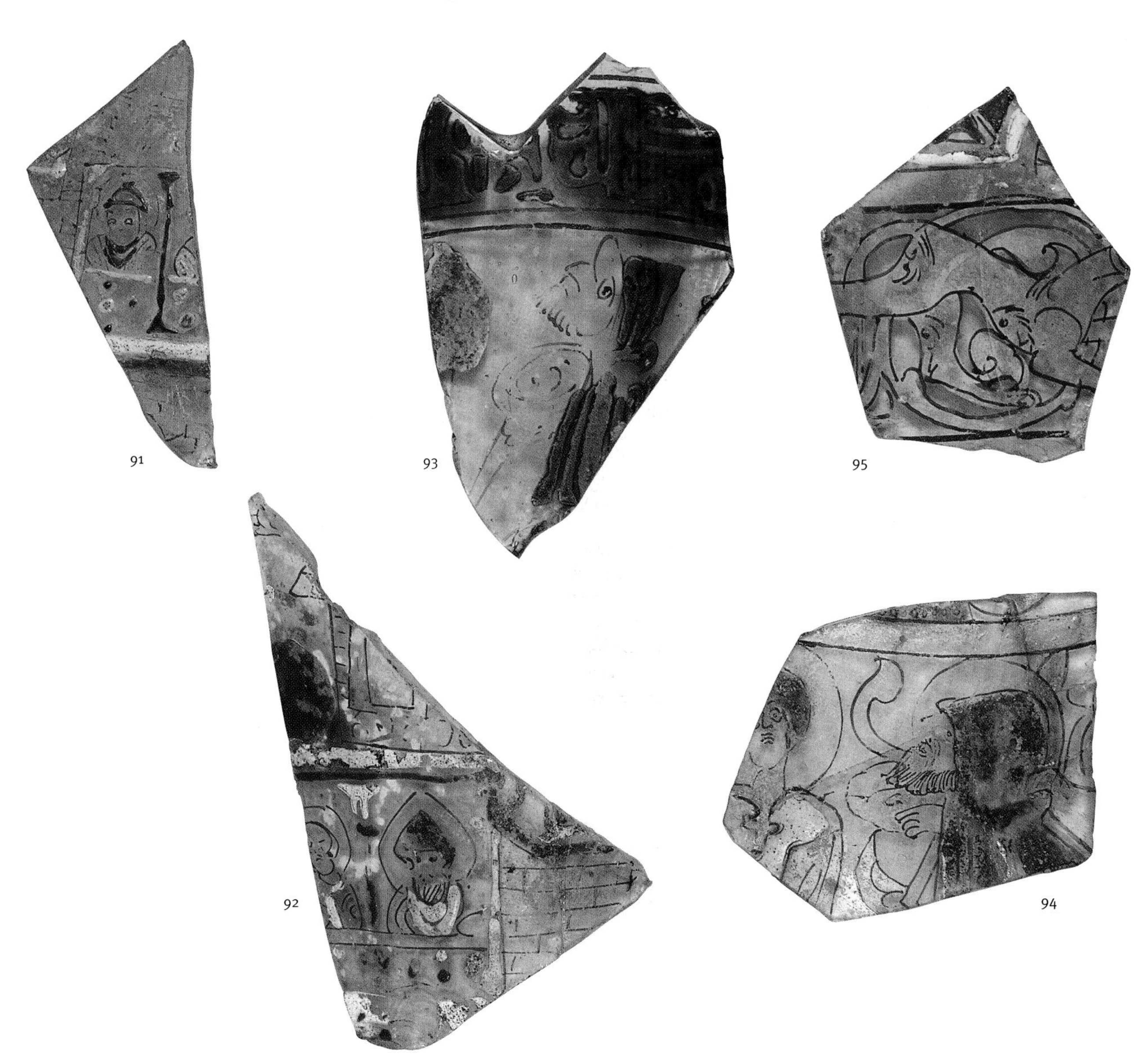

91 93 95

92 94

96

Brûle-parfum à décor chrétien

Syrie ou Mésopotamie du Nord, première moitié du XIIIe siècle

Alliage cuivreux moulé incrusté d'argent et d'or

H. 20,3 cm

Londres, British Museum
1878 12-30 679, legs Henderson
Bibl. : Baer, 1989, fig. 1, p. 15-20

Ce brûle-parfum appartient à un ensemble de dix-huit objets ornés de personnages chrétiens, réalisés à l'époque ayyoubide pour différents mécènes chrétiens et musulmans. La forme cylindrique surmontée d'un couvercle ajouré, sur charnière, et les pieds en fer à cheval stylisé relèvent d'une tradition byzantine courante en Égypte et en Syrie tout au long des XIIIe et XIVe siècles. Les personnages, huit sur le couvercle et douze sur la paroi cylindrique, s'inscrivent dans des arcs lobés reliés les uns autres par des arabesques touffues. Un médaillon laissé sans décor indique peut-être l'emplacement d'un manche entre deux arcs habités, sur la panse du brûle-parfum. Les personnages, seuls ou par paire, sont tous orientés dans le sens inverse des aiguilles d'une montre, à une exception près. Certains tiennent à la main des récipients qui ressemblent aux gobelets en verre émaillé de cette période, et des accessoires liturgiques, tels que crosse, flabellum et encensoir. Ils portent des robes à longues manches qui leur descendent jusqu'aux chevilles, et des étoles croisées sur leur poitrine, qui forment une boucle sur la gauche. Seul l'évêque barbu a les mains cachées sous une manipule tandis qu'un *épitrachélion* semble lui couvrir les épaules. Tous les personnages sont nu-tête, sauf celui qui semble tenir une croix contre lui et qui est coiffé d'un turban. Le bord supérieur du brûle-parfum est souligné d'une frise épigraphique en koufique.

V. P.

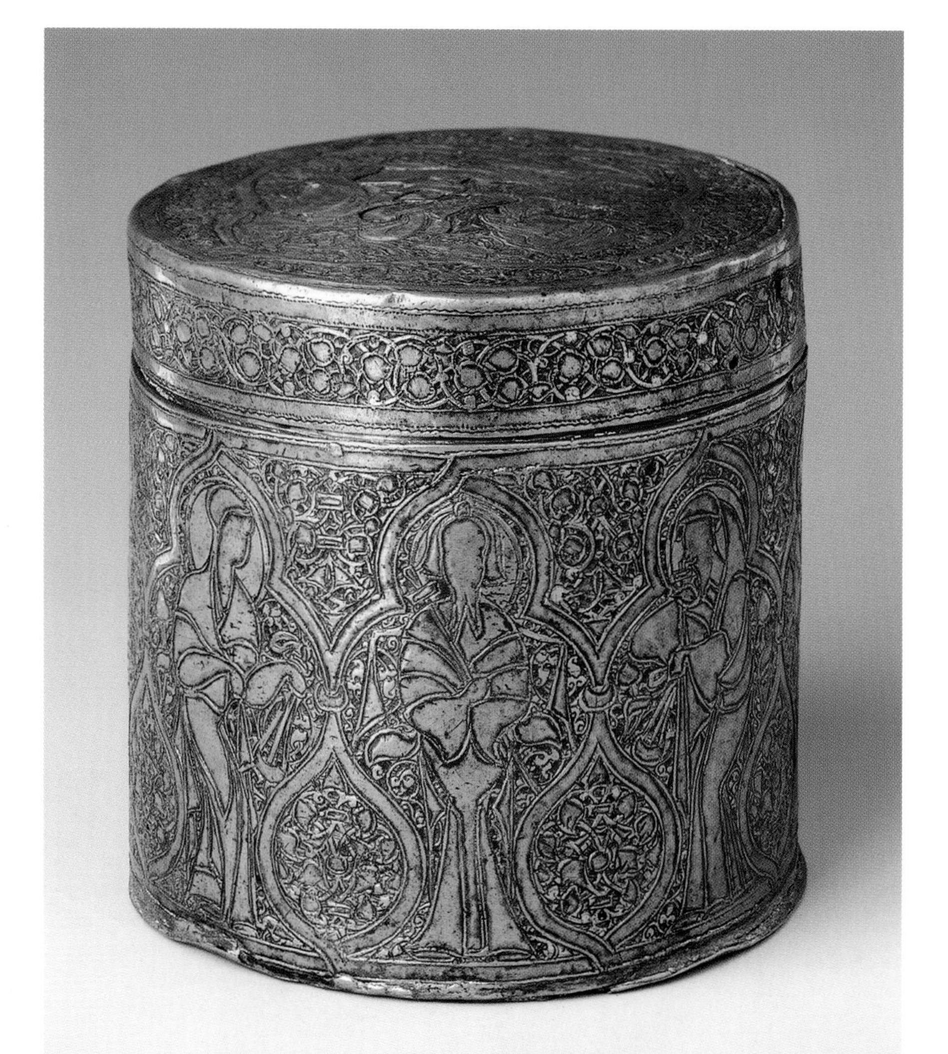

97

Pyxide

Syrie ou Mésopotamie du Nord (Jezireh), vers 1225-1250

Alliage cuivreux, décor incrusté d'argent et gravé

H. 10,5 ; D. 10,5 cm

New York, The Metropolitan Museum of Art, Rogers Fund

1971.39

Exp. : Berlin, 1981, n° 55

Bibl. : Katzenstein ; Lowry, 1983, p. 53-68 ; Baer, 1983, p. 76-78 ; Baer, 1989, p. 13-15 ; Fontana, 1994, p. 26-29

Dans le monde islamique, les pyxides, petites boîtes cylindriques à couvercle, servaient sans doute de récipients à *ushnan* (soude sous la forme de cendre végétale utilisée pour la lessive). Celle-ci est façonnée dans une seule feuille de métal enroulée, puis incrustée d'argent. Le couvercle et la base, réalisés séparément, sont chacun d'un seul tenant. On connaît un certain nombre de pyxides remontant aux époques ayyoubide et mamlouke (XIIIe siècle et début du XIVe), et quelques-unes sont datées ou datables avec précision [1]. Elles ont des dimensions variables et des couvercles plats, coniques ou bombés.

Trois pyxides d'époque ayyoubide parvenues jusqu'à nous présentent des motifs chrétiens. La première, conservée au musée d'Art islamique du Caire, et la deuxième, au Victoria and Albert Museum de Londres, portent des inscriptions. La troisième, reproduite ici, se distingue par son décor anépigraphe particulièrement raffiné. La paroi cylindrique, entièrement couverte de rinceaux, est partagée en huit médaillons polylobés, dont un représente l'Entrée à Jérusalem, et les sept autres des personnages isolés. Dans la scène de l'Entrée à Jérusalem, le Christ sur son âne est accompagné par deux porteurs de rameaux et deux autres personnages qui s'apprêtent à jeter leurs vêtements sous les sabots de l'animal. Deux anges tiennent un dais au-dessus du Christ, suivant un arrangement comparable aux images de souverains sur leur trône, présent sur les manuscrits islamiques exécutés à la même époque en Mésopotamie du Nord. L'effigie d'un ecclésiastique de face occupe le médaillon placé en regard de l'Entrée à Jérusalem. Vêtu d'une chasuble, il a une longue barbe fourchue et tient une grande croix.

Les autres médaillons renferment des portraits de thuriféraires, de suppliants et de moines. Quatre de ces personnages ont les yeux tournés vers le Christ, soulignant ainsi le centre d'intérêt de la composition. Les deux autres encadrent l'ecclésiastique et se tournent vers lui.

Le décor du couvercle représente la Vierge à l'Enfant et Joseph. Il a subi un remaniement partiel à une date ultérieure, et comporte quelques détails troublants. La Vierge, apparemment assise sur un tabouret bas, semble porter un turban, accessoire qui la transformerait en musulman de sexe masculin. L'Enfant Jésus n'a pas d'auréole. On a du mal à expliquer cette iconographie insolite, qui rappelle les images chiites de 'Alî et ses deux fils Hasan et Husayn. L'artisan musulman a peut-être fusionné le thème de la Vierge à l'Enfant avec un motif plus habituel pour lui. Des recherches récentes font apparaître des analogies entre les représentations de Fatima, épouse de 'Alî, et celles de la Vierge Marie [2].

S. C.

Notice extraite du catalogue de New York 1997, n° 255, p. 426-427

1. Baer, 1983, p. 76-78
2. Fontana, 1994, p. 26-29

98

Plateau aux clercs sous des arcades

Syrie, vers 1230-1250

Alliage cuivreux martelé, décor incrusté d'argent

D. 43,1 cm

Saint-Pétersbourg, musée de l'Ermitage

Acq., 1898

CA 14238

Exp. : Amsterdam, 1999, n° 124

Bibl. : Baer, 1989, p. 10-13

Ce plateau est l'un des plus beaux métaux à sujets chrétiens conservés : la mise en page ornementale et la finesse du décor, ainsi que son bon état de conservation en font une œuvre exceptionnelle. Par sa forme, l'organisation du décor et la rosace végétale qui en orne le centre, ce plateau s'apparente à celui du Louvre (cat. 120). Sur le cavet se trouve une inscription votive dont les termes donnent à penser, comme le relève Eva Baer, que cet objet était destiné à un personnage de haut rang : cela s'accorde bien avec la qualité de l'œuvre, qui a certainement été faite sur commande pour un dignitaire ou un souverain.

Douze scènes occupent le pourtour de la rosace centrale. Des ecclésiastiques aux pieds nus, tenant des encensoirs, des livres ou des crosses, se tiennent sous des arcades. On remarque l'attention portée par l'artiste au rendu des drapés et à l'individualisation des personnages, qui tous adoptent une attitude différente. La composition rappelle un plateau aujourd'hui non localisé dont le schéma général s'apparente à celui de Saint-Pétersbourg.

Les frises animalières qui bordent les personnages chrétiens sont vivantes et diversifiées : on voit se poursuivre des animaux réels ou fabuleux, qui courent en suivant le sens de l'inscription. Ces frises sont relativement rares sur les autres métaux à sujets chrétiens. À l'exception de ce plateau, on les retrouve sur le chandelier de Dâwud ibn Salâmah (cat. 99), mais surtout sur le bassin d'Arenberg (p. 129).

A. C.

99

Chandelier aux scènes chrétiennes

Signé Dâwud ibn Salâmah al-Mawsilî

Syrie, 1248-1249

Alliage cuivreux martelé, décor repoussé et incrusté d'argent

H. 40,5 ; D. base 39 cm

Paris, musée des Arts décoratifs

Acquis en 1888

ancienne collection A. Goupil

4414

Exp. : Paris, 1971, n° 156

Bibl. : Mayer, 1959, p. 40-41 ; Baer, 1989, p. 17

L'artiste a inscrit sa signature et la date au bas de la bobèche du chandelier. Cet objet est le plus ancien des deux métaux de la main de Dâwud ibn Salâmah qui nous sont parvenus. Il est aussi l'un des seuls métaux à iconographie chrétienne précisément daté.

Le décor du chandelier juxtapose sujets chrétiens et thèmes plus traditionnels du métal proche-oriental, tel le zodiaque.

Sur la bobèche se tiennent de saints personnages sous des arcades, composition que l'on retrouve sur le haut et le bas de la base. Les douze signes zodiacaux, comme sur un autre chandelier exposé (cat. 124), ornent le plat de l'épaule où ils se détachent sur un fond de « T imbriqués ». Sur la paroi, un fond dense d'arabesques végétales met en valeur quatre grands médaillons polylobés illustrant des scènes de la vie du Christ. Leur identification, comme celle des figures sous les arcades en « lambrequin » est difficile car l'objet a été réincrusté en Occident, probablement au XIXe siècle. Le Bain du Christ, son baptême (?), les Noces de Cana ou la Cène (?) (voir p. 20) et la présentation au Temple ont cependant été reconnus. Une frise de félins poursuivant des capridés achève le décor au bas de la paroi. Les inscriptions en graphie koufique qui ornent l'épaule étant des formules de vœux, on ne connaît pas le destinataire de ce superbe chandelier.

A. C.

100

101

100

Aiguière à iconographie chrétienne et islamique

Syrie, première moitié du XIIIe siècle

Alliage cuivreux martelé, repoussé, décor incrusté d'argent, de cuivre rouge et de pâte noire

H. 46 cm

Paris, musée des Arts décoratifs

4413

Acquis en 1888, ancienne collection Goupil

Exp. : Paris, 1971, n° 158

Bibl. : Baer, 1989, p. 16-17

Cette aiguière s'inscrit dans un large groupe formel que des exemplaires datés situent dans la première moitié du XIIIe siècle. Ce type commun à la Syrie et à la Jezireh fut produit dans plusieurs ateliers, dont ceux d'Ibn Mawaliya et d'al-Dhakî, tous deux de Mossoul. Le motif de « T imbriqués » qui tapisse la panse, le col et le couvercle de l'objet, tout comme les quadrilobes qui s'en détachent, sont très proches de métaux ornés par al-Dhakî (cat. 42, 113). Plusieurs thèmes cohabitent sur l'aiguière et en font une œuvre très originale. Les quadrilobes sont habités de musiciens, de danseurs, d'échansons et de buveurs appartenant à l'iconographie princière traditionnelle dans le monde islamique. Les cavaliers chasseurs des grands médaillons polylobés, également situés sur la panse, appartiennent aussi aux thèmes princiers. Deux de ces médaillons sont moins communs : l'un est orné d'un éléphant portant deux lutteurs ; l'autre d'un archer monté sur un chameau et portant une joueuse de harpe en croupe. Il s'agit du roi Bahrâm Gûr et de son amante Azadeh, thème issu du célèbre *Shâh-Nâmeh* ou « Livre des Rois » iranien. Sur l'épaule de l'aiguière, deux processions de saints et d'anges entourent la Vierge tenant l'Enfant et figurée en pied. Cette représentation est exceptionnelle car sur les autres métaux où apparaît la Vierge, elle est représentée assise, la tête légèrement inclinée et tenant l'Enfant sur ses genoux, selon un modèle byzantin alors bien connu. Sur la collerette, des orants, des personnages portant des livres et d'autres figures sans attributs complètent cette iconographie chrétienne. Les inscriptions qui utilisent diverses graphies sont des formules de vœux, et l'on ignore qui a réalisé cette œuvre au décor si varié, dont la lecture, en particulier sur l'épaule, est parfois difficile. L'objet a en effet été réincrusté, probablement au XIXe siècle et peut-être sous l'égide de son ancien propriétaire, le grand collectionneur Albert Goupil.

A.C.

101

Aiguière «Homberg»

Signée Ahmad al-Dhakî al-Mawsilî

Syrie, 1242

Alliage cuivreux martelé, décor gravé et incrusté d'argent

H. 39,5 ; D. base 14,5 cm

Ham (Royaume-Uni), Keir Collection

131

Acquis en 1972, ancienne collection Homberg

Exp. : Saint-Jacques-de-Compostelle, 2000, n° 34

Bibl. : Rice, 1957 ; Fehérvári, 1976, n° 131 ; Baer, 1989, p. 15-16

Cette œuvre célèbre est le troisième objet conservé de la main d'al-Dhakî. Sa panse facettée est similaire à celle de deux autres aiguières (cat. 122, 123) et indique peut-être un déplacement en Syrie de cette forme mossoulienne et des ateliers d'artistes « de Mossoul ». Comme celle du musée des Arts décoratifs (cat. 100), l'aiguière « Homberg » mêle iconographie profane et princière, et sujets chrétiens. De plus, elle offre un jalon daté à ce groupe très particulier de métaux. Sur l'épaule, deux processions de courtisans convergent vers un souverain en trône. Sous l'inscription en koufique tressé de la panse, un large bandeau est occupé par dix scènes de chasse. Cette iconographie appartient au cycle princier. Les chasseurs surmontent une frise de dix personnages chrétiens, situés sous des arcades perlées. Les sujets sont difficilement lisibles car l'objet a été réincrusté assez sèchement ; néanmoins E. Baer est parvenue à identifier certains personnages. Une scène de la présentation au Temple est ainsi très comparable à la peinture d'un manuscrit syriaque (cat. 90). Cette similitude semble confirmer l'importance des modèles manuscrits dans l'élaboration des décors incrustés des métaux.

Le talent très imaginatif d'al-Dhakî s'exprime à nouveau sur cette œuvre : comme sur l'aiguière de Cleveland et le bassin fait pour al-'Âdil (cat. 113, 42), des scènes prises dans des espaces bien définis alternent avec des « tableaux » plus foisonnants et emprunts d'une grande liberté. L'utilisation de la forme de l'aiguière, dodécagonale, lui permit de créer des scènes à la fois distinctes et ininterrompues.

A. C.

102-103

Fragments de coupe en céramique

Syrie, première moitié du XIVe siècle

Céramique à pâte jaunâtre revêtue d'un engobe blanc et décor peint en bleu, noir, turquoise et brun sous glaçure transparente verdâtre

L. max. 31 cm

Athènes, musée Benaki
823

Le Caire, musée d'Art islamique
13174

Exp. : Athènes, 1980, n° 197
Bibl. : *Musée de l'Art arabe du Caire. La céramique égyptienne de l'époque musulmane*, Bâle, 1922, pl. 123 ; Philon, 1983, p. 265-274

Les fragments conservés au musée Benaki, et un autre actuellement au musée d'Art islamique du Caire, proviennent d'une grande coupe ornée d'une Déposition de croix. C'est une image de douleur très répandue, conforme au répertoire du deuxième âge d'or byzantin, illustré par la fresque de 1164 à Nerezi, en Macédoine, où la Vierge étreint tendrement le corps de son fils et serre son visage contre le sien. Les deux Marie expriment leur émotion par des gestes normalement associés au thème de la Crucifixion. Le troisième personnage féminin à l'arrière-plan, figuré sur la partie manquante, correspond au schéma de composition employé notamment dans une fresque de 1312 au monastère de Vatopedi, sur le mont Athos. L'échelle sur laquelle Joseph d'Arimathie tient le corps de Jésus a disparu, de même que Nicodème, habituellement figuré au premier plan, en train de retirer un clou de la main du Christ.
Si l'iconographie reste très proche des modèles byzantins, le style dans son ensemble reflète l'influence de l'environnement culturel islamique où s'insère la chrétienté orientale. Les visages aux yeux bridés se rencontrent dans des manuscrits musulmans, syriaques et coptes, mais aussi sur des céramiques syriennes à décor peint sous glaçure, où l'on retrouve les auréoles pointillées et le même profil de récipient. La datation s'appuie sur les traces d'influence de la céramique ilkhanide, telles que les feuilles blanches pointillées en relief à l'arrière-plan, les panneaux lobés en pétales de lotus sur l'extérieur et les volutes de nuages qui entourent les anges en vol. Selon toute vraisemblance, l'inspiration mongole explique également l'étrange saint Jean échevelé, qui n'a rien de chrétien et ressemble aux personnages réunis autour du lit de mort d'Alexandre le Grand dans le manuscrit du *Shâh-Nâmeh* Demotte.
Cette coupe ornée d'une Déposition, avec son iconographie byzantine et le choix du sujet a certainement été commandée par un chrétien. Elle était peut-être utilisée comme une patène servant à l'oblation de l'hostie dans la célébration de l'eucharistie, ou réservée à une cérémonie particulière à l'église où elle se trouvait.

A. B.

104

Tesson au bateau

Syrie, fin du XIIe,début du XIIIe siècle

Pâte siliceuse, décor polychrome peint sous glaçure

D. max. 16 cm

Provient des fouilles de Fustât

Le Caire, musée d'Art islamique

5379/25

Exp. : Le Caire, 1969, n° 129, pl. 26b
Bibl. : Wiet, 1930, pl. 66 ; Soustiel, 1985, p. 118
Références : Watson, 1985, p. 72

Ce tesson, découvert à Fustât, appartient au groupe des céramiques ayyoubides à la polychromie la plus développée : au noir s'ajoutent le bleu soutenu, le rouge, allant du brun au rouge vif, le vert plus rarement. En revanche des rapprochements s'opèrent avec les pièces lustrées iraniennes dans le traitement de certains détails. C'est dans le groupe étiqueté « miniaturiste » par O. Watson qu'il faut aller rechercher les comparaisons ; ainsi, les motifs de carreaux qui ornent la voilure sont présents sur de nombreuses pièces du groupe parmi lesquelles une pièce datée de mai 1193 (Watson, p. 72) ; les rayures du vêtement, visibles ici sur l'un des personnages, et le traitement assez sommaire des physionomies appartiennent également au vocabulaire du style « miniaturiste ». Derrière le terme, c'est bien sûr l'art du livre qui se profile ; mais il est difficile d'établir des comparaisons précises avec des « écoles syriennes » dont les contours demeurent particulièrement flous. La pièce se distingue par son iconographie sans parallèle et le prétexte du sujet nous échappe. Tout au plus peut-on se rappeler que le bateau apparaît dans plusieurs chapitres de la grande œuvre littéraire d'al-Harirî (1054-1122), les *Séances* (*Maqâmât*).

S. M.

105

Liber Pactorum

vol. 1 et 2

Traités de commerce entre Venise et la principauté ayyoubide d'Alep

Venise, XIIIe siècle, copie des originaux réalisée au XVIIe siècle

Encre sur papier

24,5 × 35,7 cm

Venise, Archivio di Stato

Reg. 1 et 2

Bibl. : W. Heyd, *Histoire du commerce du Levant au Moyen Âge*, 2 vol., Leipzig 1885-1886, réimp. anastatique, Amsterdam, 1983 ; Cahen, 1940 ; Pozza, 1990 ; Eddé, 1991, p. 165-186 ; Eddé, 1999 ; *Pays d'Islam et monde latin, Xe-XIIIe siècle, Textes et documents*, Collection d'histoire et d'archéologie médiévales, Presses Universitaires de Lyon, 2000, p. 193-201 (trad. française de ces documents)

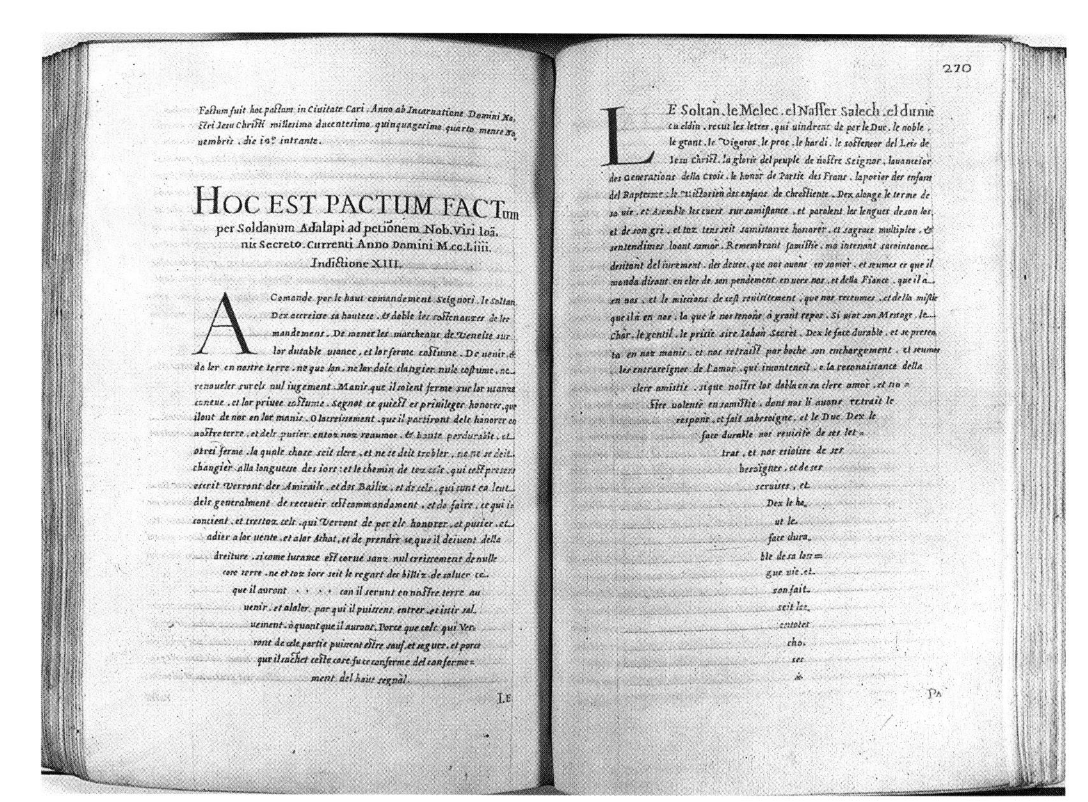

Factum fuit hoc pactum in Ciuitate Cari. Anno ab Incarnatione Domini Nostri Iesu Christi millesimo ducentesimo quinquagesimo quarto mense Nouembris. die io.º intrante.

HOC EST PACTUM FACTum per Soldanum Adalapi ad petionem Nob. Viri Ioãnis Secreto. Currenti Anno Domini M.cc.Liiii. Indictione XIII.

A Comande per le haut comandement Seignori. le Soltan. Dex accreisse sa hautece. & doble les costenances de ses mandement. De menet les marcheant de Veneise sur lor dutable usance. et lor ferme costume. De uenir. & da ler en nostre terre. ne que lon. ne lor doie changier nule costume. ne renoueler sur els nul iugement. Manis que il soient ferme sur lor usance contue. et lor priuee costume. Segnot ce quiest er priuileger honorer. que ilont de nos en lor manis. O lacreisement. que il partiront dele honorer en nostre terre. et dele purier entoz noz reaumes. & hante perdurable. et otrei ferme. la quale chose seit clere. et ne se deit trobler. ne ne se deit changier alla longuesse des iors: et le chemin de toz cele. qui cest present escrit Verront des Amirails. et des Bailix. et de cele. qui sunt en leut dele generalment de receueir cest commandament. et de faire. ce qui i concient. et trettoz cele. qui Verront de per ele honorer. et purier. et adier a lor uente. et a lor Achat. et de prendre ce que il deiuent della dreiture. si come lurance est corue sanz nul creissement de nulle core terre. ne et toz iors seit le regart des billiz de saluer ce que il auront . . . . con il serunt en nostre terre au uenir. et alaler. par qui il puissent entrer. et issir saluement. o quant que il auront. Porce que cele qui Verront de cele partie puissent estre sauf. et segure. et porce que il sachet ceste core fu ce conferme del conferment del haut segnal.

LE

270

LE Soltan. le Melec. el Nasser Salech. el dunie cu eldin. recut les letres. qui uindrent de per le Duc. le noble. le grant. le Vigoros. le pros. le hardi. le sostenor del Leis de Iesu Christ. la glorie del peuple de nostre Seignor. lauanceior des Generations della Croiz. le honor de Partie des Frans. la porior des enfans del Bapteme. le uictorien des enfans de chrestiente. Dex alonge le terme de sa uie. et Asemble les cuers sur samistance. et parolent les lengues de son los. et de son gre. et toz tens seit samistance honorer. et sa grace multiplee. & sentendimes loant samor. Remembrant samistie. ma intenant sacointance desitant del iurement. des deites. que nos auons en samor. et seumes ce que il manda disant en cler de son pendement en uers nos. et della Fiance. que il a en nos. et le missions de cest reuisitement. que nos recumes. et della mistie que il a en nos. la que le nos tenons a grant repos. Si uint son Mesage. le Char. le gentil. le pristie sire Iohan Secret. Dex le face durable. et se presenta en noz manis. et nos retraist par boche son enchargement. et seumes les entraseigner de l'amor. qui imonteneit. e la reconoissance della clere amistie. si que nostre los dobla en sa clere amor. et nostre uolente en samistie. dont nos li auons retrait le respons. et fait sabesoigne. et le Duc Dex le face durable nos reuisite de ses letrat. et nos esioisse de ses besoignes. et de ses seruises. et Dex le haut le face durable de sa longue uie. et son fait seit lez en toles choses &

PA

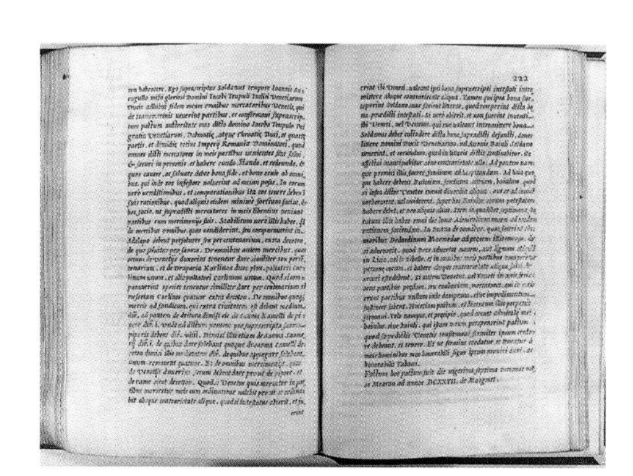

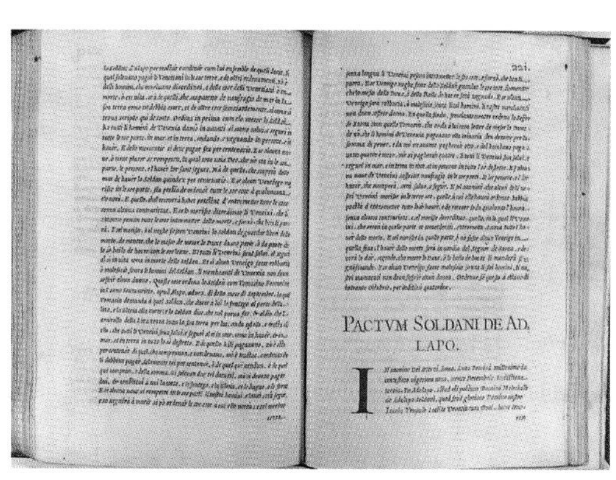

221

PACTVM SOLDANI DE AD. LAPO.

Les premières années du XIIIe siècle furent marquées par un nouvel essor du commerce vénitien en Méditerranée orientale, stimulé par les résultats de la quatrième croisade (1204). Du côté musulman, la reconquête par Saladin des ports de Lattaquié et Djabala, en 1188, permettait désormais à la principauté d'Alep d'avoir une ouverture vers la Méditerranée et de développer ses échanges avec l'Occident. C'est dans ce contexte favorable que furent conclus des traités commerciaux entre Alep et Venise, plusieurs fois renouvelés dans la première moitié du XIIIe siècle. Ces accords ne nous sont connus que dans leur version occidentale. Ils sont, en effet, conservés dans les volumes I et II du *Liber Pactorum*, recueil des accords conclus par Venise, rédigé dans les bureaux de la chancellerie du doge au XIIIe siècle. Des copies de ces deux volumes furent exécutées au XVIIe siècle. Souvent confondues avec les originaux, elles furent envoyées de Venise à Milan puis à Vienne avant d'être restituées aux Archives de Venise en 1919.

Six documents concernant les relations commerciales entre Venise et la principauté alépine ont ainsi survécu, traduits de l'arabe en latin, vénitien ou ancien français. Le premier est un traité signé en 604 H / 1207-1208 entre le fils de Saladin, al-Malik al-Zâhir Ghâzî (1193-1216) et l'ambassadeur Pietro Marignoni, représentant du doge Pietro Ziani (1205-1229). Le deuxième est une relation de l'ambassade vénitienne de 1225 qui aboutit à la conclusion d'un nouveau traité avec al-Malik al-'Azîz (1216-1236) et de deux autres accords avec les émirs de Lattaquié et de la forteresse de Sahyûn (Saône), disposant alors d'assez d'autonomie pour traiter directement avec les Italiens. Deux autres documents contiennent les traités renouvelés, en 1229, avec l'émir de Sahyûn et le sultan d'Alep. Enfin, en 1254, une confirmation des privilèges accordés antérieurement est accompagnée d'une lettre du sultan al-Nâsir Yûsuf (1236-1260) au doge de Venise.

Il apparaît, à travers ces textes, que les Vénitiens vendaient à Alep des draps, du cuivre, de l'argent et des pierres précieuses. Ils achetaient principalement du coton et du poivre. Les privilèges qui leur furent consentis concernaient surtout un abaissement des droits de douane et de péage, la protection des personnes et des biens (notamment l'inviolabilité de leur fortune en cas de décès ou de naufrage), la mise à leur disposition d'un *funduq* (*fondaco*), d'un bain et d'une église. À partir de 1225, ils disposèrent de leur propre justice pour leurs affaires internes et, en 1229, ils se firent représenter par deux baillis, l'un à Alep et l'autre à Lattaquié. Dès 1207, ils purent aussi, avec l'argent qu'ils apportaient directement à l'Hôtel de la Monnaie, faire frapper des dirhams au nom du sultan.

A.-M. E.

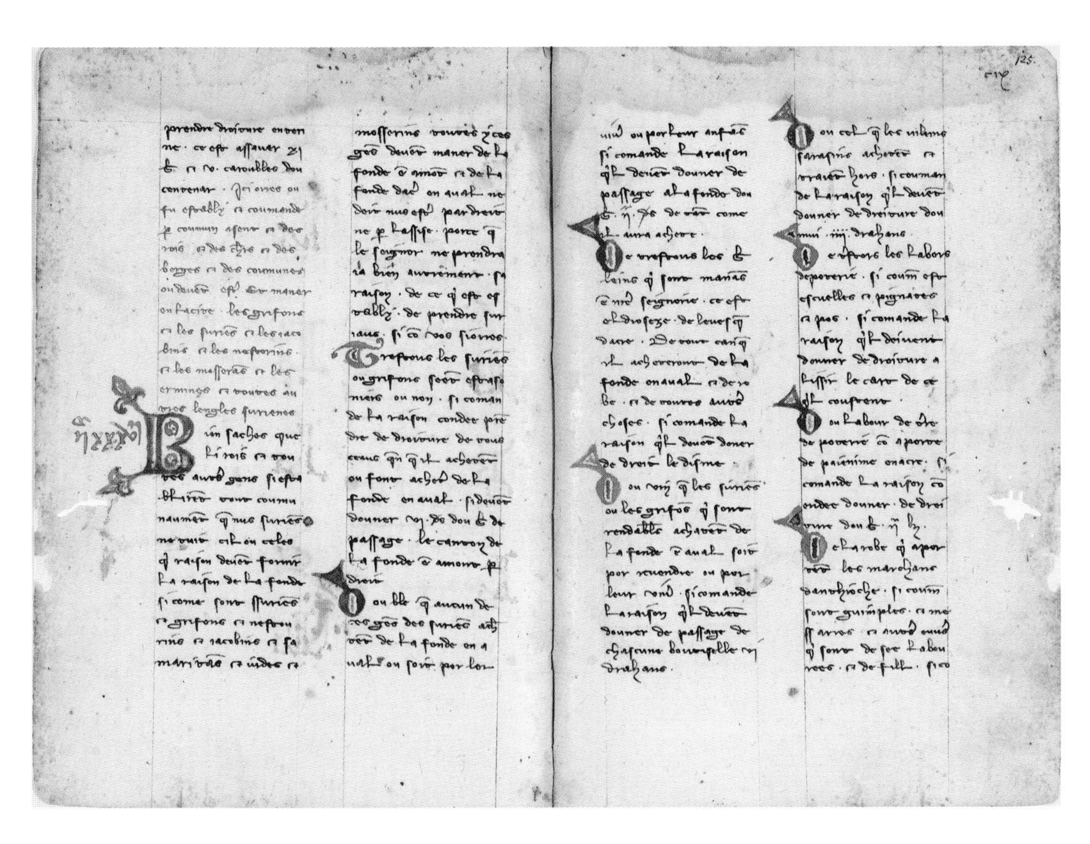

106

Tarif douanier de la ville d'Acre, extrait du *Livre des Assises de la cour des Bourgeois*

Chypre, XIVe siècle

Encre, gouache et or sur papier, 206 f.

27 × 29 cm

Munich, Bayerische Staatsbibliothek

Cod. gall. 51

Bibl. : Édition du *Livre des Assises de la cour des Bourgeois* (en ancien français) par M. le Comte Beugnot, *Recueil des historiens des Croisades, Lois*, II, Paris, 1849 ; J. Richard, « Colonies marchandes privilégiées et marché seigneurial. La fonde d'Acre et ses droitures », *Le Moyen Âge*, 59, 1953, p. 325-340, rééd. dans *Orient et Occident au Moyen Âge : Contacts et relations (XIIe-XVe siècles)*, Variorum Reprints, Londres, 1976 et *Histoire des croisades*, Paris, 1996 ; J. Prawer, *Crusader Institutions*, Oxford, 1981 ; D. Jacoby, « The *Fonde* of Crusader Acre and Its Tariff : some New Considerations », dans *Dei gesta per Francos. Études sur les croisades dédiées à Jean Richard*, éd. M. Balard, B. Z. Kedar, J. Riley-Smith, Aldershot, 2001, p. 277-293

Le *Livre des Assises de la cour des Bourgeois* est un recueil de droit coutumier, rédigé à Acre, au milieu du XIIIe siècle, fondé sur un recueil de lois provençales de la première moitié du XIIe siècle (*Lo Codi*) et adapté aux conditions locales. C'est un témoin précieux de la pratique judiciaire et du droit selon lequel étaient régis les bourgeois du royaume au XIIIe siècle.

À l'intérieur de cet ouvrage, aux chapitres 237/242 et 238/243, se trouve une liste des taxes levées au profit du roi sur le marché d'Acre aux environs de 1245-1250. Les marchandises importées ne sont pas toujours différenciées de celles qui sont exportées, mais il est possible, en complétant cette liste par d'autres documents, de retracer l'origine de bon nombre de ces produits. De « païenime », c'est-à-dire des pays musulmans, arrivaient des marchandises en provenance d'Extrême-Orient et d'Arabie telles que les épices, l'encens, les drogues médicinales, mais aussi, d'Iraq, de Syrie et d'Égypte, les parfums, les soieries et tissus de différentes sortes, les produits tinctoriaux, le coton, l'ivoire, les céramiques, le poisson salé et le sucre. La production du royaume d'Acre était représentée par des souliers, des poteries, du sel, du sucre, des légumes, des fruits, des olives et de l'huile. D'Occident arrivaient du blé, du vin, des fruits secs, du porc salé, des draps de Flandre et de Champagne, du chanvre, du cuivre, du fer, des selles de cheval. Ces produits étaient soit vendus sur place, soit réexportés vers les pays musulmans.

La perception des taxes et les transactions commerciales s'effectuaient dans la *fonde* royale d'Acre, vaste terrain occupé par des rues bordées de boutiques et d'entrepôts. C'est là que débarqua en 1184 l'Andalou Ibn Jubayr, qui fit le voyage entre Damas et Acre dans une caravane de marchands. Dans sa *Relation de voyage* (*Rihla*), il mentionne deux riches marchands de Damas qui avaient des agents sur toute la côte des États francs et dont les caravanes traversaient les frontières sans encombre.

A.-M. E.

107

Tesson à décor végétal

Égypte ou Syrie, première moitié du XIIIe siècle

Pâte siliceuse, décor bichrome peint sous glaçure

D. 13 cm

Provient des fouilles de Fustât

Le Caire, musée d'Art islamique

5377/34

108

Tesson à inscription koufique

Égypte ou Syrie, fin du XIIe, début du XIIIe siècle

Pâte siliceuse, décor bichrome peint sous glaçure

D. 13 cm

Provient des fouilles de Fustât

Le Caire, musée d'Art islamique

5886

109

Tesson à décor végétal

Égypte ou Syrie, fin du XIIe, début du XIIIe siècle

Pâte siliceuse, décor polychrome peint sous glaçure

D. 14 cm

Provient des fouilles de Fustât

Le Caire, musée d'Art islamique

5377/38

110

Tesson à inscription cursive

Égypte ou Syrie, première moitié du XIIIe siècle

Pâte siliceuse, décor bichrome peint sous glaçure

D. 10 cm

Provient des fouilles de Fustât

Le Caire, musée d'Art islamique

5911

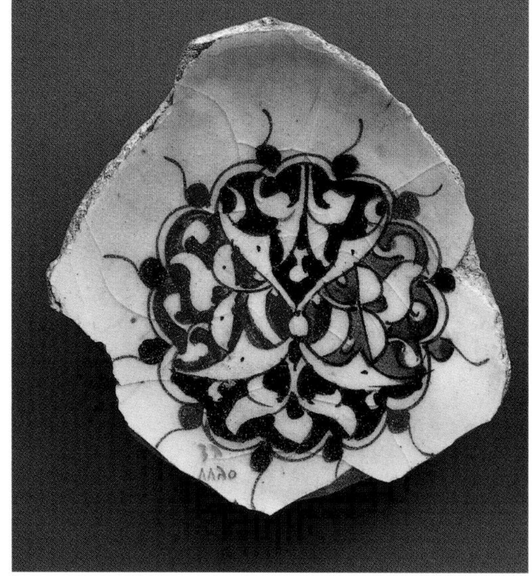
107

108

109

110

L'inscription *'izz da'im* signifie « gloire durable ».

111

Tesson aux trois lièvres

Égypte ou Syrie, fin du XIIe, début du XIIIe siècle

Pâte siliceuse, décor polychrome peint sous glaçure

D. 9 cm

Le Caire, musée d'Art islamique
6939/1

Bibl. : Baer, 1983, p. 332, n° 114 ; Baltrusaitis, 1981, p. 132-134

Le thème des lièvres aux oreilles communes, formant un triscèle ou une ronde à quatre animaux, apparaît dès le Xe siècle en Asie centrale (grotte de Touenhouang). Répandu dans le monde islamique sur le décor des métaux, son emploi est singulier sur la céramique. Par la suite, le motif, sans doute transmis par le biais d'objets portatifs, continue sa course et se retrouve, sculpté, aux piédroits de plusieurs portails d'églises gothiques (Lyon).

S. M.

112

Linteau de porte

Égypte, Ier Rabi 594 / janvier - février 1198

Bois, traces de peintures, décor gravé

L. 210 ; H. 32 cm

Le Caire, musée d'Art islamique
484

Bibl. : Van Berchem, *C.I.A.*, *Égypte*, III, n° 459 ; David-Weill, 1931, p. 14, n° 484, pl. XXI (avec bibliographie)

L'inscription relate la construction d'une « porte » neuve dans un caravansérail à Desuk en Basse-Égypte. L'édifice a été fondé, sous le règne de Saladin, comme *waqf* ou bien de main morte ; ses revenus servaient à l'entretien d'un lieu de retraite pour mystiques, une *qaysariyya* au Caire, connu sous le nom de Dâr Sa'îd al-Su'adâ'. Une communauté de soufis non arabes y logeait. On voit apparaître ici l'institution du *waqf*, un système d'immobilisation de capitaux sous forme de terres ou d'institutions dont les rentes permettaient de payer l'entretien d'un édifice pieux, ses frais de personnel, etc. Ce système connaîtra un développement sans précédent sous les Mamlouks. C'est le sultan al-Malik al-'Azîz 'Uthmân (1193-1198), qui ne régna que sur l'Égypte, qui ordonna que soient effectués les travaux. Le sultan a « commandé cette porte neuve et une ouverture (*fath*) d'heureux augure ». L'emploi du mot *fath* dans les textes de construction est rare et il faut plutôt le comprendre ici dans son sens de « conquête » ; il s'agit probablement d'un jeu de mot faisant allusion à son intervention pour mettre en échec le siège du château de Tibnin par les Francs. Le terme d'« heureux augure » indique que l'inscription est propitiatoire ; l'affaire ne sera d'ailleurs réglée qu'après le retour précipité du sultan au Caire où se fomente un complot. L'écriture est une forme de transition entre le koufique et la cursive, cette dernière sera très employée à partir du XIIIe siècle. Ce type de graphie apparaît probablement une vingtaine d'années auparavant.

S. M.

L'art ayyoubide

Le métal ayyoubide

ANNABELLE COLLINET

La céramique ayyoubide

SOPHIE MAKARIOU
ET ALASTAIR NORTHEDGE

L'art du verre sous les Ayyoubides et les premiers décors émaillés et dorés

STEFANO CARBONI

Gourde, Syrie, vers 1250. La Nativité, la Présentation au Temple et l'Entrée du Christ à Jérusalem sont complétées, au centre, par une Vierge à l'Enfant.
Freer Gallery of Art, Smithsonian Collections Purchase, Washington D.C. ; photo du musée.

Le métal ayyoubide

ANNABELLE COLLINET

Au sein de la production artistique de l'époque ayyoubide, l'art du métal occupe une place particulière à plus d'un égard. La première moitié du XIIIe siècle est en effet l'une des plus fastes périodes du métal islamique au Proche-Orient. Les objets conservés, relativement nombreux bien que de qualité diverse, sont les représentants d'un art souvent luxueux, fort varié et très novateur. Par bien des aspects, ils ouvrent la voie au riche et ostentatoire art du métal mamlouk (1250-1517). La dynastie fatimide (969-1171) qui, en Égypte et en Syrie, précède celle des Ayyoubides n'a pas livré une telle production métallique : les objets du Xe-XIIe siècle n'offrent pas cette diversité formelle et iconographique qui caractérise le siècle suivant. L'ivoire, la céramique et surtout le cristal de roche composaient alors les supports privilégiés de la création artistique de luxe. Les cercles liés au pouvoir ou les membres aisés de la société de l'époque ont investi ces matériaux plus que le métal. Il semble qu'à l'époque ayyoubide, au contraire, les œuvres métalliques aient acquis une importance nouvelle.

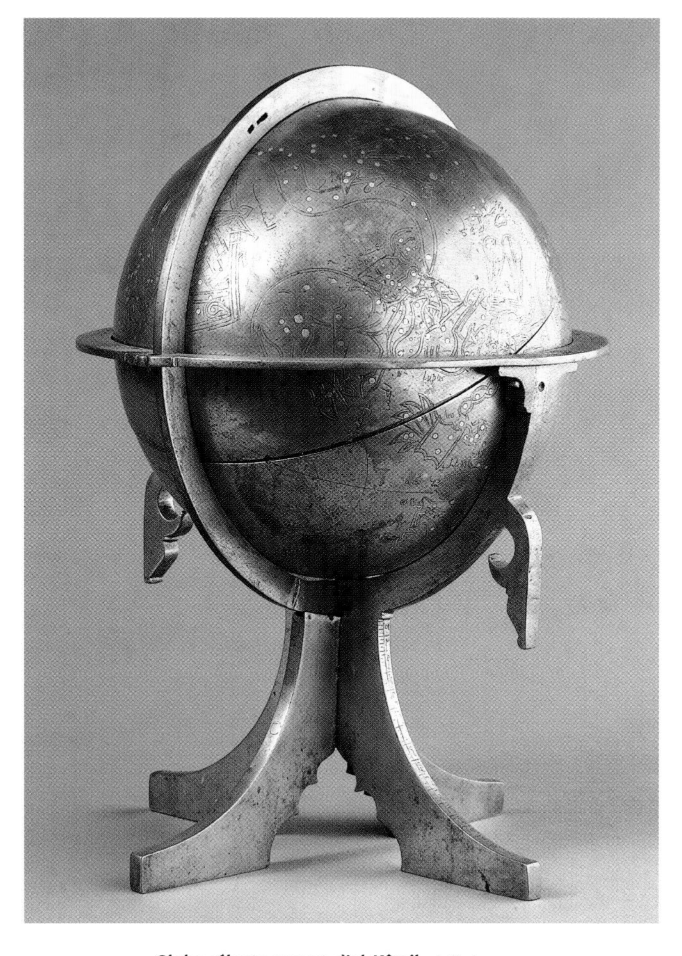

Globe céleste au nom d'al-Kâmil, daté de 1225.
Naples, Museo di Capodimonte ; photo © Luciano Pedicini/ Archivio dell'Arte.

Signature du décorateur Husayn ibn Muhammad « de Mossoul »
à la base du col de l'aiguière du sultan al-Nâsir Salâh al-Dîn Yûsuf (cat. 123).
Photo Ali Meyer

La première innovation du métal ayyoubide relève de la technique : si les métaux fatimides sont généralement moulés et ornés de décors gravés, ceux de l'époque ayyoubide sont souvent incrustés de métaux précieux. Les incrustations d'argent, parfois d'or et de cuivre rouge, se sont développées dans le monde iranien à compter du XIIe siècle. Elles parviennent peu après au Proche-Orient, peut-être grâce au déplacement des artistes et au commerce des objets. Ces incrustations modifient fortement l'aspect des œuvres et permettent d'en faire de véritables créations picturales. Elles se détachent sur le fond des alliages, de couleur jaune doré, et font scintiller les surfaces. Des pâtes noires, fréquemment associées aux plaques et filets incrustés, ajoutent une tonalité supplémentaire. Elles absorbent la lumière, faisant ainsi ressortir les motifs et les métaux de diverses couleurs.

Ces incrustations précieuses font de certains métaux ayyoubides de véritables objets de luxe. Leurs destinataires parfois princiers, la place prise par les artistes, comme la riche iconographie des œuvres, suggèrent également un fort changement par rapport à la période fatimide. Le métal ne se transforme pas seulement en un espace pictural : il devient un support pour l'écriture arabe, souvent à la gloire du prince, mais aussi pour la reconnaissance de l'artiste. Ces inscriptions accentuent le prestige des œuvres les plus luxueuses dont certaines ont été commandées par des sultans ou leur ont été offertes. Ces œuvres, parfois identifiées par les inscriptions, sont issues de plusieurs centres de production. Les artistes qui ornaient ces métaux étaient probablement influencés par diverses sources, à chercher du côté de l'Iraq où la production des dinandiers et des illustrateurs est à la même époque fort riche. Enfin, l'iconographie chrétienne, présente sur certaines pièces, illustre les échanges entre communautés musulmane et chrétienne à cette époque marquée par les royaumes francs d'Orient.

Les métaux princiers

La plupart des métaux ayyoubides conservés sont non datés et anonymes. Une quinzaine d'objets nomment un sultan de la dynastie. Comme ceux qui portent une date, ce ne sont pas des productions destinées au marché : ils

Aiguière et bassin signés par ʿAlî ibn ʿAbdallâh al-Mawsilî,
Syrie ou Jezireh, vers 1220-1240.
Berlin, Staatliche Museen zu Berlin, Preussischer Kulturbesitz, Museum für Islamische Kunst ; photo Museum für Islamische Kunst / J. Liepe.

demeurent exceptionnels et relèvent de commandes spécifiques. Les métaux aux noms de sultans sont peut-être des cadeaux faits au souverain, ou des commandes personnelles[1]. Ils faisaient partie du « cellier » des sultans et certains se transmettaient de main en main dans le cercle du pouvoir. Le vase « Barberini » (cat. 41) réalisé pour le dernier sultan ayyoubide d'Alep est ainsi passé en possession de son ancien serviteur et successeur au pouvoir, le sultan mamlouk Baybars (1260-1277)[2]. On ne connaît pas d'objet métallique mobilier au nom des premiers souverains ayyoubides. Les premiers métaux conservés portant des titulatures princières ayyoubides appartiennent au long règne d'al-Kâmil (1218-1238). Un globe céleste, et un plateau aujourd'hui non localisé, sont inscrits au nom du sultan[3]. L'absence d'indices antérieurs à son règne fausse peut-être notre perception de ce qu'on pourrait qualifier d'investissement princier de ce matériau. Il est cependant possible que l'époque d'al-Kâmil ait marqué un changement majeur dans la commande princière. De cette période sont ainsi conservés une pyxide au nom du sultan d'Alep al-Malik al-ʿAzîz (1216-1236) (cat. 43) et un bassin réalisé pour le prince de Baalbek al-Malik al-Amjad Bahrâm Shâh[4]. Mais c'est à compter du court règne d'al-ʿÂdil II (1238-1240) que le nombre de métaux destinés aux sultans semble augmenter. Trois objets à son nom, dont deux sont présentés ici (cat. 42, 118), nous sont parvenus. En Égypte, le règne d'al-Malik al-Sâlih Najm al-Dîn Ayyûb (1239-1249) est marqué comme celui de son prédécesseur, par une production métallique qui atteint alors une incontestable apogée. Quatre œuvres à son nom subsistent (cat. 119, 120). Al-Malik al-Nâsir Salâh al-Dîn Yûsuf (1237-1260), qui régna à Damas, était le destinataire du célèbre vase « Barberini » et d'une aiguière (cat. 41, 125). Enfin, le nom du sultan de Karak al-Malik al-Mughîth ʿUmar (mort en 1264) apparaît sur un plateau du musée du Caire[5]. Les métaux princiers ayyoubides s'inscrivent principalement entre les années 1220-1250, période à laquelle appartient la plupart des pièces signées et/ou datées.

Les centres de production et les artistes

Les métaux à destination des sultans ayyoubides proviennent probablement d'Iraq et de Syrie[6]. Le centre de Mossoul en Jezireh devait être l'un des principaux lieux de production de métaux incrustés durant la première[7] moitié du XIIIe siècle. Aux côtés de rares sources textuelles, deux objets en attestent (cat. 124). Cinq autres œuvres, réalisées pour l'*atabeg* de Mossoul Badr al-Dîn Lu'lû (1224-1259), y ont certainement aussi été réalisées. Le style créé dans ce centre, caractérisé par l'importance des incrustations et par une iconographie riche et très picturale, essaime au Proche-Orient. Formés à Mossoul ou se réclamant de « l'école » qui en est issue, les graveurs de métaux connus grâce à leur signature ajoutent à la suite de leur nom la mention *al-Mawsilî*, « de Mossoul ». Comme le montrent de rares objets, ces artistes ne travaillaient pas uniquement dans cette ville mais aussi au cœur des territoires ayyoubides. La ville de Damas est le seul centre de production syrien attesté par quelques métaux (cat. 123, 125) signés par des artistes « de Mossoul ». Il est possible que la ville d'Alep (cat. 43) ait aussi abrité des ateliers de production. Quelques textes témoignent en outre des déplacements d'artistes de Mossoul en Égypte, en Syrie, en Anatolie et en Iran[8]. Ces migrations d'artistes s'expliquent probablement par des

Bassin « d'Arenberg » au nom d'al-Sâlih Najm al-Dîn Ayyûb,
Syrie, vers 1240.
Freer Gallery of Art, Smithsonian Collections Purchase, Washington D.C. ; photo du musée.

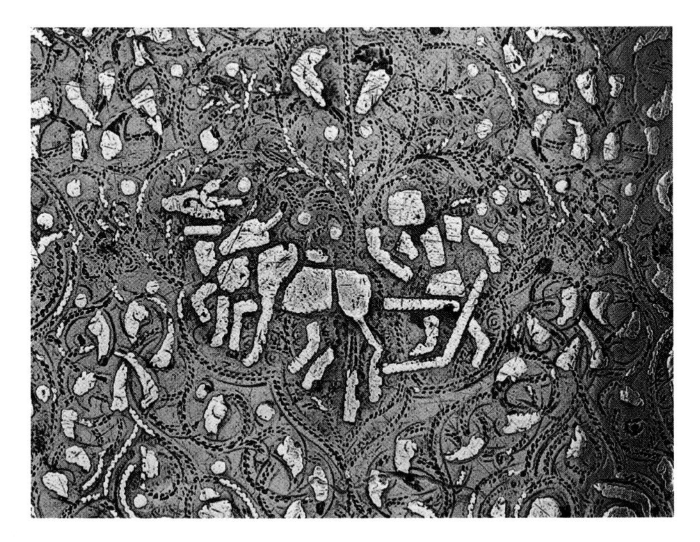

Détail d'une scène de labour,
aiguière, signée par Ahmad al-Dhakî, Syrie, 1223 **(cat. 113)**.
Photo © The Cleveland Museum of Art, John L. Severance Fund, 1956.11

changements de régime et le déplacement des cours princières. Les divers centres ayyoubides de Syrie et d'Égypte ont probablement attiré des artistes à la recherche d'une riche clientèle. Après l'extinction de la dynastie ayyoubide, la mention « de Mossoul » ne disparaît pas des signatures d'artistes. Certains exercent au Caire, passé sous domination mamlouke, tandis que d'autres ont émigré en Iran occidental[9].

Ces artistes travaillaient dans des ateliers dirigés par des maîtres. Comme la céramique, l'art du métal est souvent familial, et enseigné de père en fils et de maître à élève. Cette organisation de l'atelier n'est que très partiellement connue, car seules les informations contenues dans les signatures la dévoile succinctement (cat. 122). Le nombre d'objets ayyoubides signés est relativement important. Cette présence nouvelle de l'artiste, très caractéristique de cette période, révèle probablement un statut qui ne lui était pas accordé auparavant. L'un des mieux connus du XIIIe siècle reste al-Dhakî « de Mossoul » (cat. 42, 101, 113), qui forma au moins deux élèves (cat. 115) dont les œuvres conservées montrent combien ils ont assimilé le talent de leur maître. L'œuvre d'al-Dhakî, par les quelques métaux qui nous sont parvenus, est l'un des plus beaux exemples de la diversité iconographique qui caractérise aussi l'art du métal ayyoubide.

Le métal ayyoubide, un art pictural

Tous les métaux ayyoubides qui sont conservés ne sont pas richement ornés de scènes figurées ou d'inscriptions arabes, mais une partie de la production commerciale (cat. 116, 117) montre cependant des thèmes iconographiques variés. Les métaux plus luxueux, parfois signés, offrent des décors plus complexes et fort divers (cat. 122, 124). Ils présentent des mises en page souvent foisonnantes où voisinent des sujets aussi vivants que nombreux. L'une des grandes innovations des décorateurs « de Mossoul » réside dans l'intégration de thèmes inédits dans l'art du métal, mais que l'on retrouve dans la peinture arabe contemporaine. Les travaux agricoles liés aux mois viennent ainsi enrichir les décors, s'ajoutant à des scènes plus traditionnelles dans le métal islamique. L'iconographie liée aux divertissements princiers, tels la chasse (cat. 116) et le jeu de polo (cat. 41), le banquet (cat. 121), les spectacles d'acrobatie (cat. 114) et de danse (cat. 43), mais aussi le

Coupe « de Fano »
Coupe : Syrie, fin du XIIe siècle, début du XIIIe siècle ;
pied : Égypte ou Syrie, XIVe siècle (voir aussi **cat. 118**).
Paris, Bibliothèque nationale de France, cabinet des Médailles ; photo BNF.

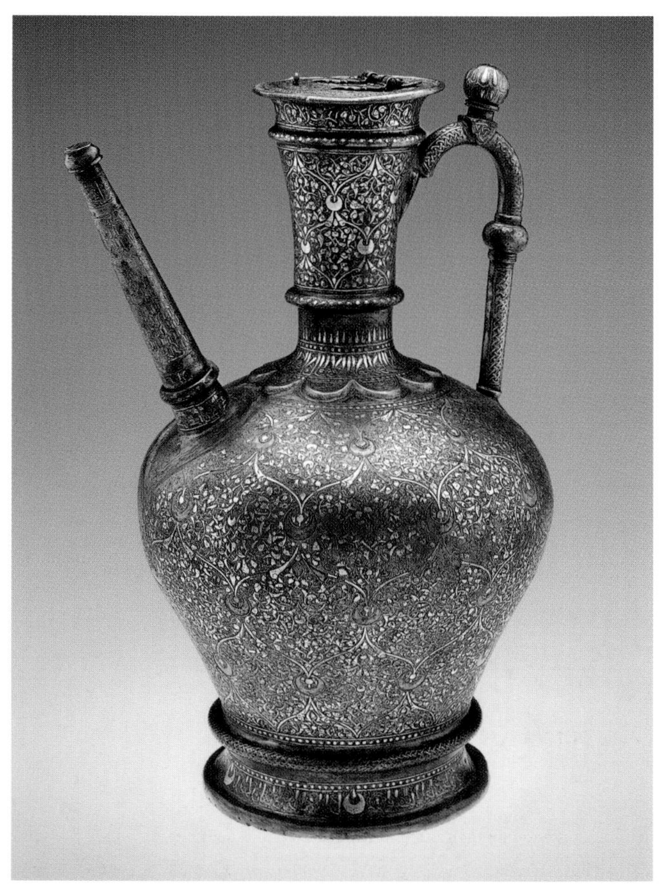

Aiguière au nom d'un officier de sultan d'Alep al- 'Azîz,
signée par Qasim ibn 'Alî, Syrie, 1232.
Freer Gallery of Art, Smithsonian Collections Purchase, Washington D.C. ; photo du musée.

zodiaque (cat. 126), étaient connus en Islam avant la période ayyoubide, en particulier en Iran. Mais les artistes du XIIIe siècle renouvellent ces thèmes et leur apportent une vivacité, un sens de l'observation et parfois un humour nouveaux. Il est fort possible que les graveurs aient disposé de livres de modèles dont ils s'inspiraient. Bien des scènes figurées sur le métal évoquent des miniatures. Les styles de représentation, le rendu des modelés et de la profondeur répondent en outre à des conventions similaires.

Sur certains objets (cat. 99), des thèmes chrétiens s'ajoutent à des sujets proprement islamiques ou en constituent l'unique décor. Il semble que ce soit l'apport des communautés chrétiennes orientales qui ait été prédominant dans la formation de cette iconographie. Dix-huit métaux, ornés de représentations de clercs et de saints en frises sous des arcades (cat. 98), ou de scènes de la vie du Christ, sont conservés. Certains appartenaient à des sultans (cat. 120) ; d'autres, moins luxueux, devaient être vendus sur le marché ou destinés à des chrétiens d'Orient (cat. 96). Issus de sources diverses, essentiellement syriaques et byzantines, ces sujets sont transformés par les artistes, pour certains, musulmans, et parfois inspirés de thèmes liés au souverain. Dans bien des exemples, l'identification d'une scène particulière, qu'elle soit liturgique ou empruntée au cycle de la vie du Christ (cat. 97), est rendue difficile par les incompréhensions de l'iconographie qui a servi de modèle. La figure du prince trônant et surmonté de génies ailés porteurs d'un dais que l'on trouve dans des scènes chrétiennes se retrouve également dans la miniature islamique contemporaine comme dans le métal. Il est possible que les sujets chrétiens soient des symboles d'affirmation du pouvoir ayyoubide sur les communautés chrétiennes. Ils seraient une sorte de version imagée des titulatures princières qui exaltaient la suzeraineté du sultan[10]. Ces œuvres sont aussi l'indice des échanges commerciaux et diplomatiques, connus par les textes, entre pouvoirs chrétiens d'Orient ou d'Occident et terres ayyoubides. On sait qu'en 1228, le sultan al-Kâmil offrit à Frédéric II de somptueux cadeaux[11]. Peut-être de luxueux métaux incrustés en faisaient-ils partie ?

1. Blair, 1998, p. 121.
2. Comme le suggère une inscription gravée au fond du vase, qui donne le titre honorifique de Baybars, al-Malik al-Zâhir.
3. Wiet, 1932, p. 70, et p. 172, app. n° 47. Le plateau aurait appartenu au collectionneur parisien A. Goupil. Il n'est pas identifiable dans le catalogue de la vente publique de sa collection à Paris en 1888. En 1907, G. Migeon écrit que ce plateau, signalé par Lavoix en 1885, n'a pu être retrouvé.
4. Wiet, 1932, p. 65, p. 171, app. n° 43. Le bassin appartenait à la collection Harari au Caire et est actuellement au musée du Caire, Rice, 1957, p. 311, 319.
5. Wiet, 1932, p. 70, 141-142, et, p. 185, app. n° 79.
6. Ward, 1993.
7. L'inscription cursive à l'intérieur du couvercle de l'écritoire de la David Collection (inv. 6/1997) précise : « Cette écritoire a été faite à Mossoul, la protégée, en l'an 653... Gravée par 'Alî ibn Yahya al-Mawsiilî cette même année ». Von Folsach, 2001, n° 506, p. 317.
8. Ainsi le géographe Ibn Sa'id au milieu du XIIIe siècle, cité par Rice, 1957.
9. Le chandelier de Muhammad ibn Hassân « de Mossoul », 1269, fait au Caire (Le Caire, musée d'Art islamique, inv. 1657), le globe céleste de Muhammad ibn Hilâl al-Mun'âjjim « de Mossoul » (Londres, British Museum, inv. n° 71.3.1.) et les œuvres de 'Alî ibn Hammud « de Mossoul » (Téhéran, musée du Gulistan).
10. Baer, 1989, p. 42.
11. Baer, 1989, p. 44.

La céramique ayyoubide

SOPHIE MAKARIOU ET ALASTAIR NORTHEDGE

L'évolution des techniques en matière de céramique et de typologies n'obéit pas nécessairement aux changements dynastiques, car en Islam les ateliers étaient indépendants de l'État, et vendaient leurs produits en fonction des besoins du marché. Il n'existe qu'un objet de céramique, provenant du Levant ou d'Égypte, qui porte une inscription qui permettrait une attribution à la dynastie ayyoubide : un vase au nom d'al-Malik al-Mujâhid Shîrkûh II, souverain de Homs entre 1186 et 1236, offre le seul repère chronologique fiable. L'objet a été découvert à Raqqa ; inachevé, il était destiné à recevoir un décor lustré[1].

L'identification des productions ayyoubides

La céramique du milieu du XIIe jusqu'au milieu du XIIIe siècle en Syrie est « un domaine grandement négligé de l'histoire de la céramique dans l'Orient arabe[2] ». Elle n'en constitue pas moins un grand moment de l'histoire de la céramique islamique et elle pose des problèmes complexes. À l'origine, elle hérite de plusieurs éléments : une pâte siliceuse mise au point dès le XIIe siècle que l'on rencontre déjà localement dans la production lustrée dite « de Tell Minis » ; un décor de lustre métallique, employé dès le IXe siècle, sur un support de céramique ; l'usage d'une glaçure transparente, colorée ou pas, et parfois associée à un décor gravé.

Elle est également riche d'innovations techniques : la maîtrise, pour la première fois, d'un décor peint sous glaçure où apparaît de façon spectaculaire le rouge, couleur d'une cuisson délicate, sous la forme d'un engobe riche en oxyde de fer, le « bol d'Arménie[3] » ; le décor dit « lakabi » dont les cloisons isolent les glaçures colorées les unes des autres.

Curieusement, alors que la technique du verre émaillé apparaît en Syrie entre 1180 et 1210 (cat. 198), le décor de céramique technologiquement le plus proche, la céramique « de petit feu », pratiquée en Iran, ne sera jamais connu en Syrie.

Provenance et datation

L'étude de la production céramique ayyoubide est rendue difficile encore par la relative maigreur d'informations apportées par les fouilles ; l'état de nos connaissances sur la stratigraphie du site de Raqqa, dont l'étiquette est si abusivement employée, l'illustre tristement. Demeure le témoignage écrit de Jean Sauvaget, et une photographie qu'il livra d'un four découvert par E. de Lorey, sans cependant que la production associée à ce four nous soit connue[4].

Au nord de la Syrie, plusieurs missions archéologiques ont concentré leurs efforts sur les problèmes liés à cette période, comme les missions françaises de Balis-Meskeneh et de Mayadine sur l'Euphrate, ou la mission britannique de Ana en Iraq, où on trouve de la céramique syrienne ainsi que du matériel irakien. On peut encore évoquer la mission conduite par Oleg Grabar à Qasr al-Hayr al-Sharqî et l'expédition danoise à la citadelle de Hama dans les années 1935-38.

En ce qui concerne la céramique fine, il existe, avant la période qui nous concerne, une tradition de pâte siliceuse. Elle est connue sous le nom de « Tell Minis », petite ville de Syrie du Nord, où a été trouvée une cache importante, mais qui ne correspond peut-être pas au site de production. La céramique de « Tell Minis » emploie une pâte siliceuse dure et blanche. Les formes se composent principalement de bols coniques, de bols hémisphériques à bord plat évasé et de coupes hémisphériques — ces trois types montés sur un pied annulaire. Dans une première phase le décor est plutôt gravé sous une glaçure monochrome, colorée en bleu de cobalt, en gris-vert, ou en bleu-vert à base d'oxyde de cuivre. Une deuxième phase voit l'emploi d'une glaçure servant de base à un décor de lustre métallique. Les motifs se composent d'arabesques, mais aussi d'un répertoire figuré : sphinx, harpie, « prince ».

La pâte siliceuse n'était employée que dans un nombre limité d'ateliers de production de céramique fine, utilisée pour les pièces de présentation et de table. Pour d'autres besoins, l'emploi d'une pâte argileuse traditionnelle se poursuivait.

Tesson aux paons,
Syrie, fin du XIIe, début du XIIIe siècle, céramique à décor polychrome peint sous glaçure.
Paris, musée du Louvre, section Islam ; photo Philippe Maillard.

Tesson de céramique, détail du dessin sous-jacent,
décor polychrome peint sous glaçure, Syrie, fin du XIIe, début du XIIIe siècle,
Paris, musée du Louvre, section Islam ; photo Philippe Maillard.

Les fouilles anglaises de Ana,
une petite île sur l'Euphrate en Iraq,
ont livré du matériel céramique d'époque ayyoubide.
Photo Alastair Northedge, 1981.

Grande coupe à aile droite,
Syrie, second quart du XIIIe siècle.
Paris, musée du Louvre, section Islam ; photo Philippe Maillard.

Coupe à décor de petit feu,
datée 583H / 1187, Iran.
Los Angeles, Los Angeles County Museum of Art ; photo du musée.

Carreaux de revêtement, palais seljoukide de Kubâdâbâd (Anatolie),
premier tiers du XIIIe siècle, décor peint sous glaçure
Konya, musée Karatay ; photo © Artephot/ T. Lafranchis.

Les rapports entre Iran et Syrie

Pour proposer une chronologie relative, il faut donc tourner ailleurs ses regards, vers des pièces datées iraniennes, sur la base de rapprochements stylistiques. Les céramiques « de petit feu » iraniennes sont contemporaines du développement de l'émaillerie sur verre en Syrie[5]. Il est frappant qu'une telle similitude et une semblable concomitance des techniques n'aient pas abouti à un transfert technologique entre les deux matériaux, que ce soit en Iran ou en Syrie.

Le dialogue entre céramiques syriennes et iraniennes est étroit et mérite d'être envisagé sans les a priori qui ont souvent amené à donner aux productions syriennes une place de second rang. Il semble que l'on assiste dans les années 1180 à un épanouissement de la céramique syrienne et iranienne sans que l'on puisse accorder la primeur à l'un ou l'autre monde.

Les pièces syriennes à décor peint sous glaçure offrent de nombreuses similitudes avec les céramiques iraniennes ainsi qu'avec les pièces de provenance anatolienne. La ville-palais de Kubâdâbâd, sur la rive occidentale du lac de Beysehir à cent kilomètres environ de Konya fut édifiée pour le sultan seljoukide d'Anatolie Ala al-Dîn Kayqubâdh Ier (1219-1237)[6]. En 1965-1966 les fouilles ont livré de nombreux carreaux de revêtement provenant de deux palais. Leur décor polychrome peint sous glaçure en bleu et noir est dépourvu du rouge syrien. Le recours à des éléments stylistiques et formels identiques (fréquente disposition du motif en diagonale, emploi de la réserve, tiges à petites feuilles, cyprès, lotus…) et un répertoire largement commun à celui de la céramique syrienne (personnages, faune réelle et bestiaire fantastique) permettent de suggérer la possibilité d'un atelier syrien itinérant[7].

Les rapprochements sont tout aussi frappants avec les pièces réalisées en Iran suivant la technique du petit feu, permettant une gamme de couleurs plus variée que celle des céramiques syriennes. Elles sont liées par une parenté formelle : on y retrouve entre autres les cyprès à damiers, le bestiaire fantastique ou les thèmes cynégétiques, l'emploi de la réserve autour des motifs et, sur l'aile, sur un fond contrasté, un motif pseudo-épigraphique répétitif fait d'un groupe de globules entre des hampes redoublées (cat. 56, 164). Ces traits apparaissent sur quelques pièces de petit feu, datées des années 1180. Cependant l'extrême liberté de trait des pièces ayyoubides peintes sous glaçure est d'une saveur et d'un dynamisme sans comparaison. La production syrienne se place à mi-chemin entre une production iranienne, dont elle n'adopte ni la technique ni « l'écriture », et une fabrication « anatolienne » qui semble être fille des ateliers syriens. Ceci corrobore d'ailleurs l'unique élément de datation objectif de la production syrienne, le vase au nom de Shîrkûh.

De nombreux sites de fabrication sont localisés dans le nord de la Syrie. Cependant, comme cela a déjà été dit, la connaissance de ces sites reste décevante. En outre on appréhende plus mal encore une production égyptienne. Bien sûr les tessons de céramique ayyoubide peints sous glaçure sont présents au Caire, Fr. R. Martin y collecta également des ratés de cuisson, pièces de rebuts qui pourraient indiquer une production locale[8].

Complexité des interactions

On retrouve dans le domaine syrien, issu probablement des centres de Syrie du Nord, près du cours de l'Euphrate, une production de rondes-bosses de céramique, le plus souvent sous une glaçure transparente colorée ou pas, qui se développe également en Iran : femme allaitant (cat. 138), animaux de chasse ou d'élevage (cat. 139). La même réflexion comparatiste peut être menée entre Iran et Syrie à propos des lustres métalliques. La comparaison formelle s'épuise rapidement, car la richesse iconographique des lustres iraniens est sans équivalent parmi les lustres syriens que leur teinte chocolat, souvent rehaussée de cobalt, rend aisément identifiables.

Les pièces à décor gravé sous glaçures colorées permettent à nouveau d'interroger ces liens ; leur horizon s'ouvre autant sur l'Iran que sur le monde méditerranéen. Cette « production » pose quant à elle, pour les trouvailles des sites côtiers, le problème des relations avec la céramique byzantine et celui de l'hypothétique existence d'ateliers « croisés » produisant une céramique distincte de la production islamique[9].

Coupe aux fiancés,
XIIIe siècle, fouilles de Salamine de Chypre
Paris, musée du Louvre, section Islam ; photo Ali Meyer.

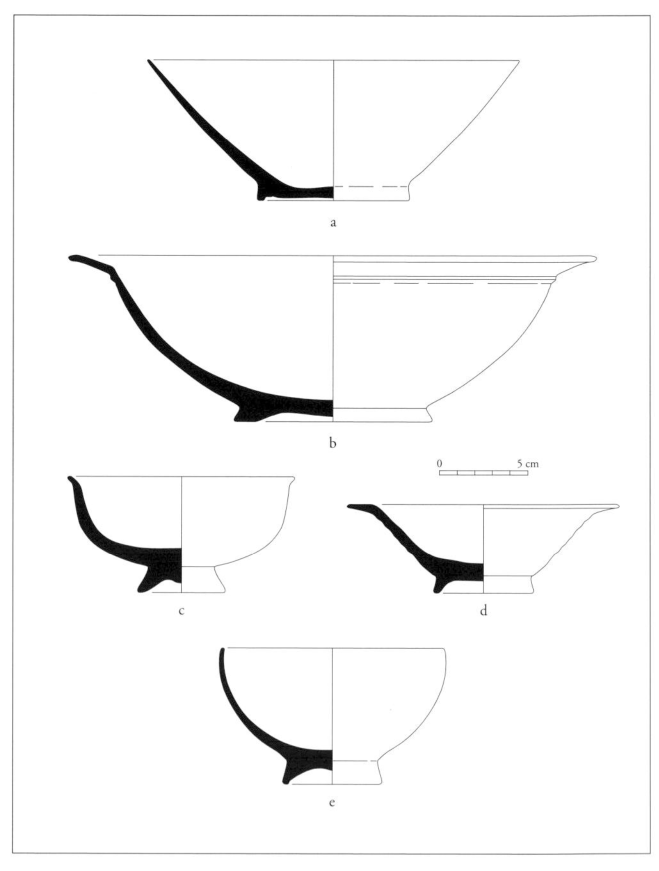

Profils et coupes des formes ouvertes de la céramique ayyoubide.

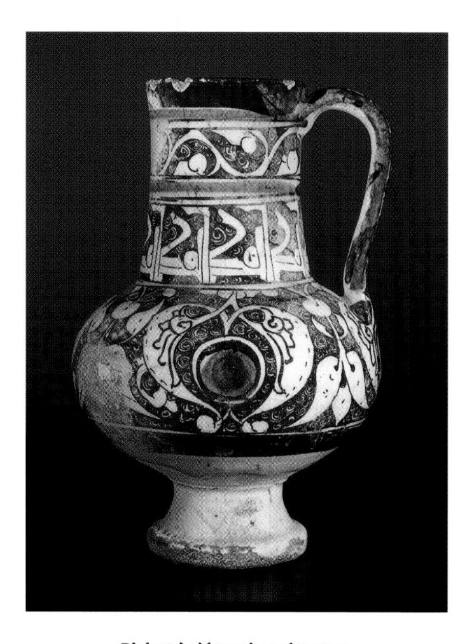

Pichet à décor de palmettes,
Syrie du Nord, première moitié du XIIIe siècle.
Paris, musée du Louvre, section Islam ;
photo © RMN / Christian Larrieu.

Les formes

Les formes de la céramique syrienne sont relativement variées : parmi les coupes, les pièces tronconiques sur base annulaire dominent, mais on trouve aussi sur un pied évasé des panses globulaires dont parfois le profil se resserre (cat. 160). Les boîtes sphériques sont rares et ont exceptionnellement conservé leur couvercle (cat. 156) ; un type semblable se rencontre dans la production de verres à décor de filets incrustés. De grandes coupes creuses à aile droite, généreusement ouvertes, sont également fréquentes et permettent un ample décor. Les bassins aux bords éversés, pourvus de poignées factices, sont en revanche une innovation et une rareté (cat. 174). Les albarelles et les vases balustres voisinent en assez grand nombre avec des pichets à col et anses droits, et avec des vases à anses torsadées (cat. 172).

La céramique à décor moulé sans glaçure offre un répertoire de formes bien contrasté : pichet trapu pourvu d'un pied et d'un col bas (cat. 130) ainsi que d'une anse surmontée d'un poucier ; gourdes à deux anses (cat. 131), dont les plats portent des décors d'une fantaisie parfois échevelée ; et surtout de spectaculaires jarres de grande taille couvertes de résille décorative à la barbotine et dont la partie supérieure s'orne savamment d'arcatures, de personnages, d'animaux en fort relief et de figures apotropaïques comme le dragon (cat. 135). Tous ces objets (*kurâz* : cruche, gargoulette, ou *habb* : grande jarre) sont destinés à contenir de l'eau dont l'évaporation partielle à travers la céramique peu cuite et poreuse rafraîchit l'eau restante. Ce sont des objets de la vie domestique dont l'extrême élaboration est « rentabilisée » par l'emploi du moulage qui permet une production de série. Ils sont présents sur de très nombreux sites syriens y compris des centres avérés de production : Raqqa, Balis-Meskeneh où ils figuraient apparemment en quantité dans le quartier des potiers.

L'intérêt de la céramique commune

La céramique domestique évolue elle aussi : on trouve dans tout le Levant des pots à cuire en pâte rouge argileuse avec une tache de glaçure sur le fond. Sans doute ces pots étaient-ils destinés à chauffer l'eau, comme à mijoter les ragoûts. Les mêmes ateliers fabriquaient des poêlons recouverts de glaçure à l'intérieur et destinés à la friture. Cette glaçure facilitait l'entretien, comme aujourd'hui le téflon des poêles en métal. Les prototypes de ces poêlons apparaissent en Palestine dès le IXe siècle, mais la production que l'on rencontre à l'époque ayyoubide débute quant à elle à la fin du XIe siècle, comme en témoigne les fouilles de la citadelle d'Amman en Jordanie.

Au sud du Levant, en Palestine et en Jordanie, les ateliers locaux ne connaissaient pas la technique de la

Pot, pâte argileuse grossière, décor géométrique peint sur engobe. Cet objet, découvert à Jérusalem, appartient à la céramique commune.
Paris, musée du Louvre, section Islam ; photo Philippe Maillard.

pâte siliceuse. La céramique fine était élaborée avec une pâte argileuse à décors gravés sous glaçure monochrome. Un atelier de fabrication de ce type de céramique à décor *sgraffiato* aurait existé à Athlit (Israël) sous les Francs. Un nouveau type de bol à décor de bandes d'engobe blanc sur une pâte rouge et sous une glaçure incolore ou parfois bleu-vert apparaît à l'époque ayyoubide, et s'est perpétuée jusqu'à nos jours. Aujourd'hui encore, les coupelles dans lesquelles est servi le *hummus* dans les restaurants de cuisine libanaise restent ornées de la même manière, même si le plastique a remplacé la céramique...

Une des nouveautés de l'époque ayyoubide réside dans la céramique commune. En Jordanie, comme partout ailleurs au Levant, les sites archéologiques témoignent d'une importante croissance aux XIIe et XIIIe siècles. Les types de céramique retrouvés consistent en jarres, cruches et bols façonnés dans une pâte argileuse très grossière, couverte d'un engobe lisse avec un décor peint en rouge foncé de motifs serrés à base de triangles, de losanges et de hachures. Ces pièces ne sont pas montées au tour, mais modelées à la main. L'historien de l'art Oleg Grabar les qualifie de « céramiques pseudo-préhistoriques ». Elles apparaissent à la fin du XIIe ou au début du XIIIe siècle, et sont encore fabriquées de nos jours, avec un décor différent, dans la péninsule Arabique. Un phénomène similaire existe au Maghreb, sous l'appellation « céramique traditionnelle ».

Les chercheurs se sont beaucoup interrogés sur cette médiocrité technique. Certains ont proposé d'y voir une production villageoise faite par des femmes. D'autres ont suggéré une origine bédouine. Quoi qu'il en soit, les zones de répartition de cette céramique se situent sur les franges du désert. On observe un écart croissant entre les productions des grands ateliers citadins, forcément onéreuses, et les besoins des villageois, qui vivaient souvent du troc.

Les données archéologiques ne permettent pas de différencier les territoires des Francs de ceux en main musulmanes. Sur la côte de la Méditerranée, on remarque une plus grande importation européenne, notamment de proto-majolique italienne. Il faut également supposer que des ateliers de céramique musulmans ont poursuivi leur activité sous la domination franque.

La diffusion des céramiques syriennes

La diffusion des céramiques syriennes dès le XIIIe siècle assure qu'elles connurent rapidement le succès : on les retrouve au clocher de plusieurs églises italiennes employées comme *bacini*, ou intégrées dans le décor d'un ambon à San Giorgio del Toro à Ravello (fin du XIIe siècle)[10]. À un unique exemple de céramique polychrome s'ajoutent plusieurs fonds de plats où domine le style large qui fait l'élégance de dessin d'une bonne part de la production syrienne : longues palmettes noires sur un fond de tiges densément chargées de vrilles et de feuilles ; on y trouve aussi de longues palmettes effilées en réserve sur un fond noir, associées à des palmettes charnues, au dessin soigné, qui rappelle celles de plusieurs lustres. Un unique exemple d'emploi architectural de céramique syrienne est connu en France, signalé par Viollet-le-Duc à Saint-Antonin de Rouergue. Ce sont des pièces étiquetées « Tell Minis », marquant la transition entre les productions fatimide et ayyoubides, qui furent incrustées sur la façade de l'hôtel de ville[11]. Cependant ce ne sont pas les céramiques syriennes des XIIe et XIIIe siècles qui abondent sur les clochers des églises italiennes mais les productions islamiques de Méditerranée occidentale. On trouve néanmoins à Pise, à Gênes, à Parme, à Pesaro et jusqu'en Angleterre[12] de la céramique d'époque ayyoubide.

***NB* :** L'article de E.J. Grube et C. Tonghini (1989) vient de recevoir une suite par Marcus Millwright (Millwright, 2001). Il insiste à nouveau sur « l'état balbutiant » de l'étude de la céramique « médio-islamique » au Levant. L'article donne une précieuse recension des publications relatives à la céramique, classées par sites archéologiques (Syrie, Jordanie, Liban, Égypte et Israël sont concernés). Les indices de fabrication locale sont mentionnés, une place particulière est faite d'une part à la céramique dévolue à la production sucrière et d'autre part à la poterie vernaculaire montée à la main et peinte de motifs géométriques sans glaçure (HMGPW) à laquelle il est fait allusion ici. L'absence de stratigraphie précise reste très fréquente.

1. Seule l'inscription a été publiée. RCEA, n° 14178, signalé par Sauvaget, 1948, p. 42, l'objet n'est pas localisé .
2. Grube et Tonghini, 1988-1989, p. 59.
3. La technique du décor peint sous glaçure apparaît en Iran, dans une gamme chromatique limitée, sans doute durant la même période.
4. Sauvaget, 1948, p. 33-34, fig. 7.
5. Watson, 1994.
6. M. Meinecke, « Kubâdâbâd », E.I.², V, 284-85, 1986 ; Arik, 2000.
7. Cependant l'existence de nombreux autres sites ayant livré des carreaux de revêtement peints sous glaçure (Kalehisar ; palais détruit de Kayseri ; palais non identifié d'Antalya, forteresse d'Alara (Alanya), palais détruit d'Aksehir...) n'autorisent pas à régler une question qui dépasse nos préoccupations présentes, voir G. Oney, 1974, p. 68-84.
8. Venise, 1993, p. 291, n° 163. Toutefois, la présence de « ratés » pose essentiellement le problème de la commercialisation et de la dispersion de pièces déclassées, mais ne permet pas de prouver l'existence d'une production locale.
9. Pringle, 1985 ; production islamique illustrée entre autre par le bol au poisson découvert bien à l'intérieur des terres sur le site de Deir el-Zôr. Sarre et Herzfeld, 1911, n° 6, pl. CXIII.
10. Scerrato et Gabrielli, fig. 429 à 432.
11. Viollet-le-Duc, *Dictionnaire de l'architecture.*
12. Tonghini, 1998, p. 50.

Bouteille fragmentaire au nom de l'*atabeg* ʿImâd al-Dîn Zangî,
Syrie, dernier tiers du XIIe siècle, verre soufflé, décor doré.
Londres, British Museum ; photo du musée.

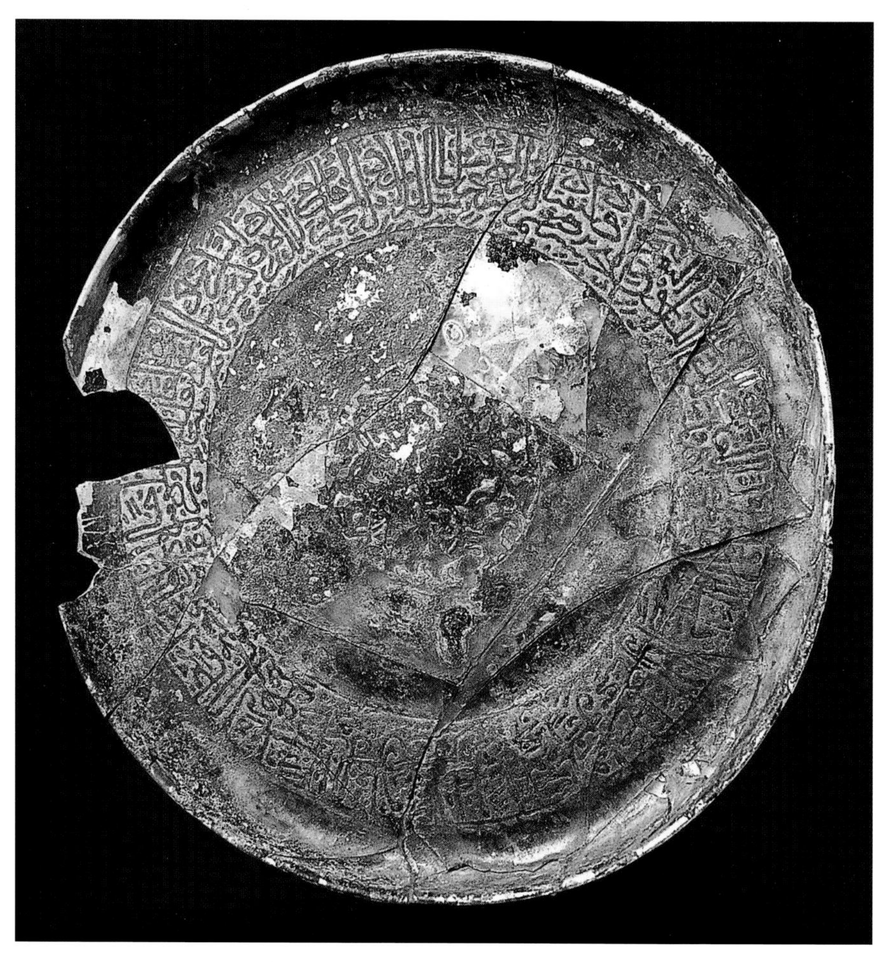

Plat au nom du sultan seljoukide d'Anatolie Kaykhusraw II,
découvert à Kubâdâbâd, vers 1237-1247, verre émaillé et doré.
Konya, musée Karatay ; photo Ali Kouyali.

L'art du verre sous les Ayyoubides et les premiers décors émaillés et dorés

STEFANO CARBONI

Souffleur de verre, Damas.
Photo Gérard Degeorge.

Le verre relève historiquement, depuis l'invention de la technique du soufflage au Ier siècle av. J.-C, d'un artisanat traditionnel. Il sert essentiellement à fabriquer des objets d'usage quotidien : récipients pour quantité de liquides, lampes et instruments de chimie. Cependant, les verriers, sensibles aux tendances artistiques manifestes dans d'autres domaines, ont toujours consacré une partie de leurs efforts à la création d'objets aux formes et décors étudiés, réservés à une clientèle prestigieuse. Ils recevaient directement des commandes de mécènes, mais très rarement de l'entourage princier. Cela vaut également pour l'art du verre islamique, et c'est la principale raison des difficultés rencontrées par les historiens lorsqu'ils veulent en retracer l'évolution dans le temps et dans l'espace, et l'attribuer à des dynasties. À quelques notables exceptions près chez les Ghaznévides en Iran oriental et chez les Mamlouks[1] en Égypte et en Syrie, on ne trouve guère de témoignages d'un quelconque mécénat royal. Aussi convient-il de préciser qu'il sera ici question des verres islamiques attribuables à l'époque ayyoubide et non pas de « l'art du verre ayyoubide », qui supposerait un mécénat de cour effectif[2].

En dehors des verres soufflés avec ou sans décor, les techniques utilisées par les verriers se divisent en trois grandes catégories : travail à chaud, taille à froid et application de pigments fixés par cuisson au four. À l'époque ayyoubide, la technique de la taille à la meule sur verre refroidi était déjà obsolète non seulement en Asie Mineure et en Égypte, mais aussi en Iran, où elle a atteint sa forme la plus perfectionnée.

De manière générale, les verriers des zones de production syrienne et égyptienne manifestaient une prédilection pour les surfaces colorées et rehaussées d'effets de matière obtenus soit par application de pigments, soit par incrustation de filets. Cette tendance de l'artisanat traditionnel s'est perpétuée sous les Ayyoubides où elle a trouvé son expression la plus aboutie dans les verres de

Tessons, verre à décor de filets incrustés, période ayyoubide
Paris, musée du Louvre, section Islam ; photo Philippe Maillard.

couleur foncée à décor de filets incrustés de blanc, et dans les objets ornés de pastilles et filets rapportés. Cette période est également marquée par l'essor du verre émaillé et doré, et par la relégation du lustre à un rôle secondaire dans le décor.

Le verre à décor de filets incrustés aux couleurs contrastées, que le verrier incorpore dans la surface de l'objet en le faisant tourner sur une plaque de métal ou de pierre lisse[3], a une longue histoire dans l'aire syro-égyptienne. Sa production se perpétue dans l'islam médiéval. S'il n'est pas facile de retracer son évolution, on constate toutefois que, sur la plupart des exemples les plus anciens (du VIIe au IXe siècle[4]), les filets sont rouges, jaunes ou blancs, et incorporés dans un verre de couleur claire et transparente. Les filets sont irrégulièrement disposés et travaillés en serpentins approximatifs à l'aide d'un instrument à dents qui

Aspersoir, Syrie, fin du XIIe siècle,
verre soufflé dans un moule, décor doré
Paris, musée du Louvre, section Islam ; photo Annick Neveux-Leclerc.

Palmer Cup, première moitié du XIIIe siècle
avec une monture occidentale du XIVe siècle ,
verre emaillé et doré.
Londres, British Museum, the Waddesdon Bequest ; photo du musée.

crée souvent des superpositions. Les exemples les plus tardifs[5], d'époque mamlouke, sont presque toujours aubergine (presque noirs sous un éclairage indirect) et portent un décor régulier de filets, très souvent blancs, incrustés de manière à former un motif ondulé, festonné ou losangé soigneusement réparti. La production ayyoubide annonce et prépare cette dernière étape. C'est une période de transition, où les artisans utilisent aussi du verre bleu foncé ou vert foncé, tandis que les motifs deviennent de plus en plus homogènes et ordonnés. L'un des objets les plus représentatifs de cette transition est sans doute le mince flacon à khôl en verre bleu conservé au Corning Museum of Glass[6] (voir aussi cat. 188), qui appartient en outre à une catégorie de flacons dont la fabrication s'étend du début de la période islamique jusqu'à la fin du Moyen Âge. L'application de filets d'une autre teinte en plus du blanc, en général bleu pâle ou parfois vert cendré[7], pourrait signaler une phase antérieure de l'évolution de cette technique, qui correspondrait à l'époque ayyoubide.

L'application de filets et de petites pastilles de verre bleu pâle constitue apparemment l'un des procédés décoratifs les plus répandus chez les verriers syriens (cat. 186). Plusieurs gobelets à base étroite et parois évasées, ou de profil plus cylindrique, montrent des filets qui dessinent une résille ponctuée de pastilles bleu clair[8]. Parallèlement à l'emploi du verre bleu pâle, certainement une innovation introduite sous les Ayyoubides, apparaissent ces formes particulières de gobelets qui deviendront des modèles courants avec les Mamlouks (cat. 198 à 201, 204, 205).

Les verres mis au jour à Hama dans les années 1930, et pour la plupart conservés au Musée national de Damas, donnent une bonne idée de ce que dut être l'art du verre dans le centre de la Syrie sous les Ayyoubides et les premiers Mamlouks. La production la plus abondante se situe au début du règne des Ayyoubides. Si la stratigraphie ne permet pas de faire des distinctions très fines, par exemple entre les productions du XIIIe et celles du XIVe siècle, les fouilles de Hama n'en apportent pas moins de précieuses informations aux chercheurs. De nombreux objets à filets incrustés[9], un large assortiment de gobelets à pastilles bleues, ainsi que des verres à décor émaillé et doré, témoignent de l'activité des verriers. Un modèle particulier de bouteille[10], avec un épais décor ondulant rapporté à la base du col, semble caractéristique des ateliers de Hama, ou être du moins exclusivement syrien.

La bouteille à panse ronde aplatie, petite base conique, long col rétréci vers le haut et tout petit goulot, d'une quinzaine de centimètres de haut, est caractéristique aussi des objets associés à l'époque ayyoubide. Ce type d'aspersoir à parfum ou eau de rose, appelé *qumqum* (pluriel : *qamaqim*) ou *omom* (d'après sa prononciation dans la langue égyptienne dialectale), s'est répandu au XIIe siècle. Les *qamaqim* sans décor sont généralement de couleur foncée, verte ou bleue, mais on rencontre souvent des modèles plus clairs à cannelures verticales moulées. Il existe aussi des *qamaqim* violet foncé à filets incrustés blancs, ainsi que des exemplaires émaillés et dorés, couvrant ainsi tout le répertoire décoratif des époques ayyoubide et mamlouke[11].

Le verre coloré couramment appelé « lustré »[12] est une technique de décor « teint » que l'on rencontre depuis les premiers siècles de l'islam jusqu'aux Mamlouks. Après avoir atteint une grande qualité artistique, ce type de décor « teint » se simplifie pour se réduire à des motifs abstraits monochromes (rinceaux schématisés, serpentins ou figures géométriques) vers la fin du règne des Fatimides et le début de celui des Ayyoubides[13]. Dès lors, aux XIIIe et XIVe siècles, le décor « teint » se limite à de petites surfaces du décor, pour l'obtention d'une couleur jaune orangé translucide que ni l'émail ni la dorure ne peuvent remplacer[14].

Le verre émaillé et doré, dont les origines restent obscures, a certainement vu le jour en Syrie au cours du XIIe siècle. Les très rares objets à inscription qui datent de cette époque semblent indiquer que cet art jouissait d'un grand prestige, car ils étaient destinés à certains gouvernants de Jezireh et d'Anatolie. Le plus ancien objet datable est une bouteille fragmentaire, à décor uniquement[15] doré, dédiée à l'*atabeg* 'Imad al-Dîn Zangî (1127 à 1146). Celui-ci fonda la dynastie zenguide, se démarquant des Seljoukides, et, depuis sa capitale, Mossoul, il établit son pouvoir en Jezireh et en Syrie, prenant également Édesse (l'actuelle Urfa) aux croisés.

Parmi les objets à décor à la fois émaillé et doré, le plus ancien est un verre (cat. 198)[16] d'une forme similaire aux gobelets à décor de filets incrustés et pastilles bleues évoqués plus haut, sur lequel on lit le nom d'un autre *atabeg* de Mossoul, San'jar Shâh (1180 à 1209), premier représentant d'une lignée mineure de Zenguides en Jezireh. Un plat découvert sur le site d'un palais proche de Kubâdâbâd[17], en Anatolie centrale, a été réalisé pour le sultan Kaykhusraw II, le Seljoukide de Rûm qui régna à Konya de 1237 à 1247.

Le seul objet en verre directement lié au mécénat ayyoubide est une grande bouteille émaillée et dorée sur piédouche à panse ovoïde, épaule bombée et très long col, conservée au musée d'Art islamique du Caire (cat. 206). Sur la panse, un fin bandeau porte une inscription à l'or à demi effacée, au nom du sultan al-Malik al-Nâsir Salâh al-Dunyâ wa l-Dîn, que l'on identifie avec le dernier souverain ayyoubide de Syrie, établi à Alep de 1236 à 1260 ainsi qu'à Damas, de 1250 à 1260. Cette inscription, très abîmée, est difficile à déchiffrer aujourd'hui, mais Max Van Berchem et Gaston Wiet[18] l'ont lue de la même façon et il n'y a aucune raison de douter de son authenticité. Ce type de bouteille va connaître une large diffusion entre la fin du XIIIe et la première moitié du XIVe siècle.

Le décor doré de la bouteille du British Museum dédiée à Zangî reflète une forte influence byzantine, laissant supposer que l'attrait pour le verre doré prend peut-être sa source dans les régions d'Anatolie autrefois sous la domination de Byzance. Cependant, son inscription arabe semble lui assigner une origine islamique, et donc syrienne. Le gobelet, le plat et la bouteille sont en revanche des créations caractéristiques de l'art islamique universellement associé aux Mamlouks. Leur datation indiscutable prouve que cette technique était maîtrisée dès la fin du XIIe siècle sous le règne ayyoubide (cat. 197, 198).

Cette phase initiale de l'art du verre émaillé et doré est à replacer dans le contexte général de la Syrie islamique des XIIe et XIIIe siècles, qui assimile peu à peu les influences des régions avoisinantes, notamment la Jezireh et l'Iran.

1. Des estampilles au nom de Khusraw Malik (qui régna de 1160 à 1186) ont servi à décorer des fenêtres dans des palais ghaznévides. Voir Carboni, 2001, p. 272-281, cat. 73. Quant aux Mamlouks, il suffira de citer les nombreuses lampes commandées pour des mosquées, des *madrasas* et des tombeaux par différents sultans, depuis Muhammad ibn Qalaun (au pouvoir de 1293 à 1341 avec quelques brèves interruptions) jusqu'à Barqûq (de 1382 à 1399 avec une interruption).
2. J'ai déjà abordé cette question générale à propos de l'art du verre islamique dans Carboni, 1999, en particulier p. 171-172.
3. On trouvera une présentation récente de la technique du verre à décor de filets incrustés, complétée par des indications bibliographiques, dans Carboni, 2001, p. 291-293 et dans New York 2001, p. 106-108.
4. Carboni, 2001, p. 294-301, cat. 74-78.
5. New York 2001, p. 139-145, cat. 55-60.
6. New York 2001, p. 139, cat. 55.
7. Plusieurs coupes plates présentent des filets bleu clair souvent laissés tels quels au lieu d'être incrustés, qui constituent un décor supplémentaire. Un petit aspersoir à parfum, ou *qumqum*, conservé au Toledo Museum of Art, dans l'Ohio, fournit un exemple heureux de décor à filets incrustés blancs et vert cendré. Voir New York 2001, p. 140-143, cat. 56-58.
8. On en trouve de bons exemples dans la David Collection à Copenhague et au Musée national de Damas. Voir New York 2001, p. 123-124, cat. 40, et Riis ; Poulsen, 1957, ill. 159-161.
9. Riis ; Poulsen, 1957, p. 62-69.
10. Riis ; Poulsen, 1957, p. 61, ill. 178, et Carboni, 2001, p. 178-179, cat. 44.
11. Sur les formes et décors des *qamaqim*, voir Carboni, 2001, cat. 37, 60, 83 et 95, et les notes et références bibliographiques correspondantes.
12. Quand le lustre métallique (à base d'oxydes de cuivre et d'argent) est appliqué sur du verre, la réduction des oxydes provoquée par la cuisson dans une atmosphère pauvre en oxygène crée une fine pellicule qui s'incorpore sous la surface de l'objet et produit une coloration permanente, contrairement à ce qui se passe sur la céramique, où la pellicule reste en surface. Le terme anglais « stained » a été rendu ici par « teint ».
13. Carboni, 2001, p. 63-64, cat. 15 ; voir également p. 52-53. L'étude la plus complète à ce jour est encore celle de Carl Johan Lamm (Lamm, 1941).
14. On l'observe couramment sur les blasons mamlouks, où elle constitue un des émaux du champ. Voir par exemple New York 2001, p. 232-234, cat. 116.
15. Londres, British Museum, inv. OA1906.7-19.1. Voir Mayer, 1939, et Scanlon, 1998, p. 27 et ill. 8.1.
16. Voir Carboni, 1999, ill. 3 et 4, et New York 2001, ill. 100.
17. Konya, musée de Céramique Karatay, inv. 2162. Voir Carboni et *alii*, 1998, ill. 6.
18. Wiet, 1929, p. 144. La bouteille est également reproduite dans *Guilded and Enamelled Glass from the Middle East*, 1998, ill. 9.1.

113

Aiguière

Signée Ahmad al-Dhakî al-Mawsilî

Syrie, 1223

Alliage cuivreux martelé, décor incrusté d'argent

H. 38,1 ; D. 20,6 cm

Cleveland Museum of Art, purchase from the John L. Severance Fund

56.11

Exp. : Londres, 1976, n° 195

Bibl. : Rice, 1957

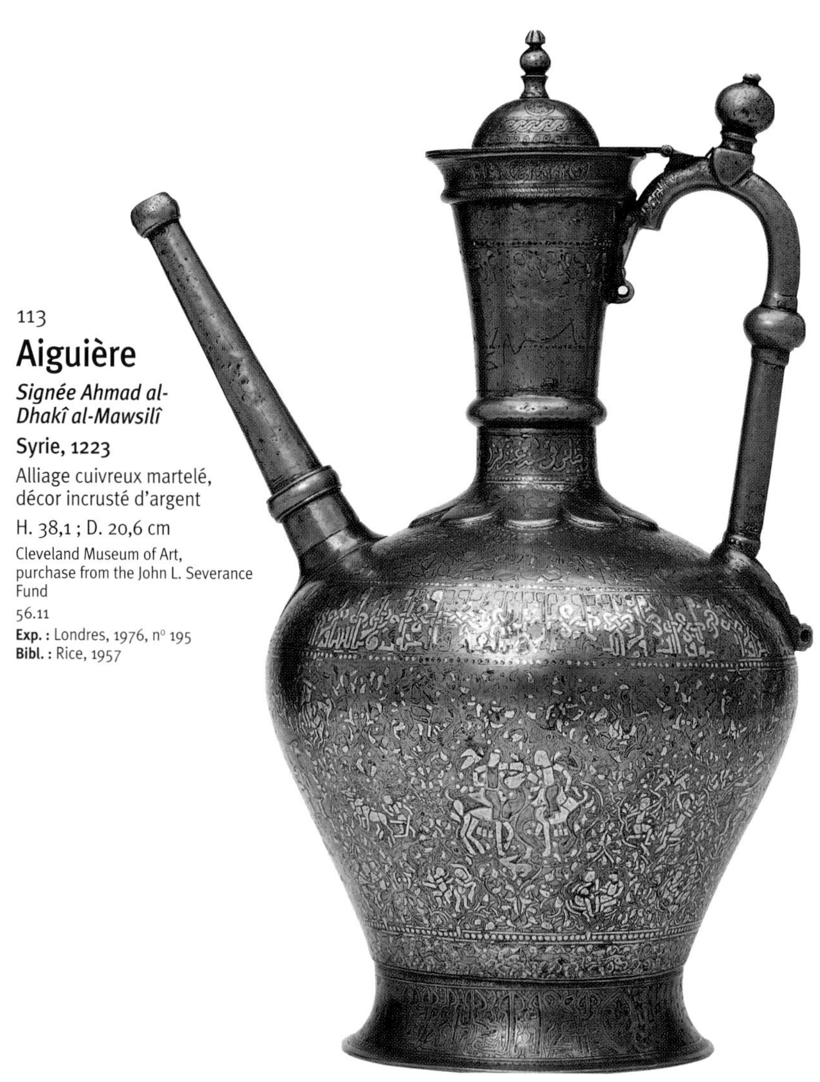

Cet objet appartient à un groupe d'aiguières de haute taille, souvent signées par des artistes « de Mossoul ». Elles devaient, comme celle conservée à Berlin (voir p. 128), être associées à des bassins. L'aiguière de Cleveland est l'une des plus belles conservées. Comme nous l'apprend l'inscription située sur le col, elle est l'œuvre de « Ahmad al-Dhakî al-Naqqâsh al-Mawsilî, en l'année 1223 ». Al-Dhakî de Mossoul est connu par deux autres métaux postérieurs à celui-ci (cat. 101), mais lorsqu'il réalisa cette aiguière il était déjà un artiste accompli. Il forma au moins deux élèves, dont l'un, 'Umar Ibn al-Hâjj Jaldak, fut l'auteur en 1226 d'une aiguière de même forme et au décor tout aussi foisonnant que celle de son maître.
Sur l'œuvre d'al-Dhakî, les surfaces sont couvertes d'un décor aussi tapissant que raffiné. Les scènes et les figures, prises dans des médaillons polylobés, se fondent dans le décor végétal qui en occupe les interstices. On ressent la même difficulté de lecture, due à cette profusion, devant le bassin fait par l'artiste (cat. 42). Sur l'aiguière, les figures sont également représentées à petite échelle et les sujets sont très divers : les travaux des mois, les scènes liées au cycle princier se mêlent à des anges, à des musiciens… et l'œil se perd dans cette exubérance savamment orchestrée. Les scènes de chasse, de cueillette ou de travaux de la terre, liées aux saisons et aux mois, constituent de nouveaux thèmes iconographiques régulièrement utilisés par les artistes au XIIIe siècle. Des manuscrits ou des livres de modèles ont peut-être alors influencé les graveurs de métaux.

A. C.

114

Base de chandelier

Jezireh, Âmid?, début du XIIIe siècle

Laiton martelé, gravé et incrusté d'argent et de pâte noire ; bobèche manquante

H. 22 ; D. 34 cm

Londres, Nasser D. Khalili Collection of Islamic Art

MTW 1252

Inédit

L'état fragmentaire de ce chandelier ne doit pas masquer l'importance du témoignage qu'il fournit sur le riche répertoire de motifs abstraits, figurés ou épigraphiques employés dans les métaux incrustés ayyoubides. Mieux encore, certaines figurations ne semblent pas avoir d'équivalent ailleurs. Elles ne correspondent pas au cycle habituel des scènes de cour et autres divertissements princiers, mais pourraient s'inspirer des miniatures de l'époque.

Malgré quelques lacunes dans les incrustations, les motifs représentés sur la panse du chandelier restent bien distincts. L'élément principal du décor est une large frise de douze cartouches en arcs polylobés enfermant chacun une scène animée entre des pendentifs emplis d'arabesques. Au-dessus et au-dessous de la frise, des bandeaux épigraphiques en koufique fleuri entrelacé sont rehaussés çà et là par des lettres qui se terminent par des têtes de personnage. Le déchiffrement

144 (détail : scène d'école)

des inscriptions n'est pas encore achevé, mais il s'agit apparemment de formules de vœux.

Six cartouches représentent des cavaliers qui chassent des oiseaux et des animaux sauvages. Le septième présente trois hommes assis au bord d'un bassin, qui lancent des flèches vers des oiseaux. Le huitième s'orne d'une scène de trône traditionnelle, avec deux serviteurs se tenant aux côtés du souverain. Deux autres cartouches recèlent des scènes plus insolites. Dans l'un, un acrobate en équilibre sur un ballon danse au son de la harpe et du tambourin. Dans l'autre, nous voyons trois hommes barbus en manteau avec deux chiens de part et d'autre. Le premier de ces personnages s'appuie sur un bâton, et ses deux compagnons posent chacun une main sur l'épaule de celui qui le précède. On ne connaît pas d'images vraiment comparables à celle-ci ; il pourrait s'agir d'aveugles.

Les deux scènes restantes sont sans équivalent. La première se situe manifestement dans une école, où le maître lève sa baguette pour frapper un élève tandis que les autres lisent ou écrivent sur leurs tablettes, et l'un d'entre eux semble dormir, la tête posée sur sa tablette en guise d'oreiller. Dans la seconde, un groupe de figures est entouré de bouteilles, coupes et mortiers ainsi que d'un alambic. Un personnage plus grand, assis sur un édicule en brique, semble commander. Il s'agit peut-être d'un hôpital, d'une officine d'apothicaire ou même de l'échoppe d'un poseur de ventouses. Si cette interprétation est exacte, l'iconographie des deux derniers cartouches pourrait s'inspirer d'illustrations des quarante-sixième et quarante-septième « séances » des *Maqâmât* d'al-Harirî, qui prennent respectivement place dans une école et chez un barbier pratiquant une saignée.

La base du chandelier ne porte pas de signature, mais on voit bien que c'est l'œuvre d'un artiste extrêmement doué et novateur. Elle appelle la comparaison avec des objets signés par des représentants de l'« école de Mossoul » tels que Ahmad al-Dhakî al-Mawsilî, et en particulier son élève Abû Bakr 'Umar Ibn al-Hâjj Jaldak (cat. 115). Ces deux pièces présentent de nombreuses similitudes de forme, de style et de facture. Le décor de celui de Boston comprend en outre quatre scènes de travaux des champs qui n'ont aucun équivalent dans l'art du métal ayyoubide, mais suggère des rapprochements avec des miniatures contemporaines.

N. N.

115

Chandelier

Signé Abû Bakr Ibn al-Hâjj Jaldak

Syrie (?), 1225

Alliage cuivreux martelé, incrusté d'argent

H. 34 ; D. base 37 cm

Boston, Museum of Fine Arts
57.148
Ancienne collection Edward Jackson Holmes
Exp. : Amsterdam, 1999, n° 5
Bibl. : Rice, 1949 ; Rice, 1957

Ce chandelier est le seul objet connu signé par Abû Bakr Ibn Hâjj Jaldak, élève du maître al-Dhakî « de Mossoul ». Une aiguière, datée de 1226 et due à son frère ʿUmar ibn al-Hâjj Jaldak, également élève d'al-Dhakî, est aussi conservée.

Le style très pictural d'al-Dhakî transparaît dans la main de son apprenti. Les scènes qui ornent la base de l'objet, délimitées par des arcades, illustrent des travaux de la terre ou encore des souverains en trône. Elles sont très proches des peintures de manuscrits arabes contemporains. La forme des arcades est similaire à celles qui ornent plusieurs objets syriens de la première moitié du XIIIe siècle. On les retrouve ainsi sur le chandelier de Dâwud ibn Salâma, dont la forme est par ailleurs identique (cat. 99).

Ce chandelier a peut-être été fait en Syrie, où se serait trouvé l'atelier d'al-Dhakî al-Mawsilî. Selon une autre hypothèse, il proviendrait de Diyâr Bakr (actuelle Turquie). En effet, un graffiti non daté et gravé à l'intérieur de la base nommerait le dernier sultan artoukide de Diyâr Bakr, al-Malik al-Maʿsûd (1222-1232). Cela n'indique cependant pas le lieu de production de l'objet, et n'atteste pas qu'il a été fait pour ce souverain. Les destinataires princiers sont en général désignés par des inscriptions intégrées au décor, bien visibles et incrustées de métaux précieux. Le chandelier lui serait parvenu après 1225, ou bien l'inscription désignerait un autre Maʿsûd. De plus, si Siirt en Jezireh est un centre de production de métaux attesté par des inscriptions, ce n'est pas le cas d'Âmid (Diyâr Bakr).

A. C.

116

Bassin aux cavaliers et aux planètes

Syrie, vers 1240-1250?

Alliage cuivreux martelé, doré? et incrusté d'argent

H. 19 ; D. ouverture 45 ;

D. base 32.7 cm

Rouen, musée des Antiquités
1908
Acq. 1899, ancienne collection Goupil puis Duseigneur
Inédit

Cet objet est assez proche du bassin conservé au musée Jacquemart-André (cat. 117). Il s'agit également d'une production commerciale et les thèmes iconographiques sont similaires sur les deux métaux. La paroi externe a peut-être reçu une dorure aujourd'hui altérée, mais ne présente aucun décor gravé ou incrusté. L'intérieur du bassin est principalement orné, sous le bord, d'une inscription en koufique gravée dans des cartouches que séparent six médaillons : cette mise en page est fréquente à la période ayyoubide. L'inscription est une formule de vœux à l'adresse d'un possesseur anonyme, les médaillons enferment alternativement des cavaliers chasseurs et des princes trônant. Le fond du bassin est orné de la personnification des planètes entourant le Soleil. Selon le système de la domiciliation courant dans le monde islamique aux XIIe et XIIIe siècles, les planètes sont associées à des signes zodiacaux : à l'exception de la Lune et du Soleil, chaque planète possède ainsi deux domiciles, un diurne et un nocturne. Ce système permet de coupler sept planètes aux douze signes du zodiaque. Saturne, comme sur le bassin, est toujours figuré tenant divers objets souvent non identifiables. Mercure est représenté comme un sage barbu, assis un genou relevé dans la position classique du lecteur. Jupiter, assis en tailleur, est figuré sur le bassin flanqué du signe des Poissons. Mars est traditionnellement dépeint portant des emblèmes guerriers, qu'il a ici perdus, mais il est entouré du signe redoublé du Scorpion. La personnification de la Lune est classique, en personnage assis en tailleur et tenant le croissant. Vénus est également figurée dans sa forme habituelle, en luthiste associée à la boisson car elle tient une coupe.

S. M. – A. C.

117

Bassin aux musiciens et aux cavaliers

Syrie, vers 1220-1250?

Alliage cuivreux martelé, décor incrusté d'argent et de pâte noire

H : 13,7 ; D. ouverture 35,7 ; D. base 25,5 cm

Paris, musée Jacquemart-André – Institut de France

D 985

Inédit

L'extérieur du bassin est orné d'une inscription en koufique qui présente deux types de graphies, dont l'une est similaire à celle qui orne l'aiguière signée par Ibn Mawaliya « de Mossoul ». Cette inscription est une formule de vœux anonymes, répétitive, et scandée de six médaillons qui abritent des musiciens et des buveurs. De ces médaillons naissent des fleurons qui évoquent ceux du vase « Barberini » (cat. 41) et du chandelier de Dâwud ibn Salâma « de Mossoul » (cat. 99). Ce décor de souples végétaux très aérés, sur fond nu, sera relativement en vogue à la période mamlouke. La paroi interne est décorée sous le bord d'une autre inscription votive, également interrompue par six médaillons qui enferment des cavaliers chasseurs. Cette composition est cernée de frises d'animaux, où se poursuivent les mêmes espèces réelles et fantastiques. La répétition des motifs incrustés apparaît aussi sur la frise externe du bassin, où les sièges des musiciens et buveurs sont tous identiques. Les musiciens eux, adoptent tous la même pose : seuls diffèrent les instruments. Les cavaliers reprennent un principe similaire : sans doute l'artiste a-t-il utilisé un poncif. Le bassin émane probablement d'une production commerciale de très bonne qualité, illustrant la richesse qui pouvait exister dans certains souks. Au fond du bassin, dont le décor est très usé, la ronde des six planètes autour d'un motif symbolisant le Soleil reste partiellement visible. Seule la figure de Vénus tenant le luth est bien reconnaissable.

A. C.

118

Brûle-parfum au nom du sultan al-'Âdil II Abû Bakr

Syrie, 1238-1240

Alliage cuivreux moulé, décor ajouré, gravé, et incrusté d'argent

H. 20 ; D. 9,3 cm

Ham (Royaume-Uni), Keir Collection

129

Acquis en 1964, ancienne collection Sherif Sabri

Exp. : Saint-Jacques-de -Compostelle, 2000, n° 93

Bibl. : Fehérvári, 1976, n° 129 ; Paris, 2001, n° 60

Cet encensoir appartient à un type bien connu au Proche-Orient durant le XIIIe-XIVe siècle (cat. 96) : sous un couvercle hémisphérique pourvu d'un bouton de préhension, le corps cylindrique destiné à recevoir les substances aromatiques est porté par trois pieds évoquant des pattes de félins. Comme le bassin réalisé par al-Dhakî (cat. 42), ce brûle-parfum est inscrit au nom du sultan al-'Âdil : le nom et la titulature du souverain apparaissent sur le bord du réceptacle. Le principal décor s'y déroule également. Entre deux galons perlés qui marquent le centre de la paroi, une inscription d'un type très particulier apporte à cet objet son originalité. En effet, les lettres adoptent la forme de diverses figures humaines et animalières. Ce jeu sur l'écriture et la représentation, où l'image devient parole, apparaît presque exclusivement sur les métaux dans le monde islamique. Le premier exemple de métal à inscription animée date du XIIe siècle ; et le dernier de la fin du XIIIe. Sur l'encensoir, la procession figurée qui dissimule un texte difficilement lisible forme une suite de vœux. Une inscription assez proche sur la célèbre coupe « de Fano » (voir p. 130) forme elle aussi une formule votive : ce sont des chasseurs à pied et leurs proies qui dessinent les lettres arabes.

A. C

119

Bassin au nom du sultan Najm al-Dîn Ayyûb

Syrie ou Égypte, 1239-1249

Alliage cuivreux martelé, décor incrusté d'argent

H. 20 ; D. ouverture 48.5 cm

Le Caire, musée d'Art islamique
15043
Ancienne collection Harari
Bibl. : Wiet, 1932, p. 66 et app. n° 58 ; Grabar, 1961, p. 360-366

La forme et le décor de ce bassin sont caractéristiques de la période ayyoubide et il s'apparente à celui conservé à Rouen (cat. 116). Comme ce dernier, il est dépourvu de motif sur la paroi externe laissée nue. Les deux métaux partagent également un schéma ornemental similaire : sous le bord, la paroi interne du bassin du Caire porte une inscription scandée de six médaillons polylobés, et le fond de l'objet est orné des représentations des planètes disposées en ronde autour du Soleil. Les médaillons abritent des joueurs de polo, des danseuses et des musiciens, ou encore des buveurs et un fauconnier. Ces thèmes liés au prince répondent à l'inscription dédicatoire, au nom du sultan al-Malik al-Sâlih Najm al-Dîn Ayyûb, et ainsi traduite par G. Wiet : « Gloire à notre maître le sultan al-Malik al-Sâlih, le savant, le juste, le champion de la foi, le combattant, le défenseur des frontières, l'assisté de Dieu, le victorieux, le vainqueur, Najm al-Dunyâ wa l-dîn, le sultan de l'islam et des musulmans, Ayyûb, fils de Muhammad. » Un plateau (cat. 120) ainsi que deux autres métaux au nom du sultan sont connus. Ces objets sont de diverse qualité : le plateau du musée du Louvre, et surtout le bassin « d'Arenberg » (voir p. 129) sont des œuvres fort luxueuses et originales au sein de la production de cette période. Cet objet, comme un bassin de forme arrondie également réalisé pour le souverain (Grabar, 1961), est de facture plus simple.

A. C.

120

Plateau au nom du sultan Najm al-Dîn Ayyûb

Syrie, 1239-1249

Alliage cuivreux martelé, décor incrusté d'argent

D. 47,2 cm

Paris, musée du Louvre, section Islam
MAO 360
Don N. Landau, 1958
Exp. : Paris, 1971, n° 153
Bibl. : Baer, 1989, p. 10-13

Relevé du décor de six médaillons

La lecture de ce plateau est difficile car il est très altéré : les incrustations d'argent ont quasiment disparu sur le fond ; il est aussi très usé et rayé. Sur le cavet, l'inscription identifiant le prestigieux destinataire de l'œuvre est en revanche bien visible car les incrustations sont quasiment intactes.

Plusieurs plateaux de ce type sont connus pour la période ayyoubide (cat. 98). Celui-ci est orné d'un décor qui mêle iconographie proprement islamique et personnages chrétiens. Comme le fait remarquer Eva Baer, la composition du décor répond à un schéma bien précis. Douze médaillons polylobés, formés par un ruban perlé ininterrompu, tournent autour d'une rosace centrale constituée d'arabesques végétales. Chaque médaillon enferme une scène figurée : on distingue un cavalier figuré de face, un autre de profil, des lutteurs, et des ecclésiastiques portant l'un une crosse et l'autre un encensoir. Six scènes différentes sont représentées, et chacune suivant son axe trouve son pendant sur le plateau. Ce décor très particulier « en miroir » est d'une grande finesse d'exécution. Par son organisation en médaillons perlés, il évoque l'aiguière de 'Umar ibn al-Hâjj Jaldak, l'un des élèves d'al-Dhakî.

On sait que le sultan Najm al-Dîn Ayyûb possédait au moins un autre métal à iconographie chrétienne, le célèbre bassin « d'Arenberg » (voir p. 129), d'un style fort différent et dont le nom de l'artiste nous est également inconnu.

A. C.

120

121

Boîte sans couvercle

Syrie, vers 1220-1230

Alliage cuivreux incrusté d'argent

H. 7,2 ; D. 9,7 cm

Ham (Royaume-Uni), Keir Collection 130

Acquis en 1970

Exp. : Saint-Jacques-de-Compostelle, 2000, n° 95

Bibl. : Fehérvári, 1976, n° 130 ; Baer, 1981, p. 14-15

Cette petite boîte circulaire a perdu son couvercle, dont ne subsiste que la charnière. Il est probable qu'il adoptait la même forme talutée que celui fermant la pyxide au nom du sultan al-'Azîz, par ailleurs de mêmes dimensions (cat. 43). La mise en page décorative des deux objets est également similaire : deux fins bandeaux cernent la composition centrale scandée de médaillons. Ici, les scènes figurées sont partiellement dévolues à la musique et au thème du banquet. Des musiciens alternent avec des représentations d'hommes accompagnés de singes (?). Ils évoquent peut-être des ménageries princières et le dressage de ces animaux, dont les tours comme ceux des acrobates pouvaient faire partie des divertissements proposés aux princes. Les scènes de musique et de boisson rappellent aussi des peintures de manuscrits contemporains. Les médaillons polylobés qui enferment ces figurations se trouvent sur un fond de rinceaux très denses. Des enroulements végétaux, d'un traitement fort proche, ornent une écritoire du musée Benaki datée de 1220. Celle-ci provient peut-être de Mésopotamie, d'après E. Baer, mais est probablement contemporaine de la présente pyxide. Sur le bord interne de la boîte est gravée une formule de vœux à l'adresse du possesseur de l'objet.

A. C.

122

Aiguière « Blacas »

Signée Shujâ' ibn Mana al-Mawsilî

Mossoul, 629 H / 1232

Alliage cuivreux martelé, gravé et incrusté d'argent et de cuivre

H. 30,4 cm

Londres, British Museum
1866 12-29 61
Ancienne collection du Duc de Blacas
Bibl. : Reinaud, 1828 (J. T. Reinaud, *Description des monuments musulmans du cabinet de M. le duc de Blacas*, Paris, 1828), t. II, p. 423-439 ; Rice, 1957, p. 284-326 ; Ward, 1993, p. 80

L'importance de l'aiguière « Blacas » réside surtout dans son inscription en *naskhi* autour du col, qui donne le nom de l'artisan, Shujâ' Ibn Mana al-Mawsilî (Shujâ', fils de Mana de Mossoul) et précise qu'il l'a réalisée à Mossoul en rajab 629 / mai 1232. Cet artiste est connu par ce seul objet, mais on sait qu'il fut au service (*âjir*), d'al-Hâjj Ismâ'îl et de Muhammad ibn Futtûh al-Mawsilî, auquel on doit un chandelier conservé aujourd'hui au musée d'Art islamique du Caire (cat. 124). Alors que Mossoul était célèbre pour son art du métal, la fameuse aiguière « Blacas » est longtemps restée le seul objet attribuable en toute certitude à ce centre de production. Un second est maintenant connu, l'écritoire de la David Collection à Copenhague datée de 1255-1256 (Folsach, 2001, p. 317).

L'aiguière, qui a perdu son couvercle, son bec et son pied, appartenait au duc de Blacas avant d'entrer dans les collections du British Museum en 1866. Le décor se compose essentiellement de scènes figurées inscrites dans des cartouches de dimensions variables, de part et d'autre d'une frise centrale qui encercle la panse. La frise représente une scène de chasse, avec des cavaliers, des oiseaux et divers animaux. Les dix-huit grands médaillons, dans la moitié inférieure de la panse, évoquent probablement la vie à la cour de l'*atabeg* Badr al-Dîn Lu'lû, seigneur de Mossoul de 1232 à sa mort en 1259 [1]. Les scènes sont particulièrement remarquables pour la finesse de détail dans les costumes, qui reflètent les origines turques de la dynastie zenguide et de son entourage. Les hommes ont la tête couverte. Ils portent une tunique à manches étroites, celles des princes s'ornant d'une bande de *tirâz*. Les soldats ont des épées à lame droite et de petits boucliers ronds. L'une des femmes a le bas du visage dissimulé derrière un voile. Les musiciens jouent de divers instruments : harpe, luth, tambourin et flûte. Le médaillon le plus étonnant représente de nobles dames, dont l'une se contemple dans un miroir. Dans un autre médaillon, une dame et sa servante voyagent à dos de chameau dans un palanquin. L'une des scènes les plus intéressantes est tirée du *Shâh-Nâmeh* de Firdawsî, et montre le roi sassanide Bahrâm Gûr parti à la chasse avec Azadeh, sa favorite, reconnaissable à sa harpe. La signature de l'artisan est en *naskhi*, mais les vœux formulés à l'adresse du propriétaire sont en koufique ornementé, et disséminés sur la surface de l'aiguière. Ils lui souhaitent longue vie, santé, victoire. La frise de chasseurs contient peut-être une inscription en koufique animé, mais on a seulement déchiffré à ce jour que quelques-unes des lettres.

V. P.

1. Sur les cinq objets connus au nom de Lu'lû, et au nombre desquels ne figure pas l'aiguière « Blacas », voir D. S. Rice, « The Brasses of Badr al-Dîn Lu'lû », *B.S.O.A.S*, 14,1952, p. 564-578

122 (détail)

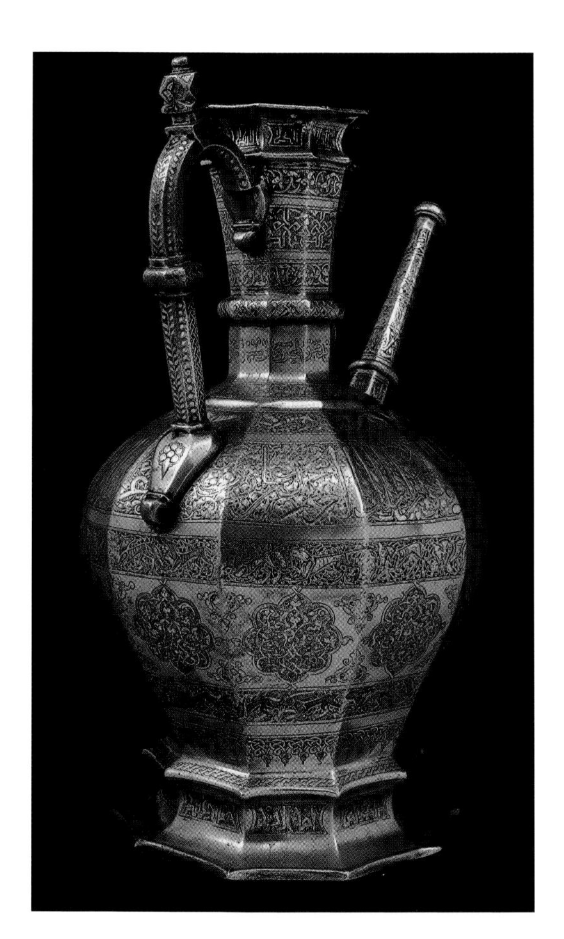

123

Aiguière au nom du sultan al-Malik al-Nâsir Salâh al-Dîn Yûsuf

Signée Husayn Ibn Muhammad al-Mawsilî

Syrie, Damas, 1258-1259

Alliage cuivreux martelé, décor repoussé, gravé, incrusté d'argent

H. 33,8 ; D. panse 17,5 cm

Paris, musée du Louvre, section Islam OA 7428

Legs baronne de Gléon, 1912

Exp. : Paris, 1971, n° 152

Bibl. : *R.C.E.A.*, 1943, n° 4439

Cette aiguière est l'un des rares objets conservés attestant d'une production de métaux à Damas sous le règne des Ayyoubides. Dans sa signature, clairement visible à la base du col, le décorateur Husayn Ibn Muhammad « de Mossoul » a en effet précisé le lieu de fabrication de l'aiguière, ainsi que sa date. Cet artiste est également connu par un second objet (cat. 125). Sur l'épaule de l'aiguière, une grande inscription nomme le destinataire de l'œuvre, le dernier sultan ayyoubide d'Alep, Salâh al-Dîn Yûsuf (1237-1260).

Le nom de ce souverain apparaît aussi sur le fameux vase « Barberini » (cat. 41). L'aiguière ornée par Husayn Ibn Muhammad s'inscrit dans la lignée formelle de deux autres objets datés (cat. 101, 122), malgré un décor très différent et bien plus sage. Des inscriptions, en diverses graphies, alternent avec des rinceaux végétaux et des frises animalières. L'œil est cependant plus attiré par les deux éléments principaux de l'ornement, l'inscription aux titres et nom du sultan d'une part, les dix médaillons polylobés d'autre part. Ceux-ci, cernés de plages presque nues, sont ornés d'arabesques végétales sur fond spiralé. En ces dernières années du sultanat ayyoubide, la mode des métaux incrustés de scènes souvent très narratives était peut-être déjà passée. Les frises animalières, où bêtes réelles et fabuleuses se côtoient et se poursuivent, semblent en revanche annoncer les métaux mamlouks, sur lesquels on les retrouve fréquemment.

A. C.

124

Chandelier

Signé al-Hâjj Ismâ'îl et Muhammad ibn Futtûh al-Mawsilî

Jezireh?, vers 1230?

Alliage cuivreux martelé, décor incrusté d'argent

H. 34 ; D. base 31 cm

Le Caire, musée d'Art islamique 15121
Ancienne collection Harari
Exp. : Le Caire, 1969, n° 53 ; Londres, 1976, n° 200
Bibl. : Wiet, 1932, n° 66

À la base de la bobèche du chandelier se trouve l'inscription : « Œuvre (*amal*) de al-Hâjj Ismâ'îl, décor (*naqash*) de Muhammad ibn Futtûh al-Mawsilî, l'incrusteur (*al-mutâ'im*), employé (*ajîr*) de Shujâ' al-Mawsilî ». Cette signature est riche de sens, car elle nous dévoile un processus de fabrication des métaux incrustés : la mise en forme était assurée par le dinandier, puis un autre intervenant, le « graveur-incrusteur », s'occupait du décor. Par ailleurs, la signature de Muhammad ibn Futtûh prouve qu'il travaillait pour l'auteur de l'aiguière « Blacas » (cat. 122). Il est donc fort possible que le chandelier ait été fait à Mossoul, dans l'atelier dirigé par Shujâ' Ibn Mana. L'influence de ce dernier sur son élève est visible sur ce chandelier, dont le décor offre bien des similitudes avec celui de l'aiguière. Le traitement tapissant du fond, la mise en page décorative en bandeaux et médaillons, le traitement des scènes illustrées, rappellent l'aiguière « Blacas ». Sur la bobèche du chandelier figurent des buveurs et des musiciens. Suivant la même composition en frise, d'autres banquets sont dépeints sur la base de l'objet, également ornée d'inscriptions votives et de six médaillons aux cavaliers, scènes de cour et rinceaux animaliers. Sur le plat de l'épaule se déploient les douze signes zodiacaux. La juxtaposition de ces thèmes recouvre peut-être une signification particulière, se rapportant au destinataire inconnu de l'objet.

A. C.

125

Chandelier fait pour un émir rasulide

Signé Husayn Ibn Muhammad al-Mawsilî

Syrie, Damas, 1257

Alliage cuivreux martelé, décor incrusté d'or et d'argent

H. 33.4 ; D. base 31.3 cm

Doha, National Council for Culture, Arts and Heritage
Exp. : Humlebaek, 1987, p. 62 et 91, n° 122 ; Paris, 1993, n° 373

Ce chandelier est la première œuvre connue de cet artiste, qui, un an plus tard, réalisa une aiguière au nom du dernier sultan ayyoubide d'Alep (cat. 123). Ces deux objets, faits à Damas comme l'indiquent leurs inscriptions, montrent que les métaux pouvaient être commandés par des patrons résidant dans d'autres villes : ces objets « voyagaient », et la *nisba* « de Mossoul » s'explique peut-être ainsi. Ils montrent aussi que les commanditaires de haut rang étaient divers : un artiste ou son atelier n'était pas exclusivement attaché à une famille dynastique. L'inscription de la base constitue le principal ornement. Elle nomme un officier du sultan rasulide du Yémen al-Malik al-Muzaffar Shams al-Dîn Yûsuf (1250-1295) : « Gloire à notre maître, le très illustre émir, le grand, le roi des émirs, la gloire des nobles, le refuge des étrangers, le secours des pauvres, le champion de la foi, le combattant, le guerrier, l'assisté de Dieu, Tâj al-Dunyâ wa 'l Dîn Abû Durr Badr (le fonctionnaire) d'al-Malik al-Muzaffar ». À l'époque mamlouke, de nombreux métaux et verres émaillés seront produits en Égypte et en Syrie à destination du royaume rasulide. Le fils de Husayn Ibn Muhammad al-Mawsilî, 'Alî, réalisera ainsi en 1275 une aiguière pour le sultan al-Malik al-Muzaffar. Le décor de ce chandelier est essentiellement épigraphique et végétal : la haute inscription centrale est bordée de deux autres en koufique tressé, qui rappellent d'autres métaux syriens contemporains. Une étroite

frise d'animaux passant se situe au bas du chandelier, rappelant la même composition sur celui de Dâwud ibn Salâma (cat. 99). Le fût, au décor tapissant sur lequel se détache une inscription koufique, rappelle également des métaux mossouliens et syriens.

A. C.

126

Bassin aux signes du zodiaque

Syrie, vers 1240?

Alliage cuivreux martelé, incrusté d'or et d'argent

H. 17,5 ; D. ouverture 45,5 cm

Doha, National Council for Culture, Arts and Heritage

Exp. : Humlebaek, 1987, p. 26 et 91, n° 123 ; Paris, 1993, n° 370

Bibl. : Allan, 1982, n° 12 ; Sourdel, 1965 ; Ayalon, 1967

La forme de ce superbe bassin, à la paroi s'évasant sous une lèvre aplatie, est typiquement ayyoubide (cat. 42). L'extérieur de la paroi et le fond de l'objet sont ornés des signes du zodiaque et de la figuration des planètes, pris dans des médaillons noués et ininterrompus, dont le fond et les interstices sont ornés d'enroulements végétaux.

Les inscriptions qui bordent les signes zodiacaux sont aux titres d'un dignitaire anonyme, au service d'un souverain nommé al-Mansûr. L'une d'elle dit : « Fait pour son Excellence, l'honorable, le très-haut, le seigneur, le grand émir, le très illustre, le respectable, le bien servi, le combattant, le victorieux, (le fonctionnaire) d'al-Malik al-Mansûr. » Il est possible que cet objet ait été réalisé pour un émir du prince de Homs, al-Malik al-Mansûr Ibrahim (1208-1246) membre de la branche asadite ; ou de celui de Hama, descendant du neveu de Saladin, al-Malik al-Mansûr ibn al-Muzaffar (mort en 1244).

Cette œuvre est à plusieurs égards proche d'un bassin probablement contemporain dont la forme et les dimensions sont similaires, comme l'est l'organisation décorative (Allan, 1982, p. 76). Au fond se trouvent sept figurations zodiacales liées à leurs planètes ; et sur la paroi deux inscriptions cernent les décors centraux. Ces inscriptions, comme sur le bassin du Qatar, sont scandées de médaillons où un oiseau de proie attaque un autre volatile. Peut-être ces deux métaux ont-ils été réalisés dans le même atelier de production.

A. C

Les céramiques ornées sans glaçure

On conserve en grande quantité pour les XIIe et XIIIe siècles des céramiques très ornées, dépourvues de glaçure. Leur « aire de dispersion » est « considérable » (Sauvaget, 1932, p. 3). Ces pièces sont toutes destinées à recevoir de l'eau. L'absence de glaçure permet l'évaporation d'une partie du liquide et le refroidissement du reste du contenu par échange thermique. C'est pourquoi les céramiques réservées à cet usage sont perméables. Il s'agit toujours de formes fermées, de petite taille comme les gourdes, les cruches, ou de grande dimension comme les jarres à fond rond placées, à l'origine, sur des supports. Les cruches sont encore parfois munies d'un filtre pour éviter que n'y tombent des insectes ou autres (cat. 130). Les grandes jarres (*habb*) sont le plus souvent attribuées à la Mésopotamie ou à la Jezireh, étiquette un peu évasive. L'une d'entre elles provient très sûrement de Meskeneh, dont on sait que ce fut un grand centre de fabrication et qui a livré, en particulier, beaucoup de cruches sans glaçure. On peut donc sans conteste affirmer l'existence d'une production dans la partie sud de la Jezireh, en Syrie, dans la région du Diyâr Mudar. Jean Sauvaget avait émis l'hypothèse que la fabrication des céramiques sans glaçure était « l'œuvre de potiers mésopotamiens installés à Damas » et travaillant pour une clientèle syrienne ; mais la multiplication des découvertes en divers lieux ne soutient plus guère une explication univoque.

Aux cruches et aux grandes jarres, il conviendrait d'ajouter de nombreux récipients sphéro-coniques, dont les usages, sans doute multiples, ont fait couler beaucoup d'encre. Cependant, en l'absence d'une étude globale du matériel, il apparaît difficile, hors de tout contexte, d'attribuer certaines pièces plutôt que d'autres à la période ayyoubide.

Les pièces sans glaçure présentent un décor complexe réalisé pour l'essentiel à partir de moules (cat. 127). Cependant la fabrication de ces moules et leur méthode de décoration est elle-même sophistiquée. Certains ont dû être réalisés par surmoulage sur des pièces déjà existantes, ornées d'un décor d'argile délayée, la barbotine. Ainsi le motif apparaît-il de section courbe, avec un relief doux, effet qui ne pourrait être obtenu par enlèvement de matière dans le moule ; le relief serait alors plus abrupt. L'estampage est également employé pour orner les moules de petits motifs de fond. Enfin, surmoulage, champlevage, estampage et décor à la barbotine peuvent se combiner sur une même pièce. Ces objets apparaissent ainsi, tant sous l'angle du décor que sous celui de la technique mise en œuvre, d'une sophistication époustouflante. Elle se maintiendra quelque temps sous le règne des sultans mamlouks et l'on peut attribuer à cette période plusieurs gourdes souvent ornées de blasons.

S. M.

127

Moule et épreuve

Syrie, milieu du XIIIe siècle; XXe siècle (épreuve)

Pâte argileuse, décor estampé et champlevé

D. 16 ; H. 8,5 cm

Damas, Musée national
A/9668
Bibl. : Sauvaget, 1932 ; Sauvaget, 1948 ; Paris, 1983, n° 347, p. 300

Le moule montre bien toutes les techniques qui pouvaient être mises en œuvre pour la réalisation de céramique utilitaire. Le décor vermiculé ornant le champ central, les rosettes du bandeau et les cercles pointés ont été estampés directement dans le moule avec trois poinçons différents. Le large motif vermiculé ainsi que le bandeau d'inscription ont probablement été dégagés avec une petite gouje. Il est possible que préalablement les motifs d'amande aient été surmoulés à partir d'un objet déjà existant. Malgré sa forme ouverte cet objet servait à fabriquer des pichets ; un cercle était alors découpé dans la zone sans décor de l'épreuve pour y souder, à la barbotine, un col monté au tour. La partie basse de la cruche à réaliser pouvait l'être à partir du même moule – l'épigraphie étant alors inversée – ou à partir d'un autre moule, ou bien laissée sans décor. L'inscription dit : « Prospérité et abondance au possesseur – fait par Ibrahim ».

Mo. M – S. M.

127

Les pièces à décor non glaçuré offrent parfois des décors d'une grande qualité. L'épaule de ce pichet, à col légèrement évasé, présente un décor moulé constitué d'une inscription cursive, où il est souhaité au possesseur gloire durable et bonheur parfait, et d'une frise de quadrupèdes passant (chiens ou renards) entrecoupée par trois médaillons où figure un paon de profil. Ces objets étaient moulés en deux parties que l'on assemblait ensuite. D'un point de vue technique et stylistique, le décor de ce pichet s'apparente aux décors de stuc de l'Anatolie seljoukide (1077-1307), notamment ceux retrouvés au palais de Kubâdâbâd. On attribue ces objets à la Jezireh, important relais de diffusion.

D. M.

128

Pichet aux quadrupèdes et aux paons

Jezireh, XIIe-XIIIe siècle

Pâte argileuse, décor moulé

H. 15,8 cm

Paris, musée du Louvre, section Islam MAO 390

Exp. : Amiens 1999, n° 61 ; Saint-Jacques-de-Compostelle 2000, p. 111 et 304, n° 77

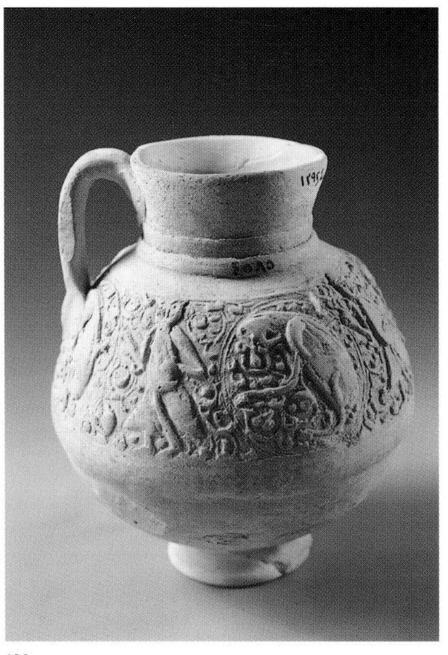

129

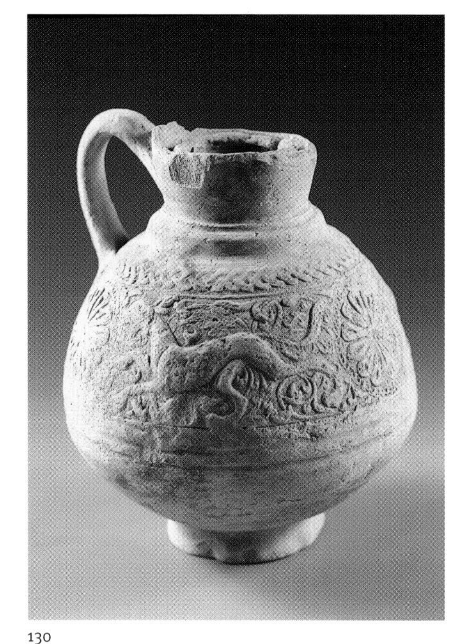

130

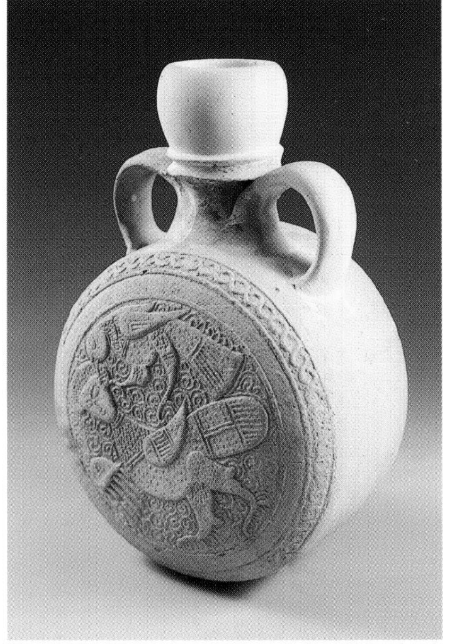

131

129

Pichet

Syrie du Nord, milieu du XIIIe siècle

Pâte argileuse, décor moulé

H. 15 ; D. 13,5 cm

Provient de Raqqa

Damas, Musée national

A/1392

Un personnage en pied, muni d'une longue épée, alterne avec un lion (?) enfermé dans un médaillon comme dans une cage. D'un style un peu rude le moule dont est issu l'objet pourrait avoir été surmoulé sur un objet décoré à la barbotine ; dans un second temps, ce moule a sans doute été travaillé par enlèvement de matière pour réaliser les personnages. Les bourrelets épais à la base du col et le décor indiquent la zone de raccord entre la partie haute obtenue dans un moule ouvert (cat. 127) et la partie basse, ainsi qu'entre la panse et le col obtenu par tournage.

Mo. M. – S. M.

130

Pichet

Syrie, milieu du XIIIe siècle

Pâte argileuse, décor moulé

H. 16 ; D. 15,5 cm

Provient de Shira'

Damas, Musée national

A/13597

Cet objet a conservé son dispositif de filtre. Le décor d'animaux passant évoque le répertoire du métal comme les rosettes interrompant le bandeau décoratif. Sous l'anse, on peut lire l'inscription : « À lui la prospérité éternelle ».

Mo. M. – S. M.

131

Gourde

Syrie, milieu du XIIIe siècle

Pâte argileuse, décor moulé

H. 30 ; D. 20 ; ép. 13 cm

Proviendrait d'Antioche

Damas, Musée national

A/2065

Exp. : Paris, 1984, p. 300, n° 347

Bibl. : Sauvaget, 1932 b ; Sauvaget, 1948

L'emploi du terme de gourde de pèlerin ne va pas sans poser problème. Il a été réfuté par J. Sauvaget, car il ne se base sur rien d'autre que sur la ressemblance entre ces objets et les ampoules contenant des huiles que les pèlerins occidentaux rapportaient de Terre sainte. G. Wiet était en revanche favorable à cette étiquette. Quoi qu'il en soit de leur usage, les textes mentionnent souvent pour les déplacements des gourdes de peaux ; ainsi Usâma ibn Munqîdh évoque-t-il des gourdes de cuir dans son *Livre des enseignements de la vie* (trad. p. 127) ; on retrouve sur cet objet une iconographie fréquente, celle du vautour dominant une proie ; il semble que ce soit une harpie que l'oiseau domine ici. Cette pièce appartient au groupe des gourdes en forme de tambour, aux côtés plats soudés aux cercles décorés par des boudins de pâte à l'intérieur. Sur les gourdes de cette forme apparaissent souvent des blasons de charge ce qui indique clairement une datation mamlouke. Le traitement décoratif ne permet pas en l'occurrence de trancher. Le fond vermiculé rappelle en particulier celui de plusieurs exemplaires dont l'iconographie (aigle héraldique bicéphale...) « cadre » mieux avec la période ayyoubide.

Mo. M. – S. M.

132

132 à 134

Trois fragments de plat de gourde

Syrie, première moitié du XIIIe siècle

Pâte argileuse, décor moulé

132 : D. 13 cm
133 : D. 15 cm
134 : D. 11,5 cm

Damas, Musée national

A/730, 8A35 (provient des fouilles de Hama) et A/4353 (provient de Damas, ancienne collection de l'IFAO)

Bibl. : Riis ; Poulsen, 1957, p. 249, fig. 884 ; Sauvaget, 1932 b, nos 163

133

134

L'éblouissant décor végétal (134), fait sur le « positif » à la barbotine, est issu d'un moule en partie estampé, tandis que le personnage à la hache (133) a probablement été réalisé dans un moule obtenu par surmoulage sur un objet fait à la barbotine. C'est la même technique qui a probablement été employée sur le troisième (132) au décor plus ambitieux dont le sens narratif nous échappe. À Damas, dans le quartier de Sâhliyyé, comme à Hama, la production locale de ces pièces est attestée par la présence de moules et de fours.

Mo. M. – S. M.

135

Jarre à eau

Syrie, Meskeneh, deuxième quart du XIIe-XIIIe siècle

Pâte argileuse sans glaçure, décor modelé et à la barbotine

H. 79 ; D. max 45,5 cm

Paris, musée de l'Institut du monde arabe

AI 91-04

Bibl. : Mouliérac, 2000, p. 139

Ces grosses jarres à eau, bien que n'étant pas des pièces rares, frappent toujours par leur aspect imposant et leur qualité. Le décor d'accolades et d'ondulations en faible relief est ici disposé en registres interrompus par des placards rectangulaires sur lesquels apparaissent d'étranges personnages qui semblent se dégager de la matière. Figurés nus, ils apparaissent sur de très nombreux exemplaires (ainsi sur celui de la collection Croisier, Mouliérac, p. 75) ; ce sont peut-être des figures protectrices ou apotropaïques, étant donné l'aspect inquiétant de leurs yeux démesurément agrandis. La jarre, dite provenir de Meskeneh, a un profil assez trapu, effet donné par l'écrasement de la partie haute à décor architectural. Celui-ci s'est dilaté pour prendre une place rarement aussi spectaculaire : l'enveloppe extérieure, autour du col, s'ouvre en baies géminées et lobées. Ces pièces sont souvent considérées comme mésopotamiennes. Mais celle-ci, issue de Meskeneh, important centre de céramique qui recelait un quartier de potiers, permet avec d'autres exemplaires provenant de Raqqa (musée national de Damas) de soutenir l'hypothèse d'une production dans le Nord de la Syrie pour ces pièces encombrantes et délicates à transporter. Placées à l'extérieur des demeures, dans un endroit ventilé, elles reposaient sur un support dont on conserve des exemples en pierre. Elles étaient destinées, comme les cruches et autres gourdes sans glaçure, à réfrigérer l'eau qu'elles contenaient par évaporation d'une partie du contenu.

S. M.

136

Assiette à décor épigraphique

Syrie, XIIe siècle

Pâte siliceuse, décor incisé et champlevé, sous glaçure transparente

D. 20 ; H. 4 cm

Paris, musée de l'Institut du monde arabe

AI 83-09

Bibl. : Mouliérac, 1999, p. 136

La recherche d'une pâte blanche et fine permet l'obtention de céramiques fines à décor moulé sans avoir à recourir à une glaçure opacifiée. Le décor délicatement champlevé est voilé par la glaçure créant un effet proche de celui de pièces iraniennes elles-mêmes inspirées de pièces chinoises monochromes. Le cheminement de ces pièces d'importation depuis la Chine est moins clair pour le XIIe et la première moitié du XIIIe siècle qu'il ne l'est pour les périodes antérieures (IXe-Xe siècle). Quant à un lien direct entre la Chine et le domaine ayyoubide, peu de céramiques chinoises ont été retrouvées en Syrie ou en Égypte (quelques exemples à Alexandrie). La « dette » à l'égard de l'Iran semble donc assez nette concernant cette production.

S. M.

136

Juste ornée d'une palmette lobée dans un motif cordiforme, cette petite coupe vaut particulièrement pour la splendeur de sa teinte aubergine, servie par une glaçure en bon état. Cette teinte, dérivant du manganèse, est particulièrement fréquente dans la coloration des verres dès la période fatimide ; elle est largement employée dans la verrerie syrienne dès les XIIe-XIIIe siècles. Pour ce qui est de la céramique, la couleur ne sera guère employée au-delà de la période ayyoubide. Sans doute faut-il voir dans les quelques pièces de céramique parées de cette couleur profonde une influence de l'art du verre florissant.

S. M.

137

137

Coupelle

Syrie du Nord, début du XIIIe siècle

Pâte siliceuse, décor gravé sous glaçure transparente colorée

D. ouverture 12 ; H. 6 cm

Paris, musée du Louvre, section Islam
MAO 126
Acquise à Beyrouth en 1953
Exp. : Paris, 1971, n° 66 ; Paris, 1977, n° 142 ; Paris, 1989, n° 9

138

Femme allaitant

Syrie, fin du XIIe, début du XIIIe siècle

Pâte siliceuse, décor moulé et peint sous glaçure transparente colorée

H. 27,5 cm

Paris, collection particulière

Exp. : Munich, 1910, pl. 151 ; Paris, 1993, p. 425, n° 318

Bibl. : Soustiel, 1985,p. 133, n° 151

Bien qu'ayant une glaçure altérée, cette pièce est un des plus beaux exemples des rondes-bosses d'époque ayyoubide. Son usage est énigmatique et peut-être faut-il accepter d'y voir une pièce purement décorative. Ceci évite d'ailleurs de vouloir y saisir quelques résurgences comme le thème oriental ancien de la déesse-mère dont on comprend mal par quel biais forme et contenu auraient été véhiculés. Une femme, assise jambes croisées, tient dans ses bras un enfant qui tète. La disposition maladroite, trop haute, de la poitrine, ainsi que le visage hors d'échelle et lunaire, aux yeux agrandis et vides d'émotion, rendent la pièce saisissante dans sa schématisation. La femme est extérieure à l'action dans laquelle elle est impliquée. La fixité du regard et la monumentalité du visage lui confèrent une force religieuse qui ont parfois amené à lui supposer un modèle spirituel chinois, Guanyin.

Il peut tout simplement résulter d'une maladresse du potier car, en dehors d'une pièce très proche au musée de Berlin, les pièces iraniennes traitant du même sujet n'ont pas cette disproportion qui les rend fascinantes (Berlin, 1973, p. 129, n° 171).

S. M.

139

Bélier

Syrie, fin du XIIe-début du XIIIe siècle

Pâte siliceuse, décor moulé sous glaçure colorée

H. 15,5 ; L. 15 cm

Damas, Musée national

A/2500,5

Références : Watson, 1985, p. 97 ; Berlin, 1973, p. 129, n° 170

L'usage des petites rondes-bosses animalières ou autres (cat. 51, 52) demeure problématique. Certains exemples iraniens ont à l'évidence une fonction d'aquamanile, car ils sont pourvus d'un trou de remplissage sur le dos et d'une ouverture assez large pour verser. Plusieurs de ces pièces iraniennes sont lustrées (Watson, p. 97), mais il existe aussi des modèles moulés sous glaçure colorée (Berlin, inv. I. 3/62). Les pièces iraniennes (vache ou taureau) sont souvent d'une plastique plus schématique : le corps affecte bien souvent la forme d'un barillet, la queue n'est pas indiquée, et les pattes tubulaires sont grêles.

Ce petit animal trapu, aux flancs lourds, apparaît plus vivant bien qu'assez sommaire. La tête dressée est juste allégée par les cornes courtes dirigées vers l'arrière, c'est sans doute d'un bélier dont il s'agit ici. L'aspect fonctionnel de l'objet ne paraît guère probable, car il est dépourvu de trou de remplissage et ne pouvait être une verseuse. On peut supposer que le « bibelot » a d'ores et déjà fait son apparition, comme l'indique en outre d'autres figurines de ce type (cat. 138).

Mo. M. – S. M.

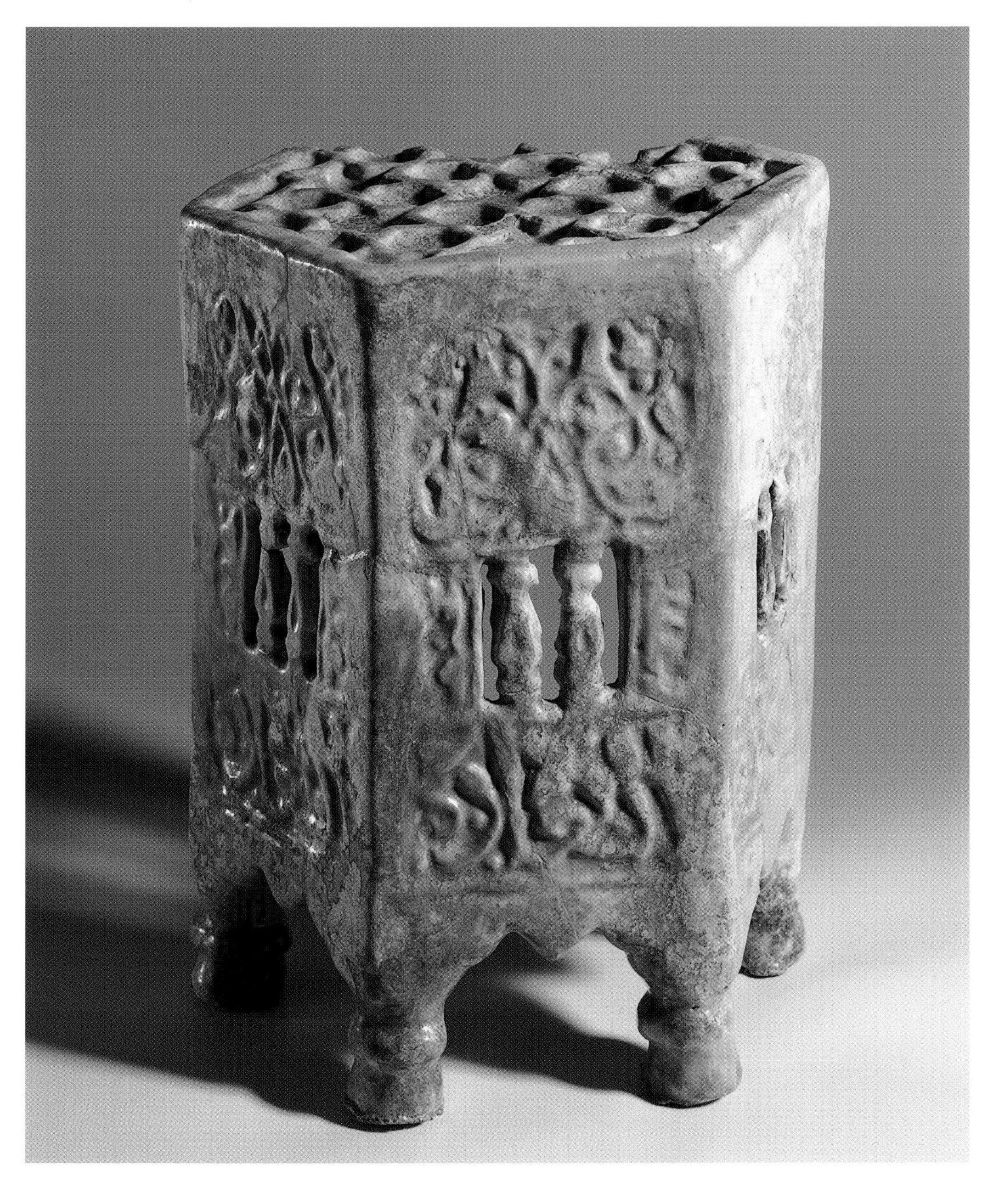

140

Support / petite table

Raqqa, milieu du XIIIe siècle

Pâte siliceuse, décor moulé sous glaçure incolore transparente (fortement irisée)

H. 32 ; D. 26,5 cm

Berlin, Museum für Islamische Kunst
I. 4113
Inédit

Les tables basses de céramique, sur lesquelles on posait des mets et des boissons, furent une innovation de l'époque des Ayyoubides. La table hexagonale se compose d'un dessus et de six côtés égaux avec pieds. La pâte jaunâtre n'a par endroits qu'une épaisseur de 0,5 cm, et deux des côtés ainsi qu'une partie du dessus ont disparu.

Les côtés sont ajourés avec des colonnes décoratives, la répétition du décor en relief indique qu'ils ont été exécutés dans un même moule. Une inscription en *naskhi* est tracée dans la partie inférieure, exprimant le souhait *al-sa'ada* (félicité), tandis que dans la partie supérieure apparaît un décor floral disposé de façon symétrique. Le dessus de la table montre un décor d'étoiles à six branches et d'hexagones champlevés. La composition ornementale qui se développe à partir d'une étoile, connue à Raqqa par les claustras du palais zenguide ou proto-ayyoubide à Qasr al-Banat, se retrouve sur les parois latérales d'une autre table provenant de Raqqa, qui selon son inscription sortirait de l'atelier de Muhammad (Istanbul, Çinili Kiösk). La découverte d'un fragment de table en céramique dans la Grande Mosquée de Raqqa restaurée par Nûr al-Dîn constitue une autre base pour l'attribution de cette production céramique aux ateliers de la ville, inspirée par le mobilier en bois de cette époque. La combinaison d'éléments calligraphiques avec des motifs végétaux et géométriques leur confère un aspect unique. La glaçure verte posée à l'extérieur comme à l'intérieur qui, dans le cas présent, s'est irisée sur une grande partie de la surface à cause de son enfouissement à même la terre, lui donne un aspect précieux.

A. Von G.

141
Gobelet
Syrie du Nord, fin du XIIe, début du XIIIe siècle

Pâte siliceuse, décor peint sous glaçure alcaline translucide

D. ouverture 10,8 ; H. 12, 5 cm

Paris, musée du Louvre, section Islam
OA 6059
Acquis en 1906
Exp. : Paris, 1977, n° 378 ; Marcq-en-Barœul, 1979, n° 76 ;
Bibl. : Migeon, 1907, II, n° 136 ; Soustiel, 1985, p. 199

Le gobelet dont les parois s'évasent légèrement au-dessus d'un piédouche un peu épais n'est pas sans équivalent ; une pièce similaire, un peu plus grande, est conservée dans la David Collection de Copenhague (Copenhague, 1970, p. 287, inv. I. 130). Le décor se répartit à l'identique en deux larges bandes, soulignées d'un listel noir, que sépare une zone turquoise sans décor. La lèvre est ceinte d'une suite de caractères en écriture pseudo-koufique dont l'arrangement décoratif fait alterner hampes et nodules en réserve sur fond noir. Ce motif est récurrent dans la céramique polychrome peinte sous glaçure, et semble dérivé des bordures de pseudo-koufique des pièces de petit feu produites en Iran. Puis un large bandeau est occupé par une élégante inscription pseudo-koufique jouant de lettres traitées en col de cygne et de hampes redoublées. La forme semble dériver d'un prototype métallique, comme l'indique en particulier le traitement du pied ; le profil est nettement distinct des modèles de verre qui ont alors commencé à se répandre.

S. M.

142
Plat aux sequins
Syrie, première moitié du XIIIe siècle

Pâte siliceuse, décor peint sous glaçure colorée

D. 26,3 ; H. 7,5 cm

Proviendrait de Raqqa
Damas, Musée national
A/1311

D'une forme généreuse, cette grande coupe s'orne de quatre sequins portant un médaillon où deux demi-palmettes en réserve divergent avant de se rejoindre suivant une composition fréquemment employée sur la céramique ayyoubide. Sous les sequins, le fond porte des palmettes en réserve dont le dessin épanoui rappelle le répertoire qui se rencontre sur les pièces lustrées. Sur l'aile rayonnent les hampes d'une pseudo-inscription koufique. La netteté du dessin, son efficacité, alliées à l'état de conservation de la pièce, apportent un démenti criant à la première place bien souvent accordée à la céramique iranienne au détriment de la céramique syrienne.

Mo. M. – S. M.

143

Vase balustre

Syrie, deuxième quart du XIIIe siècle

Pâte siliceuse, décor peint sous glaçure transparente colorée

H. 26 cm

Oxford, Visitors of the Ashmolean Museum, Reitlinger Gift, 1978

1978.2499

Bibl. : Porter, 1981, p. 17, pl. VIII ; Philon, 1985, p. 117, fig. 8

Au style végétal des longues feuilles aquatiques ondulantes, cousines des feuilles d'eau des pièces iraniennes de Kâshân, se mêlent parfois un décor animalier tout aussi souple. Ce vase en est un heureux exemple. Le col est couvert d'un décor dense de motifs géométriques. Sur la partie la plus renflée de l'objet, un décor d'écriture cursive aux larges hampes surimpose son rythme à celui de frêles boucles végétales. Les deux tiers du vase sont plus dégagés, offrant un champ libre à quelques feuilles de saule qui semblent s'écarter pour laisser paraître la silhouette d'un lièvre ; les traits de sa morphologie sont accentués jusqu'à la stylisation : hautes pattes, oreilles allongées, échine ondoyante et taille fine ; plus que d'une description il s'agit ici d'un geste de calligraphe. Cette écriture du motif est propre à la production syrienne de la période ayyoubide, même si les racines de cette sensibilité plongent dans l'art de la période précédente, celle des Fatimides.

S. M.

L'état fragmentaire de la pièce accentue l'effet de mouvement arrêté que la silhouette gracile du lièvre produit. Les pattes semblent s'allonger dans la course, se fondre enfin dans les longues tiges vivement retournées. Tout est rythmique dans le traitement du dessin ; les changements brusques de direction de la ligne (visible dans l'arrondi de la partie supérieure de la patte arrière ou dans la tête retournée) ne sont troublés par aucun détail superflu ; ce ne sont que de rapides silhouettes qui fuient à travers la « fenêtre » de l'objet. Ce petit tesson résume à lui seul les qualités maîtresses de la céramique ayyoubide : virtuosité, fantaisie et liberté du dessin, servies par une économie remarquable des moyens. Un plat de céramique au lièvre mamlouk à décor d'engobe conservé au musée du Caire présente un décor où le souffle et la vivacité du dessin ayyoubide sont toujours présents (Baghat et Massoul, pl. 8).

S. M.

144

Fragment de plat au lièvre

Syrie, deuxième quart du XIIIe siècle

Pâte siliceuse, décor peint sous glaçure transparente incolore

D. max 11 cm

Le Caire, musée d'Art islamique

5910

Bibl. : Baghat ; Massoul, 1930, pl. 8

145

Vase boule

Syrie du Nord, début du XIIIe siècle

Pâte siliceuse, décor peint sous glaçure alcaline translucide

D. ouverture 3,5 ; D. panse 26 ; H. 17 cm

Paris, musée du Louvre, section Islam MAO 300

Acquis à Alep en 1939

Legs François Chandon de Briailles, 1955

Exp. : Paris, 1977, n° 103 ; Marcq-en-Barœul, 1979, n° 75 ; Rimini, 1993, n° 467

L'inscription est une simple suite de vœux : « gloire perpétuelle, prospérité… au propriétaire ». Le formulaire indique clairement que l'objet n'est pas le fruit d'une commande spécifique, le commanditaire n'étant pas nommé. La forme de l'objet est assez singulière mais pas complètement isolée (Copenhague, 1970, p. 289 : un vase de profil légèrement différent et de taille similaire). L'exemplaire du Louvre se distingue par l'élégance déliée de sa calligraphie dont les hampes sont disposées en ronde mouvante sur un fond léger de folioles. Les lettres de base apportent tout à la fois dynamisme et équilibre au décor. Par son aspect enlevé et dynamique, il évoque en particulier le décor du revers du grand plat de Copenhague (cat. 169) ; ce vase illustre l'arrivée en force de la calligraphie cursive (ici du *naskhi*) dans le décor de la céramique.

S. M.

146

Coupe

Syrie, XIIe-début du XIIIe siècle

Pâte siliceuse, décor peint en noir sur engobe blanc et sous glaçure bleue transparente

D. 21 ; H. 5,9 cm

New York, The Metropolitan Museum of Art, H. O. Havemeyer Collection, Bequest of Horace Havemeyer, 1956
56.185.10

Le décor en négatif joue sur le contraste entre la transparence de la glaçure sous-jacente laissée en réserve et le noir du pigment appliqué tout autour du motif. Ce décor se compose de six trèfles pointus reliés par la base de leurs tiges dans une composition circulaire. Le lobe pointu de chaque trèfle se termine en paire de demi-palmettes. De simples lignes délimitent six portions égales à l'intérieur de la surface circulaire occupée par le décor, jusqu'à la circonférence festonnée. L'inscription pseudo-koufique qui borde la coupe est également en réserve sur fond noir.
Le motif clair qui se détache sur la surface sombre, associé à une composition rayonnante, forme un décor particulièrement séduisant. Les trèfles pointus hérissés de demi-palmettes à un bout, et soudés à l'autre bout par leurs tiges évasées, dessinent une étoile au centre de la coupe, selon un procédé décoratif à la fois élégant et très étudié. Le motif rayonnant est contrebalancé par la série de bordures successives qui s'achève avec la bande festonnée et l'inscription pseudo-koufique. Le trèfle pointu revient fréquemment dans les décors d'époque ayyoubide exécutés dans les techniques les plus diverses, depuis le bois et la pierre sculptés jusqu'à l'enluminure en passant par le verre émaillé et doré.

S. C.

147

Coupe

Syrie, XIIe-début du XIIIe siècle

Pâte siliceuse, décor peint en noir sur engobe blanc et sous glaçure bleue transparente

D. 26,3 ; H. 7,6 cm

New York, The Metropolitan Museum of Art, Fletcher Fund, 1934
34.71
Exp. : Berlin, 1981, nº 49

Le décor s'agence autour d'un motif symétrique vigoureux qui rappelle suffisamment les inscriptions en koufique tressé pour être qualifié de pseudo-koufique. Les espaces vides sont parsemés de points et de boucles, tandis que le bord est souligné de pastilles peintes à intervalles réguliers. Le bord de la coupe présentait deux petites cassures et quelques ébréchures, mais il a récemment fait l'objet d'une restauration.
La composition pseudo-calligraphique, du plus bel effet, doit se « lire » avec les longues hampes à la verticale et les ligatures à l'horizontale. Les hampes s'épanouissent en demi-palmettes qui tendent à conférer à l'ensemble du décor un aspect plus abstrait et moins scriptural. Ce motif est probablement inspiré des épigraphies koufiques ornant certains monuments construits vers cette époque en Asie Mineure musulmane.

S. C.

148

Bol hémisphérique à décor de cercle

Syrie, milieu du XIIIe siècle

Pâte siliceuse, décor peint sous glaçure transparente colorée

D. 26,5 ; H. 7,4 cm

Oxford, Visitors of the Ashmolean Museum, Reitlinger Gift, 1978
1978.2180
Bibl. : Porter, 1981, p. 20 , pl. XI ; Philon, 1985, p. 123, fig. 16

Le décor de cette pièce s'organise autour de quatre grands médaillons circulaires issus du cerne épais du cercle central ; ce premier plan se détache puissamment sur un feuillage au traitement abstrait, réduit à un effet de virgules ; ce motif est une dégénérescence des longues feuilles d'eau et des petites folioles présentes sur une large part de la production de céramiques peintes sous glaçure à la fin du XIIe et probablement dans le premier quart du XIIIe (cat. 143). Une composition identique apparaît sur une pièce d'une forme plus fermée, hémisphérique, à bords éversés, attribuable à la seconde moitié du XIIIe siècle (Ashmolean, inv. 1978.1628 ; Porter, p. 41). Parmi les céramiques syriennes, cette pièce, comme le nº 1978.2188 (cat. 154), est remarquable par l'état de conservation de sa glaçure.

S. M.

149

Plat au guépard

Syrie, deuxième quart du XIIIe siècle

Pâte siliceuse, décor peint bichrome sous glaçure transparente incolore

D. 27,5 ; H. 7,1 cm

Oxford, Visitors of the Ashmolean Museum, Reitlinger Gift, 1978
1978.2183

Exp. : Londres, 1969, p. 44, n° 144 ; Londres, 1976, n° 307 ; Oxford, 1981, n° 362

Bibl. : Porter, 1981, p. 15, pl. VI

Malgré son état de conservation imparfait, ce bol hémisphérique à aile droite – une forme largement représentée alors – est un très bel exemple du style animalier ayyoubide. La bête est en position d'arrêt, comme à l'affût, et évoque ainsi immanquablement un animal de chasse. On a convenu d'y voir un léopard (Porter, 1981, p. 14), mais on peut aussi proposer d'y reconnaître un guépard, animal de chasse très prisé comme le rappelle le récit d'Usâma ibn Munqîdh dans son *Livre des enseignements de la vie.* L'animal se signale par de hautes pattes, une tête petite à la courte crinière, mais il est vain sans doute de vouloir l'identifier précisément. Car tout ici en fait un motif : le traitement en silhouette, la géométrie parfaite des pattes antérieures, le contraste avec la souplesse extravagante de la patte postérieure s'achevant en courbe filiforme tandis que la seconde patte semble s'envoler. Plus encore il flotte, comme immatériel, sur un fond animé de quelques tiges bleues et noires rapidement placées et d'un semis de points. Il est incontestable que le goût du motif pris sur le vif, dans un mouvement arrêté, est issu d'une esthétique fatimide, mais la dissolution du motif, sa réinterprétation purement graphique, désignent une étape très avancée du renouveau esthétique qui se fit jour dans les deux dernières décennies du XIIe siècle.

S. M.

150

Vase balustre

Syrie, milieu du XIIIe siècle

Pâte siliceuse, décor peint sous glaçure

H. 16,7 ; D. 12,5 cm

Damas, Musée national
A/5905

L'inscription cursive pourrait se lire : « prospérité éternelle... Dieu le Clément ». Elle se déploie sur un fond qui ne rappelle plus que de loin le décor végétal d'origine. Il se résume ici à de sommaires enroulements chargés de tâches bleues et des points. La forme de l'objet est plus équilibrée et moins remarquable que celle d'autres vases d'apothicaire (cat. 170). La glaçure aux tressaillures importantes laisse percevoir dans la partie basse où elle forme un bourrelet sa légère coloration verte qu'accentue l'épaisseur.

Mo. M. – S. M.

Cette coupelle s'orne d'un motif caractéristique de la céramique ayyoubide : une longue palmette ondulante dont l'extrémité se recourbe en crosse. La glaçure, d'une tonalité verdâtre aux larges tressaillures, et l'emploi de la palette limitée au bleu pâle et au noir sur fond blanc constituent également un trait distinctif d'un groupe de céramiques syriennes peintes sous glaçure.

S. M.

151

Coupelle à la palmette

Syrie du Nord, début du XIIIe siècle

Pâte siliceuse, décor peint sous glaçure

D. ouverture 11, 5 ; H. 7 cm

Paris, musée du Louvre, section Islam
MAO 265
Acquise à Beyrouth en 1935
Legs François Chandon de Briailles, 1955

Les vases de ce type existent en assez grand nombre pour la période ayyoubide. Son décor de cercles, cantonné au tiers supérieur de la panse et à l'épaulement, est proche de celui qui apparaît sur une série de bols hémisphériques (Ashmolean, inv. 1978.2188 ; Porter, p. 21). L'aspect très déstructuré du décor végétal, réduit à l'état de croches, parfois flanquant une tige (en dehors des cercles), permet de proposer une datation assez tardive pour cet objet, vers le milieu du XIIIe siècle. L'aspect de la glaçure aux larges tressaillures, épaisse et formant un bourrelet, est caractéristique de la production syrienne ; de même la concentration du décor au tiers supérieur qui confère à l'objet une silhouette un peu large et bien assise. Le col court est ceint d'une lèvre de section semi-circulaire, fortement saillante, ce qui permettait de l'obturer aisément avec un tissu et un lien. Aussi a-t-on souvent assigné à ces vases, comme à l'albarelle, un usage pharmaceutique.

S. M.

152

Vase balustre

Syrie, milieu du XIIIe siècle

Pâte siliceuse, décor peint bichrome sous glaçure transparente

H. 31,5 cm

Copenhague, The David Collection
D 73/1986
Bibl. : Folsach, 1990, n° 138

153

Bol conique

Syrie, 2e quart du XIIIe siècle

Pâte siliceuse, décor bichrome peint sous glaçure transparente incolore

H. 11,5 ; D. ouverture 22 cm

Oxford, Visitors of the Asmolean Museum, Reitlinger Gift, 1978

1978.2196

Bibl. : Porter 1981, p. 18, pl. IX ; Philon 1985, p. 113-126

Le riche répertoire floral de la production dite de « Raqqa » a ici presque complètement disparu ; il se réduit à quelques points semés sur le fond et de maigres tiges s'achevant par des motifs cordiformes. L'essentiel du décor tient dans les accolades tangentes dont les corolles concentriques donnent une certaine ampleur au décor. Ces motifs pourraient être eux-mêmes issus des feuilles de saule présentes sur les céramiques à décor peint sous glaçure monochrome de type « Raqqa » (cat. 143).

S. M.

154

Bol hémisphérique

Syrie, milieu du XIIIe siècle

Pâte siliceuse, décor peint sous glaçure transparente incolore

D. 26,8 ; H. 6,8 cm

Oxford, Visitors of the Ashmolean Museum, Reitlinger Gift, 1978

1978.2188

Bibl. : Porter, 1981, p. 19, pl. X ; Riyadh, 1985, p. 137, n° 110 ; Philon, 1985, p. 123, fig. 16

Ce bol très largement ouvert est une forme caractéristique de la production syrienne. L'aile droite qui le prolonge lui assure une monumentalité supplémentaire. La vaste surface à décorer est barrée d'un registre de pseudo-épigraphie bleu pâle sur un fond ponctué de noir, vestige d'un décor d'enroulement simplifié à l'extrême. Elle semble contrarier la disposition rayonnante des motifs en amande disposés sur l'aile. Un plat très semblable (Riyadh) permet de soutenir l'hypothèse que production de série et qualité n'étaient pas nécessairement des termes opposés. En revanche, si l'on s'en tient au schéma « évolutionniste » proposé par H. Philon, il faudrait situer cet objet vers le milieu du XIIIe siècle, voire même plus tard suivant la datation qu'elle adopte.

S. M.

D'une forme élégante cet objet retient l'attention par la qualité aérée de son décor. Sur le fond réservé, un paon au cou formant une courbe gracieuse déploie une large aile où pleins et dentelle des pennes se mêlent. Le dessin de coups de pinceau rapides rappelle le plat au paon de Berlin (cat. 180). À l'opposé de l'aile, trois aigrettes suffisent à contrebalancer le mouvement. Les pattes sont traitées dans le même esprit, comme des courbes prolongeant celle du dos et s'achevant enfin en un élément végétalisé. Sur le col évasé, à contredanse, on retrouve un oiseau de profil fréquent sur les pièces ayyoubides. Une forme similaire à celle du vase aux paons apparaît dès le XIe siècle dans la verrerie comme l'illustre un vase découvert à Fustât (Pinder-Wilson et Scanlon). La forme de la pièce évoque des objets de métal iraniens du XIIe siècle mais elle continuera sa course à l'époque mamlouke chez les dinandiers (XIVe siècle). À la jonction entre le col et la panse, le renflement signale d'ailleurs cette dette à l'égard d'un prototype métallique. Il existe en outre quelques exemplaires en céramique à la même période.

Mo. M. – S. M.

155

Vase aux paons

Syrie, milieu du XIIIe siècle

Pâte siliceuse, décor peint sous glaçure

H. 22,9 ; D. ouverture 13 cm

Proviendrait de Damas

Damas, Musée national

A/7016

Exp. : Paris, 1983, p. 302 (avec bibliographie), n° 352

Références : Pinder Wilson ; Scanlon, 1973, p. 23, fig. 22

Quelques boîtes à couvercle similaires à celle-ci sont conservées. Elles sont réalisées, à la même période, en céramique lustrée (cat. 171) ou peinte sous glaçure (Copenhague, inv. Isl. 124). Le corps de l'objet est arrondi à la base, sur un petit pied annulaire, ses parois s'inclinent fortement pour porter un couvercle de petit diamètre, muni d'un bouton de préhension simple qui est ici conservé. Elle s'orne d'un décor de demi-palmettes effilées se déployant en compositions symétriques de part et d'autre d'axes végétaux. Le vert y fait une apparition notable. Il complète en effet la palette des couleurs posées sous glaçure mais reste d'un emploi plus rare que le bleu, le noir, le brun manganèse ou même le rouge. Si elle est surtout proche de l'exemplaire de Copenhague, plus haute bien que dépourvue de son couvercle (19,5 cm), la boîte de Damas évoque aussi quelques exemplaires en verre (cat. 187).

Mo. M. – S. M.

156

Pot à couvercle

Syrie, première moitié du XIIIe siècle

Pâte siliceuse, décor polychrome peint sous glaçure

H. 16,5 ; D. max. 19 cm

Proviendrait de Raqqa

Damas, Musée national

A/9787

Exp. : Paris, 1996, p. 151, n° 78

Bibl. : Copenhague, 1970, p. 289, n° 21

157

Pichet aux lotus

Syrie, milieu du XIIIe siècle

Pâte siliceuse, décor polychrome peint sous glaçure transaprente

H. 15,7 ; D. 12,5 cm

Damas, Musée national
A/932,4

La glaçure fortement altérée confère à l'objet une teinte sable qui modifie la balance des couleurs. À l'origine, noir, vert, et turquoise composaient une palette vive contrastant avec le fond blanc de la pâte recouverte de glaçure. Des lotus dont l'échelle change entre le premier et le second registre composent le décor. La diminution du motif vers le col accentue le resserrement de la forme tandis que les lotus les plus larges sont disposés sur la partie la plus ventrue de la pièce. On retrouve sur plusieurs pièces le motif un peu raide du bouton de lotus tant parmi les pièces syriennes à décor peint sous glaçure, polychrome ou monochrome (tesson, musée du Louvre) que sur quelques carreaux de revêtement du site anatolien de Kubâdâbâd (musée de la Karatay, Konya ; Arik, p. 162, nº 233). Le col est ceint d'un bandeau pseudo-épigraphique fréquent sur les objets peints sous glaçure. D'un galbe moins lourd, le profil du pichet évoque cependant les pièces à décor moulé sans glaçure (cat. 130).

S. M.

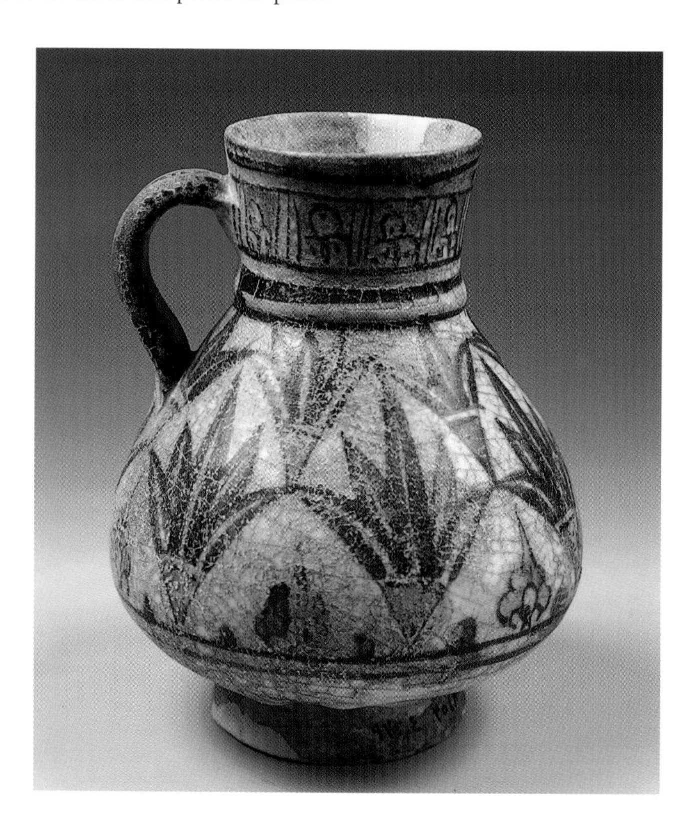

158

Plat aux sphinx adossés

Syrie, fin du XIIe-début du XIIIe siècle

Pâte siliceuse, décor polychrome peint sous glaçure transparente

D. 28 ; H. 7,5 cm

Copenhague, The David Collection
40/1968

Bibl. : Copenhague, 1970, p. 282 ; Folsach, 1990, nº 132 ; Folsach, 1991, nº 7

Ce plat de profil hémisphérique, à aile droite, offre une belle surface ouverte à décorer. Il présente une iconographie très similaire à celle du plat au sphinx de la même collection (cat. 56), et appartient à la veine la plus décorative de la céramique ayyoubide. Comme sur la pièce déjà évoquée, le corps des deux sphinx est paré de palmettes s'épanouissant en calice traitées en réserve. Les liens avec la céramique iranienne sont ici patents tout comme ceux avec les céramiques de revêtement anatoliennes. En particulier le plat aux sphinx partage avec ces dernières l'emploi des branches à petites feuilles serrées dites « en branche de sapin ». La répétition précise de l'iconographie du sphinx dont la queue s'achève en agressive protubérance animale permet de considérer que l'association délivre effectivement un sens. Les thèmes astrologiques sont d'ailleurs assez fréquents sur les carreaux de Kubâdâbâd en Anatolie (constellation des Poissons, de la Vierge...).

S. M.

159
Coupelle aux harpies
Syrie, fin du XIIe-début du XIIIe siècle

Pâte siliceuse, décor polychrome peint sous glaçure transparente

D. 12,5 ; H. 7 cm

Damas, Musée national
A/6785

Les harpies sont fréquemment représentées dans le monde islamique. Elles apparaissent sur la céramique du Proche-Orient dès la période fatimide (969-1171). Probablement issues du bestiaire méditerranéen, mais présentes aussi dans le monde iranien, elles ornent de nombreux objets (métaux, céramiques, bois...) de l'Iran oriental au monde égyptien aux XIIe et XIIIe siècles. Le sens du motif n'est pas clair ; dans le contexte d'un zodiaque, la harpie remplace souvent Vénus. Elle est fréquemment associée à la figuration de Jawzahr – pseudo-planète provoquant les éclipses – sur les métaux iraniens des XIIe-XIIIe siècles (Carboni, 1997, p. 22 ; Paris, 1998, ill. 28). Cependant, ici, aucun élément ne vient ajouter foi à ce contenu, et il est probable que les deux sphinges, de part et d'autre d'un arbre à petites feuilles émergeant d'un « étang », soient un arrangement vide de sens. La mise en place rapide du dessin, les lacis formés par les branches, le décor des coiffes et les rubans gonflés d'air au-dessus

du dos des volatiles, rendent la pièce attrayante malgré son état fragmentaire et la glaçure un peu piquetée.

S. M.

160

Bol hémisphérique à la harpie barbue

Syrie, début du XIIIe siècle

Pâte siliceuse, décor polychrome peint sous glaçure transparente

D. 12 ; H. 7 cm

Damas, Musée national
A/1436

Bibl. : Levy-Rubin, 1999, p. 176-185

La forme hémisphérique de ce bol est bien représentée à la période ayyoubide, mais le piédouche tronconique sur lequel la coupe est posée est plus inhabituel. Il s'agit généralement d'un pied annulaire bas (Joel, 1983, t. 3, pl. X e). Le décor est lui aussi surprenant : un oiseau à tête humaine barbue et pourvu d'une queue de paon. Il semble qu'aucune comparaison ne se présente dans le monde islamique ; l'animal se rapproche plus aisément des grylles gothiques, monstres composites où la tête est souvent un appendice greffé avec incongruité sur un corps animal. L'arrangement est ici plus rationnel, car c'est bien de l'aspect d'une harpie que le dessin est parti. Mais elle est enjolivée d'éléments grotesques. On est tenté d'y voir un rare cas d'influence de l'art occidental sur l'art d'Orient, tandis que se développe en Terre sainte une sculpture sur pierre et une école d'enluminure qui peuvent avoir fourni quelque inspiration. Ainsi entre 1149 et 1187 est sculpté le linteau du portail occidental de l'église du Saint-Sépulcre (voir p. 67). Dans les rinceaux habités apparaissent entre autres des harpies. De semblables exemples, même limités en nombre, n'ont pas dû manquer de frapper les regards. Le linteau du portail oriental du Saint-Sépulcre offre quant à lui plusieurs épisodes de la vie du Christ, parmi lesquels une entrée à Jérusalem, scène figurant également sur les métaux ayyoubides.

S. M.

Magnifique exemple du décor peint sous glaçure d'époque ayyoubide, cette pièce fragmentaire se distingue par un rouge d'une exceptionnelle qualité, un bleu lumineux et un dessin expressif était très proche d'une pièce du Louvre. Loin de satisfaire à un arrangement purement décoratif, le thème est traité avec un sens du détail, une instantanéité qui lui donne force de vie. On sent dans le bec mordant de l'animal dominé la violence de l'attaque; on apprécie dans les ailes, à l'envergure réduite, disposées perpendiculairement au corps, le déséquilibre qui menace le faucon dans sa saisie. L'animal de proie semble arc-bouté sur l'oie; l'articulation de son aile inférieure, plus petite, et la disposition des pattes des deux volatiles suffisent à donner la sensation que la scène se déploie dans l'espace, malgré l'irréel fond de palmettes. L'art du dessin, plein de saveur, a des antécédents fatimides, mais la céramique ayyoubide en donne peut-être une version plus saisissante, plus brutale, d'une grande efficacité.

S. M.

161

Tesson au faucon

Syrie, début du XIIIe siècle

Pâte siliceuse, déco polychrome peint sous glaçure transparente

D. max 11 cm

Ham (Royaume-Uni), Keir Collection 216

Bibl. : Grube, 1976, p. 268, n° 216 ; p. 249, pl. face

Les tessons ayyoubides de Fustât

Les tessons ayyoubides trouvés dans les fouilles de Fustât posent le problème de la fabrication de la céramique peinte sous glaçure dans ce qui fut, à l'époque fatimide, une capitale et un grand centre de manufacture de la céramique. La brillante période qui avait vu l'émergence d'une nouvelle pâte, artificielle, riche en silice, et de multiples recherches décoratives n'aurait donc pas eu de descendance localement ? Les trouvailles de tessons de céramique au Caire comme à Alexandrie (Rousset, 2001), malgré les doutes parfois émis sur une production de qualité en Égypte à la période ayyoubide (Scanlon, 1999), rendent plausible une fabrication sur les lieux même où devaient rapidement se refonder le pouvoir sous le règne des Ayyoubides puis sous le régime des Mamlouks.

S. M.

162

Tesson au personnage

Égypte ou Syrie, fin du XIIe, début du XIIIe siècle

Pâte siliceuse, décor polychrome peint sous glaçure

D. 10 cm

Le Caire, musée d'Art islamique

6141

Le fragment laisse deviner un personnage aux traits élégants coiffé de longues tresses semblables à celles qui apparaissent sur les personnages de plusieurs bols iraniens à décor de petit feu signés de Abû Zayd en 1186 et 1187 ; sur ses genoux sont venus se poser deux oiseaux. Les bras du personnage sont relevés, et son attitude un peu hiératique est difficile à interpréter ; les seuls exemples où l'on voit un personnage, les bras symétriquement levés, sont les carreaux de Kubâdâbâd figurant l'association planète/signe astrologique : Mercure tenant des épis de blé ou des tiges feuillues, dans la Vierge ou Jupiter assis tenant les deux Poissons (Arik, p. 135). La présence des oiseaux évoquerait plutôt la planète Vénus, domiciliée dans le Taureau ou la Balance. Dans les deux cas cependant, la position élevée des bras se comprend mal et l'angle qu'ils forment avec le corps est bien différent de celui des carreaux où figurent les Poissons ou la Vierge.

S. M.

163

Tesson au cavalier

Égypte ou Syrie, fin du XIIe, début du XIIIe siècle

Pâte siliceuse, décor polychrome peint sous glaçure

D. 11 cm

Le Caire, musée d'Art islamique

6241

164

Tesson à l'oiseau

Égypte ou Syrie, fin du XIIe, début du XIIIe siècle

Pâte siliceuse, décor polychrome peint sous glaçure

D. 10,5 cm

Le Caire, musée d'Art islamique

3902/10

Bibl. : Baghat ; Massoul, 1930, pl. XXXVI, 1

163

164

Le décor raffiné de cette coupe présente deux oiseaux de profil dos à dos, qui tournent la tête pour se regarder l'un l'autre et se touchent presque le bec. Celui de gauche est bleu, avec des ailes et des pattes noires, tandis que celui de droite semble tout noir, à moins qu'il n'ait une aile bleue. Un dessin vertical bleu et noir, qui représente sans doute un arbre de vie stylisé, sépare les deux oiseaux dont les queues se croisent. De fins motifs végétaux occupent la surface restante autour des oiseaux et un décor abstrait, peut-être d'inspiration pseudo-calligraphique, souligne le bord de la coupe. Cette céramique nous est parvenue en fragments. La restauration a permis de la reconstituer en restituant un manque sur le bord, mais il reste plusieurs ébréchures ainsi que des irisations sur la glaçure. Les céramistes des XIIe et XIIIe siècles employaient couramment des pigments noir, bleu de cobalt et rouge-brun appliqués sur un fond blanc, et sous une glaçure incolore, pour créer des compositions agréablement décoratives, qui pouvaient être abstraites, végétales, ou parfois animalières ou figurées. Ici, le rouge ne sert qu'à rehausser quelques éléments du fond végétal, contrairement à la trichromie habituelle. Cette coupe est attribuée au centre de production syrien de Raqqa, comme la grande majorité des céramiques de la même période. Sur différentes catégories d'objets d'art islamiques de cette époque, les paires d'oiseaux ou d'animaux, voire de sphinx ou de harpies et autres créatures fabuleuses, composent généralement des motifs héraldiques symétriques. Ici, la combinaison de couleurs, jointe à la simplicité presque ingénue du motif, adoucit la rigueur héraldique du décor zoomorphe, donnant à cette coupe une apparence presque familière aux yeux du spectateur moderne.

S. C.

165

Coupe

Syrie, XIIe-début du XIIIe siècle

Pâte siliceuse, décor polychrome sur engobe blanc et sous glaçure incolore

D. 26,4 ; H. 7,6 cm

New York, The Metropolitan Museum of Art, H. O. Havemeyer Collection, Bequest of Horace Havemeyer, 1956 56.185.11

Exp. : Berlin, 1981, n° 50

Bibl. : Dimand, 1957, p. 210 (repr.)

166

167

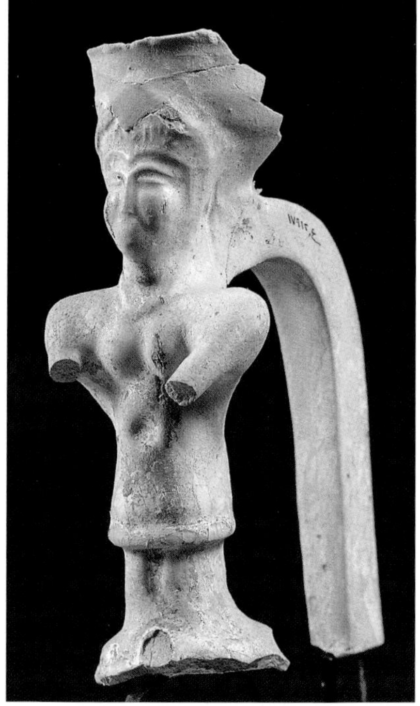

168

166

Grande coupe

Syrie, «Tell Minis», XIIe siècle

Pâte siliceuse et décor lustré brun chocolat sur glaçure transparente incolore

D. 36 ; H. 10,5 cm

Londres, Nasser D. Khalili Collection of Islamic Art

POT 1249

Exp. : Amsterdam, 1999, p. 240, n° 221

Bibl. : Grube, 1994, p 262-263, n° 297

La coupe à paroi arrondie et bord ourlé repose sur un petit pied façonné d'une manière tout à fait caractéristique des céramiques de Tell Minis. À l'intérieur de la coupe, un lion attaque un petit animal, peut-être un renard ou un lièvre. Une double palmette surmonte le lion, tandis que des rinceaux de palmettes parsèment le reste de la surface. Un motif en réserve de tiges ondoyantes s'étire dans le redent à la base du bord festonné. Au revers, le décor se limite à un ruban de lustre métallique appliqué sous le rebord de la coupe.
La céramique de Tell Minis porte le nom d'un village proche de Ma'arrat al-Nu'mân, au nord de la Syrie, où l'on a découvert un dépôt de treize poteries. L'un de ces objets présente une image de lion et des rinceaux de facture similaire (Copenhague, Kunstindustrimuseet, inv. 28/1959).
Cristina Tonghini (Grube, 1994) remarque que cette coupe met en évidence la parenté entre les décors lustrés de Tell Minis et les céramiques fatimides tout en annonçant un nouveau style syrien. Les rinceaux de palmettes, que l'on retrouve sur beaucoup de céramiques lustrées de Tell Minis, s'inspirent manifestement des lustres fatimides. Il en va de même pour la forme de la coupe, qui existait déjà dans la production fatimide, mais qui préfigure aussi un modèle couramment employé plus tard par les potiers de Raqqa.

N. N.

167

Jarre

Syrie, première moitié du XIIIe siècle

Pâte siliceuse, décor modelé et lustré sur glaçure transparente

H. 34,1 ; D. 24,5 cm

Paris, musée de l'Institut du monde arabe

AI 84-04

Bibl. : Mouliérac, 1999, p. 137 ; Londres, 1976, p. 233 , n° 309 et 310 ; Paris, 1993, n° 315 ; Paris, 1997, p. 203, n° 51

Cette pièce appartient à une série de jarres à décor similaire : musée national de la Céramique de Sèvres (inv. MNC 24942), Kunstgewerebmuseum de Cologne (inv. E 2944)... La netteté du relief visible sur la pièce du musée du Louvre (inv. A 8176 ; Paris, 1997, n° 51), ou sur une pièce de l'ancienne collection de Béarn, fait ici place à une mollesse de l'effet qui indique que certaines zones ont été dégagées par modelage. Des aplats de lustre y ont été posés, ce qui amoindrit encore la lisibilité du relief. Il existe également des pièces similaires à décor peint sous glaçure (British Museum, inv. 1969. 4.17 I).

S. M.

168

Haut de cruche

Syrie, milieu du XIIIe siècle

Pâte siliceuse, décor moulé sous glaçure, trace de décor lustré sur glaçure

H. 18,5 ; l. au niveau des épaules. 7,5 cm

Damas, Musée national

A/17912

Bibl. : Riis et Poulsen, 1957, p. 141, fig. 429-430

Il ne reste plus de la cruche que le bec-verseur en forme de personnage féminin sur lequel vient se fixer le haut de l'anse. Le petit personnage aux épaules trop larges a les bras cassés et la poitrine posée trop haut suivant un trait qui apparaît déjà à la période fatimide (plat lustré, Freer Gallery of Art, Washington, inv. 46.30). Elle est vêtue d'une robe courte se superposant peut-être à un autre vêtement et laissant deviner le creux du nombril. Le visage, large, est d'un modelé comparable à celui d'autres rondes-bosses (cat. 138). Une pièce très semblable, plus fragmentaire et altérée, est conservée au musée du Louvre (inv. MAO 3). La tradition des cruches à bec plastique n'est pas neuve dans le monde islamique ; elle apparaît en particulier dans le monde iranien parmi les objets de métal ensuite « traduits » en céramique ; l'emploi d'une forme humaine est plus rare et se réduit le plus souvent à un visage (Grube, 1999, nos 152, 155, 172, 173, 206) ou est associé à un corps d'oiseau sur les « bird-bowls » (*ibid*, n° 209). La représentation du corps dans sa totalité est tout à fait exceptionnelle et évoque plutôt des modèles antiques.

S. M.

169

Grand plat aux palmettes

Syrie, milieu du XIIIe siècle

Pâte siliceuse, décor polychrome peint sous glaçure

D. 50 ; H. 16 cm

Copenhague, The David Collection
Isl. 1

Exp. : Londres, 1976, p. 232, n° 308 ; Humlebaek, 1987, n° 86 ; Copenhague, 1996, p. 93, n° 56

Bibl. : Grube, 1963, p. 75-76 ; Copenhague, 1970, p. 266 et 284 ; Folsach, 1990, n° 137 ; Soustiel et Porter, vente du 22 juin 1992 (Daussy Ricqlés, lot n° 17)

Ce plat est un des chefs-d'œuvre de la céramique ayyoubide. La forme fréquente, dans le domaine syrien, du plat hémisphérique à aile droite permet de déployer un décor ambitieux, rendu plus impressionnant ici par le diamètre inhabituel de l'objet. Peint dans une gamme de brun, de noir et de bleu le décor minutieux et en même temps magistralement orchestré évoque, irrésistiblement, les lustres iraniens. Pourtant à y regarder de plus près, les exemples ne sont guère convaincants ; la superposition de deux réseaux végétaux est le trait le plus frappant de ce grand plat : le premier réseau est constitué de larges palmettes, meublées de fins enroulements, qui se déploient sur le fond à l'intérieur d'un cercle – peu visible de prime abord – puis sur le marli dans d'autres cercles reliés entre eux par des demi-palmettes effilées et ondulantes ; le réseau sous-jacent, moins articulé, est composé de tiges courbes portant des palmettes charnues traitées en réserve. Les carreaux d'angle du revêtement du mausolée de ʿAbd al-Samad (Iran, Natanz, vers 1308) sont l'exemple le plus proche de cet emploi d'un double réseau végétal. La date cependant tardive et la nature, par destination, immeuble des carreaux rend problématique la comparaison. Elle induirait une date plus en aval pour cette pièce syrienne, et il resterait à considérer alors que les grands centres de céramique syriens ont continué à produire des pièces de très grande qualité après les ravages de l'invasion mongole (milieu du XIIIe sur l'Euphrate). Mais on peut aussi considérer que les pièces syriennes ont elles-mêmes influencé l'esthétique parfois un peu raide des pièces iraniennes, selon un renversement de perspective qui doit très probablement être envisagé. Le revers de la pièce porte une élégante inscription cursive que les manques rendent difficilement déchiffrable ; cependant il semble qu'il s'agisse d'une simple suite de vœux au propriétaire anonyme de la pièce.

S. M.

170

Vase balustre

Syrie, début du XIIIe siècle

Pâte siliceuse, décor de lustre et de glaçure colorée

H. 20,5 ; D. ouverture 9,5 cm

Proviendrait de Raqqa

Damas, Musée national

A/6712

Les cercles soulignent puissamment l'épaulement du vase. En réserve sur le fond, ils contiennent une pseudo-épigraphie. L'état de conservation remarquable permet d'apprécier le contraste entre le lustre, d'une teinte chaude et profonde, et la vivacité des rehauts de glaçure turquoise. Le fond vermiculé qui apparaît entre les disques appartient au répertoire habituel des lustres syriens. Le décor s'arrête, comme souvent dans cette production, au-dessus du tiers inférieur que la glaçure épaisse ne recouvre pas en totalité.

Mo. M. – S. M.

171

Vase à couvercle

Syrie, Raqqa (?), fin du XIIe, début du XIIIe siècle

Pâte siliceuse, décor de lustre métallique, rehauts de bleu de cobalt

H. 26 ; D. 27,7 cm

Lisbonne, Fondation Calouste Gulbenkian

416

Exp. : Lisbonne, 1963, n° 8 ; Londres, 1976, p. 230, n° 303 ; Saint-Jacques-de-Compostelle, 2000, p. 109 et 303, n° 72

Bibl. : Mota, 1988, p. 62-63, n° 12

Cet objet est doublement exceptionnel : par sa forme dont on ne connaît que très peu d'exemples (cat. 156 ; Grube, 1994, p. 278, n° 319) et par le fait qu'il a conservé son couvercle (la Freer Gallery of Art de Washington conserve un objet de ce type, au décor comparable, mais qui a perdu son couvercle, inv. 08.138 ; Atil, 1975, p. 82-83). Le décor, caractéristique des pièces de Raqqa, s'inspire des pièces iraniennes par le motif végétal des médaillons et par le fond dense vermiculé que l'on trouve sur bon nombre de pièces syriennes à décor de lustre métallique. Les inscriptions, en pseudo-koufique, sont intimement mêlées au décor végétal.

D. M.

171

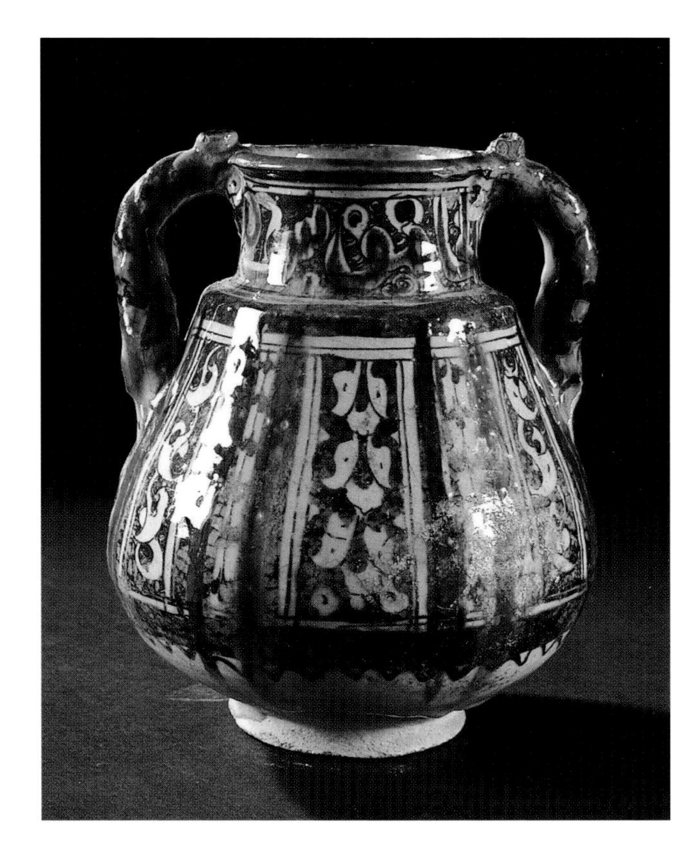

172

Vase à anses torsadées

Syrie, début du XIIIe siècle

Pâte siliceuse, décor de lustre sur glaçure rehaussée de bleu de cobalt

H. 24 cm

Doha, National Council for Culture, Arts and Heritage

Exp. : Humlebaek, 1987, p. 45 et 91, n° 120 ; Paris 1997, p. 152, n° 83

L'objet est dans un état de conservation remarquable qui ne trahit pas l'accord presque strident entre le brun chaud du lustre et l'éclat froid des rehauts de glaçure. La forme à deux anses munies d'un poucier est assez peu fréquente, mais il en subsiste plusieurs exemples (The Metropolitan Museum of Art ; musée du Louvre, inv. OA 7232 ; collection Khalili...).
Le décor sur la panse du vase s'ordonne en panneaux où alternent raies de palmettes « en calice » et rinceaux ondulants aux demi-palmettes traitées en réserve. L'inscription rehaussée de turquoise sur le col indique la destination de l'objet « pour le lait de bufflesse ». Par extrapolation, on peut proposer une semblable destination de « pot à lait » pour les autres objets de même forme. L'élevage du buffle dans la vallée de l'Euphrate a servi comme argument supplémentaire dans l'attribution de l'objet à Raqqa, située sur le même fleuve.

S. M.

173

Albarelle

Syrie, Raqqa, fin du XIIe, début du XIIIe siècle

Pâte siliceuse, décor de lustre métallique, rehauts de bleu de cobalt

H. 26 ; D. 12,8 cm

Lisbonne, Fondation Calouste Gulbenkian

891

Exp. : Saint-Jacques-de-Compostelle 2000, n° 73, p. 108 et 303

Bibl. : Lisbonne 1963, n° 9 ; Mota, 1988, p. 64-65, n° 13

Cette forme, qui va devenir très populaire au Proche-Orient aux XIVe et XVe siècles, apparaît en Iran au XIIe. Les pièces syriennes se distinguent des pièces iraniennes par une forme légèrement cintrée, permettant une préhension beaucoup plus commode. Les albarelles syriens ont la plupart du temps une panse à facettes qui divise le décor en bandes verticales. Ici alternent des motifs de fleurons sur fond vermiculé, inspirés par la production iranienne, et un décor très simplifié, constitué d'une association plus ou moins régulière de quatre points séparés par deux demi-cercles. Ce motif, propre à la production de Raqqa, se rencontre aussi à la base de la paroi interne du bassin de la même collection (cat. 174). Cet albarelle a par ailleurs été acquis par Calouste Gulbenkian la même année et dans les mêmes conditions que ce bassin.

D. M.

174

Bassin

Syrie, Raqqa, fin du XIIe, début du XIIIe siècle

Pâte siliceuse, décor de lustre métallique, rehauts de bleu de cobalt

D. 26 ; H. 9 cm

Lisbonne, Fondation Calouste Gulbenkian

925

Exp. : Londres 1976, p. 231, n° 305 ; Saint-Jacques-de-Compostelle, 2000, p. 109 et 303, n° 74

Bibl. : Mota 1988, p. 66-67, n° 14

Ce bassin proviendrait de façon à peu près sûre des fouilles de Raqqa : il a été acquis par Calouste Gulbenkian en 1908 des Frères Kouchakji, marchands dont l'importante collection comprenait un certain nombre de pièces trouvées à Raqqa. Sa forme est relativement rare (la Freer Gallery of Art de Washington conserve un autre bassin à décor de lustre métallique, inv. n° 08.148 ; Atil, 1975, p. 82, n° 36) ; elle illustre l'influence de l'art du métal sur celui de la céramique. Le décor, très stylisé, est caractéristique de la production de Raqqa : un élément floral est encadré par deux feuilles symétriques au profil effilé ; la formule se répète ici deux fois créant un rythme accentué par les vigoureux motifs végétaux qui achèvent de remplir la composition. L'origine de ces motifs est à chercher parmi les décors des pièces à reflets métalliques iraniennes. Les parois du bassin sont ornées d'inscriptions, en koufique à l'extérieur, et en *naskhi* à l'intérieur. Il s'agit des très classiques formules de vœux destinées au possesseur, mais parfois transcrites de façon incorrecte. L'inscription des parois internes présente une particularité : en général la base des lettres est orientée vers le fond des objets, et ici, tout au contraire, ce sont les hampes des lettres qui le sont ; l'inscription invite à se pencher au-dessus de l'objet pour être lue. Cette particularité pourrait confirmer sa fonction : on pense que les bassins, aux formes largement ouvertes, étaient destinés aux ablutions. On peut aussi rêver aux effets de reflet occasionnés par la présence d'un liquide : la partie de l'inscription disposée à l'envers devait tout à coup être rétablie à l'endroit par le jeu de miroir. Le bassin de Washington ne présente pas ce trait.

D. M.

175

Coupe

Syrie, Raqqa (?), fin du XIIe-début du XIIIe siècle

Pâte siliceuse, décor de lustre métallique, rehauts de bleu de cobalt

D. 14,8 ; H. 7,3 cm

Lisbonne, Fondation Calouste Gulbenkian

892

Exp. : Saint-Jacques-de-Compostelle, 2000, p. 110 et 304, n° 76

Bibl. : Mota, 1988, p. 68-69, n° 15

La production de pièces de Raqqa à décor de lustre métallique a livré un bon nombre de coupes tronconiques au profil caréné dont la base, circulaire, peut être assez haute. Le premier exemple daté d'objet adoptant cette forme est iranien et porte la date de 1204. On a ainsi tendance à attribuer cette invention à l'Iran ; on la trouve néanmoins très rapidement en Syrie et en Égypte, dès le début du XIIIe siècle. De récentes trouvailles archéologiques confirment la datation de ces pièces : dans les fouilles d'un jardin arménien de Jérusalem, les coupes tronconiques à profil caréné n'apparaissent que dans les niveaux correspondant à la période ayyoubide et plus précisément à une occupation des sols aux alentours de 1212-1214 jusqu'aux années 1219-1224 (Tushingham, 1985, p. 108-10 et 143-14 ; Grube, 1994, p. 289). Notons un autre point commun avec l'Iran contemporain : la présence de rehauts bleu de cobalt ou turquoise ponctuant, parfois de façon assez étonnante, le décor lustré. Ce dernier, particulièrement simplifié, mêle éléments végétaux et inscriptions koufiques (ou pseudo ?). Il correspond d'un point de vue stylistique à la production des lustres de Raqqa. Le motif de spirales qui orne la paroi externe en est tout particulièrement caractéristique.

D. M.

176

Vase balustre

Syrie, XIIe-début du XIIIe siècle

Pâte siliceuse, décor monochrome sur engobe blanc et sous glaçure incolore verdâtre et de lustre métallique sur glaçure

H. 24,6 ; D. 17,5 cm

New York, The Metropolitan Museum of Art, H. O. Havemeyer Collection, Bequest of Horace Havemeyer, 1948

48.113.14

Exp. : Berlin, 1981, n° 47

Sur la partie inférieure du vase, la pâte laissée nue ne porte que des gouttes de la glaçure verdâtre qui ont coulé de la partie supérieure. Le décor proprement dit s'organise en bandes horizontales. Deux rayures bleues encadrent un motif à jours losangés exécuté au lustre métallique brun foncé. Le fin bandeau épigraphique qui entoure le col porte une inscription tracée à l'envers en lustre brun. Ce vase est pratiquement intact, hormis quelques ébréchures au col et à la base.

La couleur brun chocolat du lustre domine, à peine interrompue par les deux rayures bleues peintes sous glaçure qui encadrent le motif principal. Le décor ajouré associé à une épigraphie pseudo-cursive est assez fréquent sur les céramiques « lustrées » de Raqqa (cat. 177). De nombreux vases de forme et de dimensions analogues nous sont parvenus en très bon état. Ils présentent tantôt une composition fouillée exécutée en lustre brun et rehaussée de quelques éléments bleu de cobalt, tantôt un décor peint sous glaçure. Le Metropolitan Museum of Art en possède quelques-uns (Jenkins, s/d, ill. 20, 21, 32).

S. C.

L'épigraphie, parfois assez monumentale et souvent traitée en réserve, apparaît de façon fréquente sur les pièces lustrées syriennes. Le mot est difficilement déchiffrable : *al-sirr* (le secret) ou *al-surr* (la joie). La profondeur de la coupe est accentuée par le contraste entre le fond dominé par la couleur chocolat du lustre et le marli blanc dont les motifs en « pointe de qalam » semble rayonner autour du centre. L'effet de dispersion est contenu par la bordure de pseudo-épigraphie cursive et le brutal arrêt du bandeau sombre. Le motif de losanges, qui évoque l'empreinte du pinceau ou du roseau employé en calligraphie se rencontre sur quelques pièces contemporaines lustrées (cat. 176) ou peintes sous glaçure (albarelle, Freer Gallery of Art, inv. 08.136, acquis à Alep et dit provenir de Raqqa).

S. M.

177

Bol conique

Syrie, début du XIIIe siècle

Pâte siliceuse, décor de lustre métallique sur glaçure incolore

D. 22 ; H. 10 cm

Oxford, Visitors of the Ashmolean Museum, Reitlinger Gift, 1978
1978.2175

Exp. : Londres, 1976, p. 230, nº 304
Bibl. : Porter, 1981, p. 27, pl. XVIII

On retrouve ici une organisation classique en panneaux, des rinceaux ondulants aux demi-palmettes traitées en réserve et l'emploi de rehauts de cobalt. La pièce n'est pas isolée et appartient sans doute à une production répétitive, voire de série. Sur le col, la décomposition du motif épigraphique et floral rappelle l'évolution stylistique également perceptible dans la céramique à décor peint sous glaçure. Le stade « points et lignes » est attribué par H. Philon (1985) au milieu du XIIIe et même à la seconde moitié du siècle.

S. M.

178

Albarelle

Syrie, première moitié du XIIIe siècle

Pâte siliceuse, décor de lustre sur glaçure rehaussée de bleu de cobalt

H. 25 cm

Doha, National Council for Culture, Arts and Heritage

Exp. : Humlebaek, 1987, p. 90, nº 119 ; Paris, 1997, p. 151, nº 79

La composition rayonnante et le traitement très spontané, presque abstrait, des éléments végétaux est caractéristique de la production syrienne. On les trouve notamment sur les décors rayonnants de certaines pièces dites « Tell Minis » (Watson & Porter, 1984, p. 245-246). L'influence des éléments végétaux de la fin de la période fatimide, alors qu'ils évoluaient vers une plus grande liberté, est ici encore perceptible. La tonalité très rouge du décor de lustre métallique est propre à la Syrie. En revanche, une pièce d'un diamètre supérieur, mais d'une composition rigoureusement identique figurant dans la Keir Collection, est attribuée à l'Iran (Grube, 1976, p. 218, nº 157).

D. M.

179

Coupelle

Syrie, dernier quart du XIIe-XIIIe siècle

Pâte siliceuse, décor de lustre métallique

D. 10,2 cm

Paris, musée du Louvre, section Islam
MAO 108

Exp. : Saint-Jacques-de-Compostelle, 2000, p. 111 et 304, nº 78

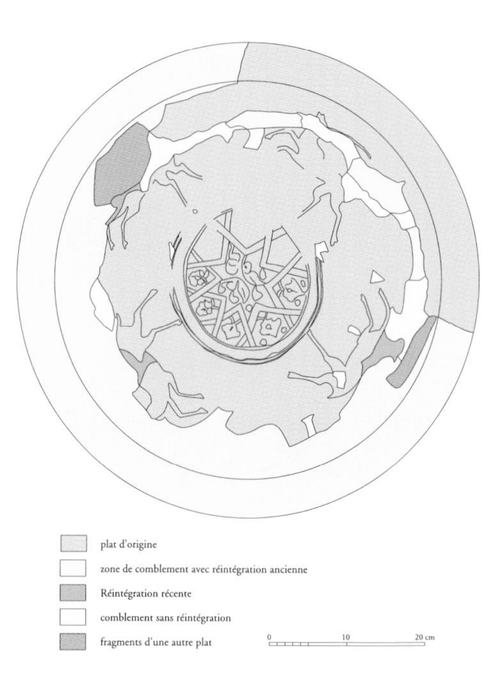

180

Grand plat aux gazelles

Syrie (Raqqa), XIIe-XIIIe siècle

Pâte siliceuse, décor bleu de cobalt et lustré

D. 58 ; H. 14 cm

Provient de la vente à Paris, Hôtel Drouot, en 1968, et acheté par les Musées en 1972

Bruxelles, musées royaux d'Art et d'Histoire
IS.44

Exp. : Paris, 1993, p. 422, n° 316
Bibl. : Azarnoush-Maillard, 1980, p. 7, fig. 21 ; Van Raemdonck et *alii*, 1999, p. 135-148

Ce plat est exceptionnel par sa taille – il n'y a guère de pièces de comparaison – et par son décor qui combine des motifs géométriques, floraux et calligraphiques avec des éléments figuratifs. De nombreux aspects le rattachent aux productions de la Syrie ayyoubide, dite de Raqqa, notamment : la pâte sableuse et friable, la glaçure alcaline verdâtre sensible à l'irisation, la teinte brunâtre du lustre, ainsi que la forme sphérique du plat, son large marli et sa base droite annelée. Certains détails du décor se retrouvent pourtant rarement dans la série lustrée, comme les fines branches à petites feuilles et fruits, et les feuilles en forme de plume qui se rapportent plutôt à la série des céramiques peintes sous glaçure du même groupe. Mais ce sont surtout les quatre quadrupèdes gambadant vers la gauche sur le cavet qui surprennent parce que la série lustrée de Raqqa est généralement aniconique, contrairement à celle peinte sous glaçure du même site. Lors d'une restauration récente de ce plat, il s'est avéré que ces animaux, anciennement identifiés comme des poulains, sont, au contraire, des gazelles à la tête levée. En effet, ce plat a été jadis fortement restauré, voire falsifié, d'après les actuelles normes de restauration. Il a donc été décidé de conserver cette ancienne restauration comme témoin d'une phase de l'histoire de la pièce, tout en dégageant les parties originales de leur surpeint. Une datation par thermoluminescence a confirmé la date présumée, bien que légèrement antérieure.

M. Van. R.

181

Coupe

Raqqa, fin du XIIe, début XIIIe siècle

Pâte siliceuse, décor de lustre métallique sur glaçure

D. 44 ; · cm

Berlin, Museum für Islamische Kunst
I. 4822

Bibl. : Sarre, 1927, p. 8, pl. 2 ; Berlin, 1971-1979, n° 397

Cette coupe profonde est remarquable non seulement par sa taille mais aussi par son décor quasi abstrait. Le sujet est un paon qui fait la roue. Le dessin rayonnant comporte seize plumes qui partent du centre de la coupe et recouvrent la paroi et le large bord avec leurs grands yeux de paon si caractéristiques. Les points de couleur bleu foncé et turquoise sont des accents posés sur le lustre brun mordoré, appliqué sur la glaçure d'un fin coup de pinceau plume après plume. En général, l'oiseau royal apparaît en totalité et de profil sur la céramique de Raqqa, pour s'intégrer dans le champ de la pièce par de larges mouvements rapides, tandis que sur cette coupe seul le plumage magnifique du paon faisant la roue est mis en scène.

La coupe reprend une forme typique de la production de Raqqa avec un pied annulaire et une lèvre horizontale, son diamètre exceptionnellement grand allant de pair avec une profondeur proportionnelle. Étant donné la qualité inhabituelle de la peinture et ses valeurs chromatiques subtiles, elle est à placer dans la catégorie de la vaisselle précieuse d'apparat. On comprend sous l'appellation « Raqqa », la céramique fine fabriquée durant une centaine d'années dans la vallée de l'Euphrate au nord de la Syrie. Elle atteignit son épanouissement sous le règne des Ayyoubides, alors que les ateliers avaient déjà commencé à produire des pièces lustrées sous le règne de Nûr al-Dîn. Cent ans plus tard cette production florissante qui s'exportait jusqu'en Égypte et en Anatolie s'éteignit avec la destruction de Raqqa par les Mongols en 1259.

A. Von G.

Les lakabi

Les pièces dites « lakabi » (« peint » en persan) ont été depuis longtemps considérées comme de grand prestige : leur technique sophistiquée fait intervenir une pâte siliceuse très vitrifiée, enrichie de verre infusible broyé, la fritte. Dans cette pâte, les détails sont gravés et modelés par de fines cloisons en léger relief destinées à contenir des glaçures colorées épaisses (bleu, violet, jaune et vert). De plus, certaines cloisons n'ont été modelées qu'à des fins décoratives ; les motifs d'écailles ou de plumes servent à modifier la répartition des glaçures et à nuancer également l'intensité des couleurs. Le terme de « lakabi » n'est pas antérieur aux années 1940 et a d'abord été appliqué à des pièces découvertes en Iran, comme le plat dit « à l'aigle » de Berlin, découvert à Rayy. La qualité de ces pièces et certains lieux de découverte ont longtemps fait préférer une attribution iranienne, tandis que la « piste » syrienne avait également ses défenseurs (Grube, 1963) ; elle semble désormais rallier le plus grand nombre de suffrages. E. de Lorey, en outre, aurait découvert des restes de « lakabi » dans un four à l'est de Raqqa. Des tessons ont été également trouvés à Hama et à el-Mina. (Riis et Poulsen, 1957, p. 146). Mais la découverte la plus extraordinaire est celle d'un ensemble de trois rondes-bosses à Raqqa, en 1924 : un coq, un sphinx (tous deux à la David Collection, Copenhague, cat. 51, 52) et un cavalier luttant contre un dragon serpentiforme (musée national de Damas, cat. 53). Elle soutient l'hypothèse syrienne plus que la piste iranienne ou mésopotamienne (Soustiel, 1985, p. 124). D'autres sculptures en céramique « lakabi » ont fait leur apparition et viennent parfaitement se situer dans cette série de céramiques luxueuses.

S. M.

182

Plat au sphinx

Syrie, seconde moitié du XIIe siècle

Pâte siliceuse, décor « lakabi » : modelé et gravé sous glaçures transparentes plombeuses colorées et incolore

D. 32,5 ; H. 8,5 cm

Copenhague, The David Collection Isl.143

Exp. : Düsseldorf, 1973, p. 150, n° 209

Bibl. : Folsach, 1990, n° 130 ; Folsach, 1991, n° 2

Le plat au sphinx est un exemple caractéristique de la série de céramique « lakabi » par son iconographie. Le même motif apparaît en outre traité dans d'autres techniques à la période ayyoubide. Il est ici disposé suivant une légère diagonale qui ne lui confère pas le dynamisme des pièces peintes sous glaçure. L'aspect un peu lourd du poitrail et de l'arrière-train est équilibré par l'arrondi élégant de la queue et le mouvement net de l'aile qu'accompagne l'inclinaison de la tête. En outre les pattes sont disposées en rayon et le motif occupe l'ensemble de l'espace disponible, évitant l'aspect de flottement notable sur les pièces les moins réussies de la série. Le sphinx s'impose ici avec une certaine monumentalité. L'aile n'est pas animée de cercles, comme habituellement (cat. 183), mais de légers traits de glaçure en rayon qui semblent accompagner l'épanouissement de l'animal sur la pièce. Les pennes de l'aile sont indiquées par des cloisons et le corps est couvert d'une livrée de palmettes. Le visage qui n'a pas reçu de glaçure colorée est lui-même traité par gravures. Au musée du Louvre, un fragment de plat d'un diamètre plus important (plus de 40 cm à l'origine) présente un sphinx disposé de façon identique mais d'une allure plus gracile (Paris, 2001, n° 103).

S. M.

Cette coupe plate montre un griffon avec une aile, comme fixée, entre les pattes antérieures et postérieures. Ce motif insolite est champlevé dans la pâte et rempli de glaçure. Ce procédé permet un dessin d'une grande netteté comportant des parties saillantes et en creux dans lesquelles la glaçure colorée conserve une intensité variable, tout en l'empêchant de se fondre avec la glaçure transparente. La production appelée « lakabi » a permis de résoudre le problème de la fixation de la couleur avant même que ne naquît le décor peint sous glaçure à proprement parler. La stylisation graphique du motif est conditionnée par la technique du champlevé. L'attitude complexe de l'animal exigerait normalement un tracé linéaire, coulant et dynamique, tel que la peinture sous glaçure le permet.
Les figures animalières sont représentatives des diverses productions de Raqqa. Dans la céramique de type « lakabi », le motif se trouve toujours librement disposé au milieu de la coupe, tandis que d'autres ornements apparaissent sur le bord ou le marli. Le bleu intense forme un vif contraste avec la glaçure blanche légèrement opaque. La coupe suggère par sa pâte claire et dure des rapports avec la production de Tell Minis. Celle-ci, au XIIe siècle, introduit de nouveaux standards dans la composition de la pâte, qui, à côté d'adjonction de fine argile blanche, contient principalement du quartz broyé.

A. Von G.

183

Coupe au griffon

Raqqa, XIIe-XIIIe siècle

Pâte siliceuse, décor « lakabi » : modelé et gravé sous glaçures transparentes plombeuses colorées et incolore

D. 16,5 ; H. 7 cm

Berlin, Museum für Islamische Kunst
I. 28/61
Bibl. : Erdmann, 1964, p. 18, pl. 23 ; Berlin, 1971-19, n° 396

183

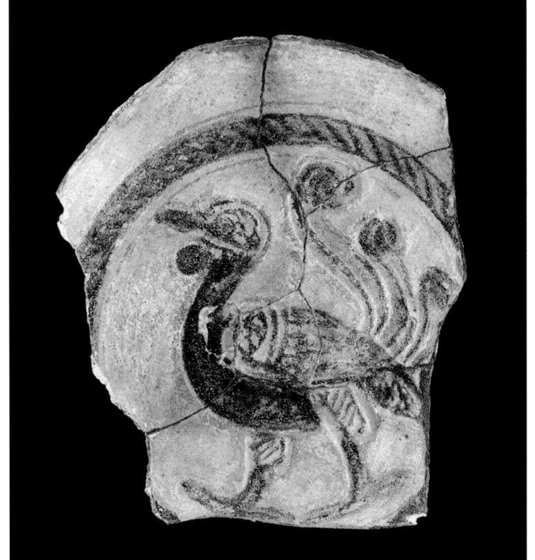

184

184

Fragment de plat au paon

Syrie, seconde moitié du XIIe siècle

Pâte siliceuse, décor « lakabi » : modelé et gravé sous glaçures transparentes plombeuses colorées et incolore

L. 20 cm

Oxford, Visitors of the Ashmolean Museum, Oxford, Reitlinger Gift, 1978
1978/2177
Bibl. : Porter, 1981, p. 35-36

La queue du volatile s'achève par des enroulements couronnant des groupes de plumes nettement isolées ; on retrouve le même traitement sur la sculpture en forme de coq de la David Collection découverte à Raqqa (cat. 51).

S. M.

185

Aspersoir

Syrie, XIIe-XIIIe siècle

Verre soufflé, décor appliqué

H. 26,5 ; D. 10,5 cm

Proviendrait de Damas

Damas, Musée national

A/609

Ce bel aspersoir de verre manganèse joue du contraste entre la panse globulaire aplatie sur un pied discoïdale et l'étirement remarquable du col qui va en se rétrécissant, au-dessus d'un renflement. Le seul décor consiste en un filet appliqué, de même couleur, qui s'enroule autour du col. Le bec est légèrement évasé ; l'étranglement du col puis l'ouverture par une corolle plus large produit une musique d'eau cascadante lorsque l'on verse, effet sonore évocateur dont l'attrait ne devait pas échapper aux verriers qui produisaient ces objets.

Mo. M. – S. M.

186

Pichet

Syrie, 1re moitié du XIIIe siècle

Verre soufflé, décor appliqué

H. 13,2 ; D. 16 cm

Provient des fouilles de Hama, 1934

Damas, Musée national

A/17953

Bibl. : Riis ; Poulsen, 1957, p. 56, fig. 153

L'objet, dont la forme dérive probablement d'une pièce de céramique, porte un décor de protubérances bulbeuses, sous forme de gouttes de verre turquoise ; le poucier, sur l'anse qui a été rapportée, est traité sous l'aspect d'une pastille de même couleur. Quatre gobelets issus des fouilles de Hama, appartenant au type A défini par S. Kenesson (1998), sont ornés du même genre de protubérances et permettent de proposer pour cet objet une datation comparable (Riis et Poulsen, p. 57).

S. M.

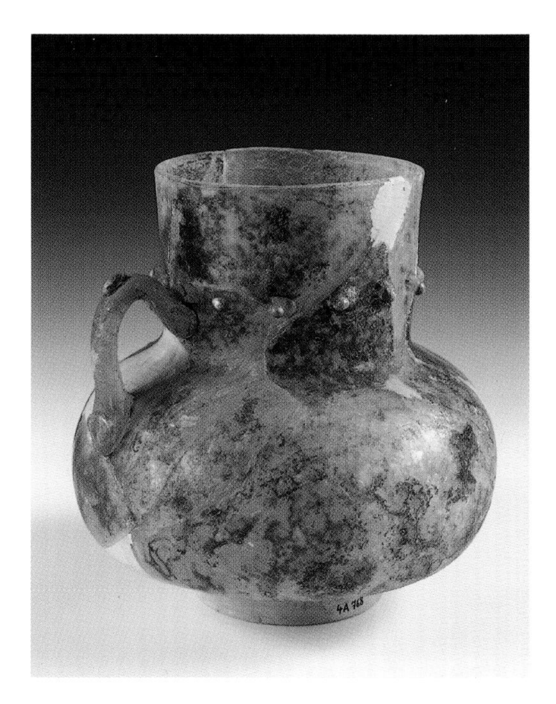

Il n'est pas assuré que le couvercle ait appartenu à l'origine à l'ensemble bien que ses dimensions correspondent. La pièce présente ainsi un aspect assez spectaculaire. La base combine un décor de filets appliqués et incrustés de densité variable et un décor de côtes obtenu par soufflage dans un moule. Le couvercle est orné d'un simple décor de filets et s'achève par une prise élégante. La forme ressemble à quelques exemples en céramique (cat. 156). Elle n'est pas isolée dans la verrerie syrienne, un objet similaire a été découvert dans les fouilles de Hama (Riis et Poulsen).

S. M.

187

Coupe à couvercle

Syrie, XIIe-XIIIe siècle

Verre soufflé dans un moule, décor de filets incrustés

H. 18,5 ; D. 20,5 cm

Damas, Musée national

A/3887, A/601

Bibl. : Riis ; Poulsen, 1957, p. 65

Comparable à de nombreux flacons de même forme (cat. 192) cet objet se distingue par sa coloration bleue moins fréquente que la teinte aubergine donnée par le manganèse. L'aire de diffusion de ces petits objets semble avoir été assez large.

S. M.

188

Flacon à khôl

Syrie, XIIe-XIIIe siècle

Verre soufflé, décor de filets incrustés « peignés »

H. 14,8 cm

Paris, musée du Louvre, section Islam

E 10936 a (dépôt des A.G.E.R., musée du Louvre)

Exp. : Saint-Jacques-de-Compostelle, 2000, p. 301, n° 50

La pièce a d'abord été soufflée à l'air libre, les filets blancs étirés, comme dans la technique du sucre filé, sur la paraison de couleur manganèse et roulés sur un marbre. Dans un second temps, l'objet a été resoufflé dans un moule afin de produire cet effet côtelé. Enfin l'anse, détail rare, a été ajoutée sur le côté.

S. M.

189

Bol côtelé

Syrie, XIIe-XIIIe siècle

Verre soufflé, décor de filets incrustés

D. 15,2 cm

Oxford, Visitors of the Ashmolean Museum

1975-18

Exp. : Londres, 1976, p. 146, n° 144

Bibl. : Allan, 1995, p. 7, fig. 1

190 à 196

Sept objets en verre à décor de filets incrustés

Syrie, XIIe-XIIIe siècle (?)

Verre violet foncé incrusté de filets blanc ; travail au pontil

190) aspersoir : 8 × 5,3 cm
191) bol : 7,7 × 13 cm
192) bouteille : 20 × 6 cm
193) gourde : 16,2 × 9,8 cm
194) pot à anse : 10 × 7,6 cm
195) flacon annulaire H. 8,6 cm
196) gobelet H. 9,1 cm

Corning (New York), The Corning Museum of Glass
50.1.26, 55.1.100, 55.1.102, 58.1.37, 64.1.2, 71.1.1, 79.1.109

Bibl. : la bouteille lancéolée et la coupe à losanges sont reproduites dans Smith, 1957, nos 509 et 510

Cet ensemble d'objets présente diverses formes usuelles sous les Ayyoubides. Ils sont tous en verre aubergine à décor de filets blancs incrustés, peignés ou étirés. Ce type de verre a connu une grande vogue en Syrie aux XIIe et XIIIe siècles, comme l'attestent les fouilles de Hama[1], et constitue sans doute le type de verrerie le plus caractéristique de l'époque ayyoubide. La production de verres à décor de filets incrustés, peignés ou étirés, s'est poursuivie du début de la période islamique jusqu'au XIVe siècle mamlouk, sinon plus tard[2].

Aux XIIe et XIIIe siècles, toutes les formes courantes étaient réalisées dans un verre coloré, le plus souvent aubergine, mais aussi vert ou bleu, avec un décor de filets blancs. Ensuite, les verriers créèrent une large gamme de motifs réguliers, tantôt étirés, peignés en festons ou en chevrons, ou se contentèrent d'enrouler simplement un filet autour de la panse du récipient, traçant ainsi une spirale qui s'achève autour de la marque de pontil; parfois les filets produisent un réseau losangé (191).

Le petit *qumqum* (190) (aspersoir à parfum) à panse aplatie, col étroit et minuscule ouverture en trou d'épingle, représente le type de flacon le plus répandu sous les Ayyoubides. Le récipient annulaire, aux anses sinueuses rapportées et aux petits pieds (195) est une variante plus luxueuse du *qumqum*. Le premier s'orne d'un motif festonné irrégulier qui est plus accentué sur le col. Le flacon annulaire est décoré de la même façon sur le col, tandis que sa panse porte un motif arqué surbaissé. Le *qumqum* est un modèle courant, et plusieurs collections de par le monde possèdent des exemplaires analogues. Le modèle annulaire est plus rare, même si des objets comparables sont conservés notamment au Toledo Museum of Art, au British Museum, au Metropolitan Museum et dans la collection Al-Sabah à Koweït[3].

Un motif de festons ou de chevrons bien marqués décore la bouteille lancéolée (192), dont le profil évasé, terminé à une extrémité par une base étroite et à l'autre par un col cylindrique étroit, évoque une pointe de lance. Ces bouteilles, généralement assez grandes, mesurent entre 18 et 22 cm. Elles peuvent être unies, à décor rapporté ou ornées d'un motif taillé en surface. Peu de bouteilles lancéolées à décor de filets incrustés nous sont parvenues intactes.

Certains récipients associent une forme soufflée dans un moule à un décor de filets incrustés. Il s'agit toujours de coupes ou de gobelets cannelés, auxquels s'ajoutent deux ou trois autres types d'objets à godrons verticaux serrés. Le gobelet (196) et le petit récipient à anse (194) reproduits ici en fournissent de bons exemples. Le profil du gobelet, un mince cylindre évasé dans la partie supérieure, puis resserré dans le haut, correspond à l'une des deux formes les plus appréciées sous les Ayyoubides et les Mamlouks. (voir aussi cat. 198) On ne sait pas très bien à quel usage était destiné le pot à anse, mais son ouverture étroite et sa silhouette plus large en bas qu'en haut pourraient faire songer à un encrier, car on connaît quelques exemplaires analogues, quoique plus petits et sans anse[4]. Sur le gobelet comme sur le pot, le verrier s'est contenté d'appliquer un filet en spirale autour de la surface en l'étirant jusque sous la base, au lieu de la retravailler à la pointe avant d'effectuer le soufflage dans le moule. Le relief cannelé obtenu à l'aide d'un moule, joint à la veinure blanche en hélice, devait assurément satisfaire ses inclinations artistiques. On constate d'ailleurs que la grande majorité des verres soufflés dans un moule cannelé s'agrémentent d'un simple décor de spirale.

Le bol (191) presque sphérique à bord ourlé correspond à une forme courante dans la région syro-égyptienne. Les objets de ce type étaient sans doute fermés par un couvercle surmonté d'une prise (deux fragments sont conservés au Metropolitan Museum of Art[5]). Celui-ci n'est pas moulé, mais le décor de filets incrustés produit subtilement un effet analogue à l'alliance du relief cannelé et du dessin spiralé sur les deux objets précédents. Le motif ainsi créé ressemble à des rangées de fins losanges. « Le verrier a appliqué le blanc en un ruban plat, qu'il a dû rabattre sur le fond, tantôt dans un sens, tantôt dans l'autre, avant de le faire pénétrer dans le verre de la première paraison[6] », explique Ray Winfield Smith. La collection Al-Sabah conserve une coupe un peu plus grande qui est comparable malgré son état fragmentaire[7].

Parmi les sept récipients en verre regroupés ici, c'est peut-être la gourde à anses et col évasé (193) qui témoigne de la plus grande maîtrise artistique et technique. Le contour harmonieux évoque les gourdes de pèlerin, assez couramment utilisées dans le monde islamique, mais il possède aussi l'élégance classique d'une amphore, ce qui en fait un objet de grande qualité. Le décor se compose d'une simple spirale autour du col et de petits tirets blancs qui épousent les reliefs de la panse à cannelures verticales moulées. Apparemment, les verriers du monde islamique étaient les seuls à connaître cette technique particulière d'incrustations de filets, assez savamment élaborée. Ils appliquaient le filet blanc sur le verre à cannelures verticales, avant de le porter à nouveau à très haute température tout en tournant vivement la canne à souffler. Le mouvement rapide limitait la fusion du filet de verre aux parties en relief, de sorte que l'objet se couvrait de pastilles ou de petits traits horizontaux[8].

S. C.

1. Riis ; Poulsen, 1957, p. 62-69.
2. Voir *supra* « L'art du verre sous les Ayyubides ».
3. Voir Carboni, 2001, p. 310-311, cat. 83a, 83c et les œuvres apparentées citées dans la notice.
4. Un objet semblable est conservé au musée du Louvre.
5. Marilyn Jenkins, « Islamic Glass : A brief History », *The Metropolitan Museum of Art Bulletin*, 44, 1986, p. 45, no 50.
6. Ray Winfield Smith, *Glass from the Ancient World*, Corning, Corning Museum of Glass, 1957, p. 253, no 510.
7. Carboni, 2001, p. 308-309, cat. 82b.
8. Voir William Gudenrath, « A survey of Islamic Glassworking and Glass-Decorating Techniques », dans New York, 2001, p. 57 ; voir également p. 46 et 67.

191

194

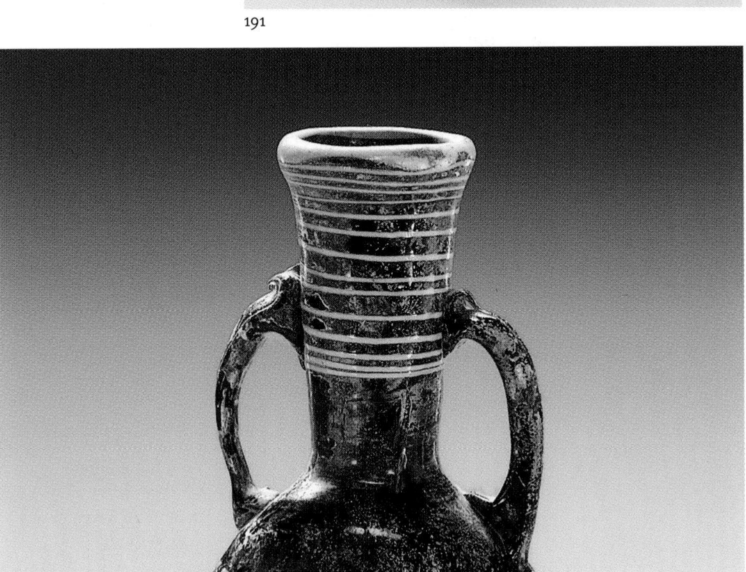
193

190

195 (détail)

195

192

196

Ce tesson porte un décor à l'or dont la température de cuisson est moindre que celle des émaux de couleurs. Une première phase du verre « historié » peut être groupée autour de la bouteille au nom de Zangî (British Museum, inv. OA 1906.7-19.1 ; voir p. 136). D'abord interprétée comme une allusion à 'Imâd al-Dîn Zangî (1127-1146 ; Mayer, 1939), on a plus récemment proposé d'y voir Zangî II, souverain de Sinjâr entre 1171 et 1197 et d'Alep de 1181 à 1183. Ceci amène à reporter la datation de ce groupe dans le dernier tiers du XIIe siècle.

S. M.

197

Fragment de verre

Syrie, fin du XIIe siècle

Verre soufflé, décor doré

H. 6 ; D. 5 cm

Oxford, Visitors of the Ashmolean Museum

P.2719

Bibl. : Scanlon, 1998, p. 159, fig. 8.2, et p. 27

198

Gobelet

Syrie, vers 1181-1207

Verre soufflé, traces de dorure et d'émaux, marque de pontil

H. 15,5 ; D. 12,5 cm

Washington, D.C., Smithsonian American Art Museum, Grift of John Grellaty ; Courtesy Arthur M. Sackler Gallery

LTS 1985.1.170.8

Bibl. : Carboni, 1999, p. 169-77, fig. 3-4 ; New York, 2001, p. 205, fig. 100

Ce gobelet possède le profil et les dimensions caractéristiques des verres généralement attribués au deuxième quart du XIIIe siècle et ceux qui sont postérieurs[1]. Bien que l'état de la surface rende difficile la lecture du décor, il permet toutefois de certifier qu'il s'agit du plus ancien témoignage conservé dans le monde islamique de décor émaillé et doré. Alors que les émaux ont été utilisés pour dessiner une épée à lame droite, un arc et sa flèche, la dorure a servi pour les poissons disséminés sur la surface du gobelet et surtout pour l'inscription en *naskhi* au nom du sultan San'jar Shâh ibn Ghâzî ibn Mawdûd al-Mawsilî. Ce dernier était un *atabeg* de Jezireh qui régna sur la région de Mossoul durant presque trente ans, de 1180 à 1209[2]. Les verres émaillés et dorés syriens devaient être connus et appréciés sur les territoires environnants, voire considérés par la cour des Ayyoubides comme des cadeaux de valeur pour les souverains voisins[3].

L'information irréfutable donnée par l'inscription, associée au décor de poissons et à la forme bien connus aux XIIIe et XIVe siècles, permet d'affirmer que la technique du verre émaillé et doré était maîtrisée dès la fin du XIIe siècle. Les prémices pourraient en être situés dans l'aire syrienne à la période fatimide, mais il semble certain que cette technique s'est épanouie sous le règne des Ayyoubides[4].

S. C.

1. Kenesson, 1998, p. 45-49.
2. Voir Ibn an-Fûtî al-Shaybanî, *Mujma'al-âdâb fî mu'jam al-alqâb*, Téhéran, 1996, vol. 5, p. 355, n° 5249 ; Cliford Edmund Bosworth, *The New Islamic Dynasties*, Edinburgh University Press, Édimbourg, 1996, p. 190.
3. Un plat en verre émaillé et doré porte le nom du souverain seljoukide d'Anatolie, Kaykhusraw II (1237-1247) ; il provient de Kubâdâbâd et est conservé au musée Karatay de Konya.
4. Pour une approche générale, avec certaines hypothèses, du verre à la période ayyoubide, voir Marian Wenzel, « Towards an Assessment of Ayyubid Glass Style », in Julian Raby (éd.), *The Art of Syria and the Jazira 1100-1250*, Oxford Studies in Islamic Art, 1, Oxford, 1985, p. 99-112.

199 à 201

Trois gobelets

Syrie ou Égypte, XIIIe siècle

Verre soufflé, décor émaillé et doré

H. 18 ; D. 12,7 cm
H. 15,8 ; D. 11,4 cm
H. 12,5 ; D. 8,4 cm

Londres, Nasser D. Khalili Collection of Islamic Art
GLS 578a, 578b, 578c
Exp. : Amsterdam, 1999, p. 202, n° 169

Ces trois gobelets de taille décroissante appartiennent à un rare ensemble, qui devait en comporter au moins quatre à l'origine. La collection Al-Sabah, à Koweït, possède en effet un gobelet à décor identique (inv. K97g) qui pourrait être le second plus petit de la série. Les traces d'usure et les irisations observées sur les trois objets reproduits ici semblent indiquer qu'ils étaient ensevelis ensemble, emboîtés les uns dans les autres.

Tous trois ont un profil éversé, une petite base annulaire et un fond bombé à l'intérieur, où l'on discerne une marque de pontil. Le décor, simple, se limite à une frise divisée en cartouches polylobés à rinceaux de palmettes dorés sur un fond émaillé bleu. Des liserés d'or et des rangées de points d'émail blanc en relief encadrent la frise. Les éléments décoratifs sont cernés d'émail rouge. Des traces de dorure subsistent sur le bord des trois gobelets ainsi qu'à la base de celui de taille intermédiaire.

Des verres de ce type apparaissent souvent dans les représentations de la vie de cour au temps des Ayyoubides. Les souverains et leurs courtisans les tiennent à la main lors de banquets et autres divertissements princiers figurant sur des miniatures, des céramiques (cat. 44), des verres et, surtout, des métaux incrustés de cette période. Ces gobelets avaient peut-être une fonction cérémonielle, car on en voit souvent dans la main des souverains représentés sur leur trône.

N. N.

202

Flasque

Syrie, XIIe-XIIIe siècle

Verre soufflé, décor appliqué, traces de dorures

H. 18 ; D. 12,5 cm

Provient de Deir 'Attiyeh
Damas, Musée national
A/3816

Cette flasque, à corps aplati, légèrement ovale, porte un col haut perché, tubulaire, accosté de deux fines anses appliquées. La proportion du col, réduite à moins d'un tiers de la hauteur, donne une allure élancée à l'objet. Cette forme apparaît aussi traitée en verre à décor de filets incrustés (Lamm, pl. 32, 2). Une lumière rasante permet d'apprécier des restes de dorure discernables par des traces dépolies laissées par le mordant employé au moment de la réalisation du décor. Sur le verre teinté au manganèse, le tiers supérieur est orné d'un décor de croisillons dans un triangle dont la base repose sur un bandeau qui fait le tour de la pièce. Une pièce du Louvre (inv. MND 496), dont on lit encore le décor dépoli, montre également ce goût du motif géométrique (en l'occurrence un damier de carrés sur la pointe).

Mo. M. – S. M.

203

Gobelet dit «Verre de Charlemagne»

Syrie, première moitié du XIIIe siècle (monture : France, XIIIe siècle)

Verre soufflé, émaillé et doré

H. (sans monture) 15 cmcm

Ce célèbre gobelet s'inscrit, par sa forme largement ouverte avec une accentuation de l'angle au tiers supérieur, dans un groupe attribué à la première moitié du XIIIe siècle. Le gobelet trouvé à Hama (cat. 57) offre une bonne comparaison. En outre le décor géométrique constitué de petits points bleus et blancs dans un réseau géométrique doré souligné de rouge présente des ressemblances très nettes avec un verre détruit pendant la Seconde Guerre, le «Gobelet des huit prêtres» de Douai. Mais comme tous les verres émaillés réemployés en Europe, ce dernier n'est documenté qu'à partir du XIVe siècle (1329 en l'occurrence). Le gobelet de Chartres a une histoire plus mal connue encore, qui tient largement du mythe historiographique, associant systématiquement l'arrivée de ces objets aux croisades bien qu'aucun exemple n'emporte définitivement l'adhésion (Makariou, 2001, p. 120). La première mention du verre de Charlemagne n'est pas antérieure au XVIIe siècle, époque à laquelle il est dessiné pour la première fois (BNF, cabinet des Estampes). Sa monture en

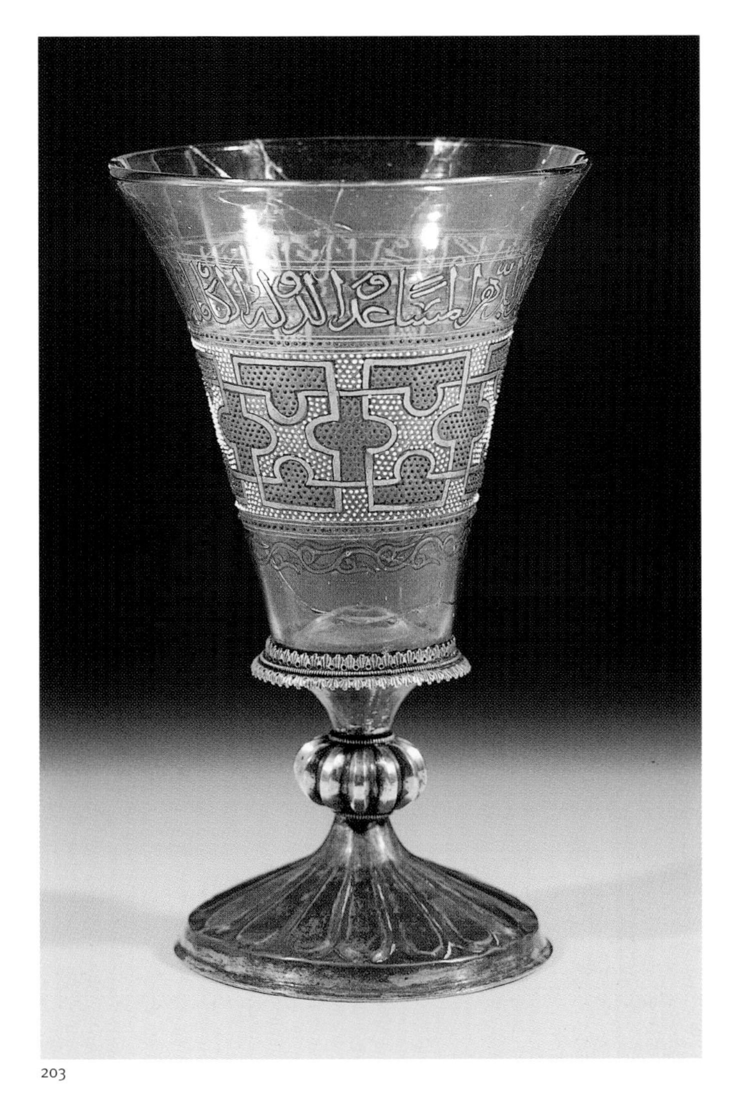

203

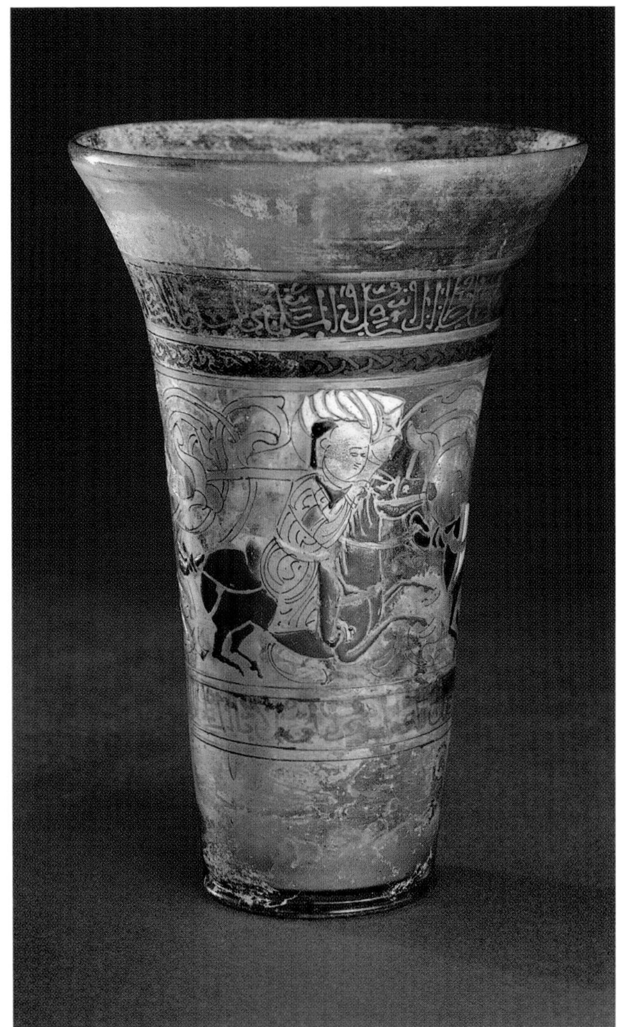

204

revanche est le seul élément qui plaide en faveur d'une arrivée précoce en France, peut-être dès le XIIIe siècle. Outre les points en relief, également présents sur des restes de gobelets de profil identique trouvés dans les fouilles de Hama, le décor comporte une inscription à l'or cernée de rouge qui est une suite de vœux. Le rapprochement fait avec une inscription assez similaire présente sur une coupe du Louvre (inv. MAO 250; Contadini, p. 59) ne semble pas apporter d'éléments d'attribution probants.

S. M.

Provient de l'église de la Madeleine, Châteaudun

Chartres, musée des Beaux-Arts

5144

Exp. : Paris, 1971, p. 197, n° 282 ; Saint-Jacques-de-Compostelle, 2000, p. 307, n° 92

Bibl. : Boisthibault, 1857, p. 161-169 ; Migeon, 1907, p. 363 ; Lamm, 1930, p. 275, n° 3, pl. 96 ; Contadini, 1998, p. 59, pl. couleur K

204

Gobelet

Syrie, milieu du XIIIe siècle

Verre soufflé, décor émaillé et doré

H. 15,5 ; D. 10,5 cm

Aurait été trouvé en 1897 sous l'autel de l'église Santa Margherita d'Orvieto ; la mention ne figure pas au livre d'inventaire ; acquis en 1908

Paris, musée du Louvre, section Islam

OA 6131

Exp. : Paris, 1971, p. 198, n° 285 ; Saint-Jacques-de-Compostelle, 2000, p. 307, n° 91

Bibl. : Migeon, 1913, p. 497 ; Lamm, 1930, p. 329, pl. 127 n° 1 ; Kenesson, 1998, p. 46

Le gobelet présente une forme à bords droits à la base puis s'évasant rapidement au tiers supérieur, et appartient au « type B » probablement contemporain du milieu du XIIIe siècle. Le bandeau décoratif est ceint de deux inscriptions dans un *naskhi* de lecture difficile ; bandeau supérieur : « Gloire à notre maître le sultan, le roi savant, élevé, le champion de la foi (*al-mujâhid*), le combattant des frontières (*al-murâbit*), sultan de l'islam et des musulmans, le sultan, le roi » ; le bandeau inférieur donne une version abrégée de même ordre (lecture J. David-Weill). Les titres du souverain anonyme emploient de nombreux éléments du protocole des sultans ayyoubides : sultan de l'islam et des musulmans (cat. 211), *murâbit* et *mujâhid*, également présents sur le gobelet trouvé à Hama (cat. 57). L'inscription et la tresse placée en-dessous sont tracées à l'or sur un fond de couleur peint à l'intérieur du verre. On rapproche souvent le gobelet d'un objet de Dresde (Lamm, pl. 129), sensiblement plus grand, et d'un autre de Kassel (H. 17 cm) détruit durant la Seconde Guerre (Kenesson, 1998, p. 176, 12.3) ; le ductus employé dans l'inscription de ce dernier objet est très proche du gobelet du Louvre. L'iconographie des deux gobelets et de celui du Louvre relève de la *furusiyya*, ensemble des disciplines liées au cheval. Ceux du Louvre et de Dresde traitent de polo. Cette discipline de la vie princière est pratiquée dans le monde islamique dès le IXe siècle. Une scène de polo anime l'un des panneaux du bassin au nom de Sâlih Najm al-Dîn, des environs de 1240 (Freer Gallery of Art, Washington). Elle est également présente sur une bouteille en verre émaillé de Berlin (inv. I 2573) dont les chevaux, l'arrangement des turbans, etc. présentent de fortes similitudes avec le gobelet du Louvre.

S. M.

205

Gobelet à décor de poissons

Égypte ou Syrie, XIIIe-XIVe siècle

Verre émaillé et doré

H. 11 cm

Provient de Quft, Haute-Égypte

Londres, British Museum

1879 5-22 68

Bibl. : *Five Thousand Years of Glass*, H. Tait (dir.), Londres, 1991, p. 131 ; Kenesson, 1998, p. 45-50 ; Carboni, 1999, p. 173-174 ; Carboni, 2001, p. 326-334

Ce gobelet provient de Quft, en Haute-Égypte. Il se rattache à un ensemble de gobelets cylindriques de profils variables, sans doute utilisés pour les boissons, réalisés sous les Ayyoubides et les Mamlouks. Il a un bord évasé et repose sur une base circulaire rapportée. Les poissons et les anguilles sont peints à l'or et cernés à l'émail rouge. Ce genre de motif est fréquent car considéré, sur les récipients destinés à contenir des liquides, notamment des gobelets de la seconde moitié du XIIe siècle, comme un symbole bénéfique (cat. 198). On retrouve les motifs de poissons sur d'autres supports que le verre, par exemple les métaux d'époque mamlouke. On n'a toujours pas pu situer précisément le lieu de production de ces gobelets : en Égypte ou dans l'un des centres d'artisanat du verre en Syrie (Damas, Alep ou Raqqa).

V. P.

206

Bouteille au nom de Salâh al-Dîn Yûsuf

Syrie, 1236-1260

Verre soufflé, décor émaillé et doré

H. 32 (avec le pied restauré); D. panse 15 cm

Le Caire, musée d'Art islamique

4261

Offerte en 1913 par le prince Yûsuf Kâmal

Exp. : Le Caire, 1969, p. 175, nº 166 ; Londres, 1976, p. 142, nº 135

Bibl. : Wiet, 1929, p. 143-145 ; Arik, 2000, p. 183 ; Carboni, 2001, p. 366

L'objet du Caire est le plus ancien spécimen datable d'un type de bouteille à long col, parfois qualifiée de « bouteille à décanter » (Carboni, 2001), dont on connaît plusieurs exemples pour la période mamlouke. Le décor de la bouteille de Salâh al-Dunyâ wa l-Dîn (Salâh al-Dîn Yûsuf) est sobrement coloré en blanc, bleu, rouge et or, et se limite à des arabesques végétales. Les derniers exemples datables sont un objet fait pour l'émir Tuquztimûr (1342-1345) (Louvre, inv. OA 3365) et un autre destiné au sultan rasulide du Yémen al-Mujâhid (1321-1363) (Washington, Freer Gallery, inv. 34.20). Deux inscriptions, aujourd'hui presque effacées, donnent, pour celle à la base du col, un protocole de titulature sultanienne ; la seconde, entre deux filets sur la panse, livre en plus le nom du souverain. Elle reprend le protocole sultanien en le développant ; il est riche de plusieurs éléments très employés sous les Ayyoubides : *al-muhâjid, al-murâbit* auquel s'ajoutent « le secours (*ghiyat*) de l'Islam et des musulmans, le subjugueur des infidèles et des polythéistes, le sultan de l'islam et des musulmans, al-Malik al-Nâsir Salâh al-Dunyâ wa l-Dîn ». C'est du dernier souverain ayyoubide d'Alep dont il s'agit. Le récipiendaire de la pièce nous ramène vers le nord de la Syrie. En l'absence d'autres verres nommément attribuables à un souverain ayyoubide il est difficile de tirer une conclusion de ce maigre élément. Les rares verres émaillés à inscriptions historiques – le gobelet fait pour San'jar Shâh, *atabeg* de la région de Mossoul entre 1180 et 1207 (cat. 198) et le plateau de verre émaillé au nom du seljoukide d'Anatolie Kaykhusraw II (1237-1247) (musée Karatay, Konya ; Arik, 2000, p. 183) – posent le problème d'une fabrication dans la périphérie syrienne ; en outre à travers ces indications la diffusion précoce de ces objets hors de la sphère ayyoubide est soulignée. La dextérité que nécessite la réalisation d'un tel objet indique que la pièce n'était probablement pas isolée. Au XIVe siècle les bouteilles à long col atteindront la cinquantaine de centimètres.

S. M.

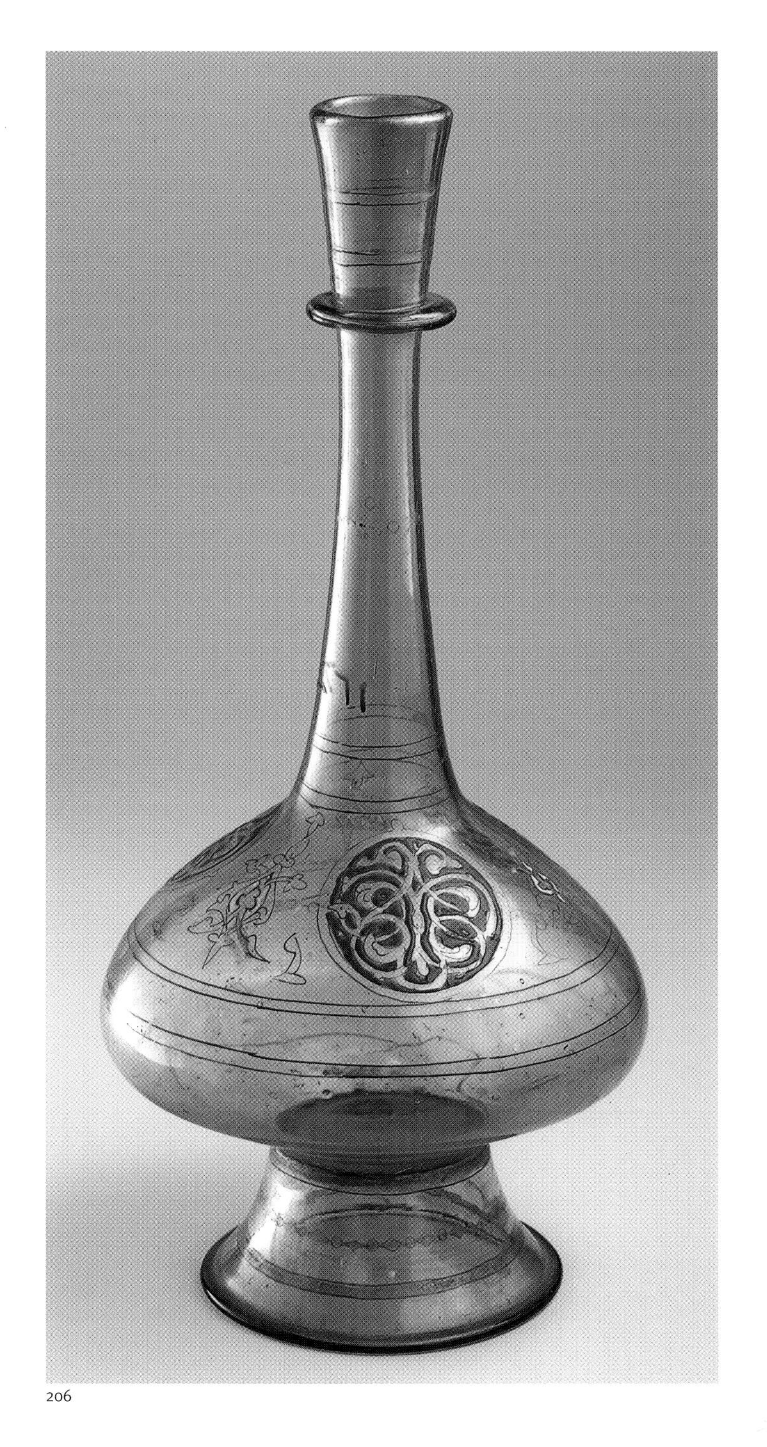

206

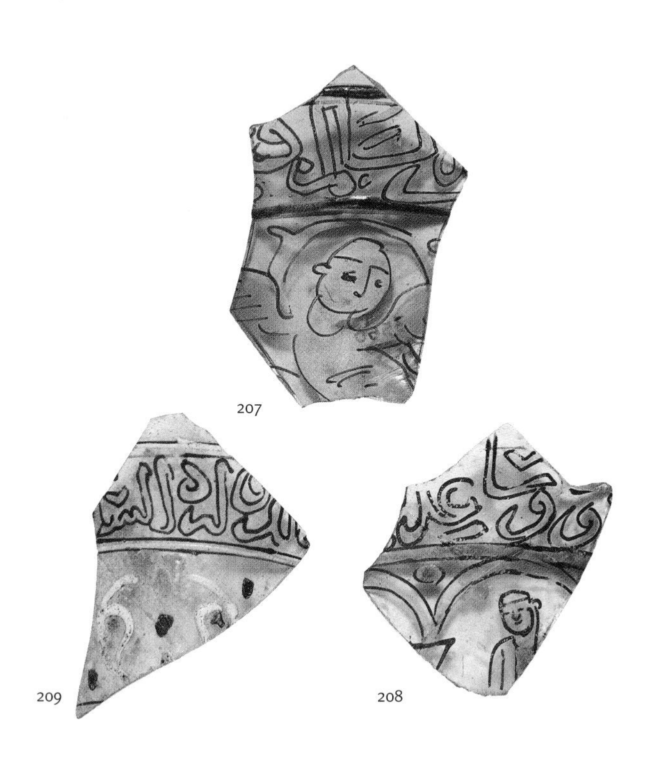

207

209

208

Les fragments proviennent de trois gobelets différents à décor émaillé et doré cerné de rouge, portant des inscriptions en *naskhi*.
(207) Entre les deux lignes bleues, on lit : « santé et bonheur ». Une créature fantastique à tête d'homme et ailes déployées est figurée sur la partie inférieure. On rencontre souvent ce genre d'êtres hybrides dans l'iconographie islamique et dans la littérature.
(208) L'inscription signifie « lumière et bonheur ». Elle surmonte un personnage debout sous une arcade.
(209) L'inscription se lit : « pouvoir et santé » ; elle est associée à un décor d'arabesque en émail polychrome. Ces trois fragments présentent des caractéristiques de la verrerie profane dans la période des derniers Ayyoubides et des premiers Mamlouks : inscriptions exprimant des vœux, petit décor à personnages cernés de rouge, et ornements d'architecture.

M. M.

207 à 209

Trois fragments de verre

Syrie, seconde moitié du XIIIe siècle

Verre émaillé et doré

Dim. max. 5 ; 4,2 et 4,5 cm

Athènes, musée Benaki
3560, 3561 et 3562

Bibl. : Clairmont, 1977, p. 115, n°s 393, 394 et 395, pl. XXIV

La vie de l'esprit

La vie de l'esprit

FRANÇOISE MICHEAU

Épilogue
L'art sous les Ayyoubides

OLEG GRABAR

Un maître et ses élèves, Maqâmât d'al-Harirî,

Syrie, vers 1220.

Bibliothèque nationale de France, département des Manuscrits orientaux, ms. Arabe 6094, f° 167 ; photo BNF.

La vie de l'esprit

FRANÇOISE MICHEAU

Damas, Le Caire, Alep s'imposaient, à l'époque ayyoubide, comme les grandes métropoles intellectuelles du monde arabe. Mais la diversité des courants de pensée qui trouvaient à s'exprimer, depuis le traditionalisme des hanbalites jusqu'au rationalisme des hommes de science, la multiplicité des lieux de sociabilité intellectuelle, *madrasa*, mosquées, *khânqâhs*, domiciles des savants, cours des souverains, la variété des figures de lettrés et de savants qui s'y côtoyaient ne permettent guère de caractériser en quelques phrases cette vie de l'esprit sous les Ayyoubides. On peut même se demander s'il est légitime d'isoler ainsi les trois quarts de siècle de la domination ayyoubide : nombre de traits, à commencer par le poids des sciences religieuses, s'inscrivent dans une évolution plus générale qui marque les pays d'Islam à partir du XIe siècle, et les souverains ayyoubides, à commencer par Saladin, poursuivirent la politique de redressement sunnite qui avait été celle de leurs prédécesseurs seljoukides et zenguides, et que manifestait leur particulière sollicitude à l'égard des ulémas.

Le poids des sciences religieuses

Les sciences religieuses occupaient une place dominante dans le champ du savoir. Elles étaient largement fondées sur les acquis des siècles précédents, qui avaient abouti à la fixation de l'islam sunnite dans ses dogmes, ses rites, ses prescriptions. Les ulémas qui en étaient les spécialistes, et en assuraient la transmission ne prétendaient en rien à l'innovation (*bid'a)*, par nature répréhensible, mais, au contraire, considéraient que la vénération et l'imitation des Anciens (*taqlîd*), était une nécessité première. Cette attitude n'excluait pas, loin de là, une grande activité intellectuelle à la fois dans les domaines de l'enseignement et de la rédaction d'ouvrages.

Parmi les sciences religieuses, que les musulmans désignaient aussi comme sciences traditionnelles, le *fiqh* était devenu, à l'époque ayyoubide, la discipline reine. Le *fiqh* – le terme est souvent et commodément traduit par droit musulman – est la science de l'interprétation de la Loi divine (*sharî'a*) ; il englobe les devoirs de l'homme envers Dieu (en particulier les prescriptions du culte) et les règles de la vie en société selon une double perspective, juridique et morale. L'islam sunnite était désormais organisé en quatre écoles juridiques : le hanafisme, soutenu par les Seljoukides et les Zenguides, et le chafiisme, adopté par les Ayyoubides, dominaient au Proche-Orient ; le hanbalisme occupait une place réduite mais originale par son traditionalisme doctrinal et son rigorisme moral ; enfin le malikisme, propre à l'Occident musulman, était conservé en Orient par les populations d'origine maghrébine ou andalouse. Les *madrasas*, fondées en grand nombre dans les villes ayyoubides (voir *supra* « Évolution urbaine et architecture au temps des Ayyoubides »), assuraient principalement l'enseignement du *fiqh* selon l'une de ces quatre écoles, et secondairement les autres sciences religieuses (lecture du Coran, tradition prophétique, exégèse) ainsi que les disciplines connexes (notamment grammaire et lexicographie arabes). Aux côtés des *fuqahâ'*, spécialistes du *fiqh*, les traditionnistes étaient également de grands professeurs : après avoir passé de nombreuses années à rassembler des traditions (*hadîths*), souvent en voyageant fort loin, ils attiraient à leur tour de nombreux étudiants et savants. Le règne de Nûr al-Dîn avait vu la création d'une nouvelle institution consacrée à l'enseignement des traditions, le *dâr al-Hadîth*, qui connut une large diffusion à l'époque ayyoubide. Cette priorité accordée à la transmission s'accompagnait de la rédaction de multiples traités destinés à expliciter, commenter, préciser, et souvent à présenter ces savoirs traditionnels sous une forme abrégée.

Mosquée des Hanbalites, Damas, édifiée par le beau-frère de Saladin. Claustra en stuc au-dessus de la porte de la salle de prière (aujourd'hui en partie détruit). Photo Gérard Degeorge.

Ces ulméas, ou savants en sciences religieuses, étaient très nombreux à assurer les fonctions proprement religieuses (imâm de mosquée, prédicateur, cadi, etc.) et les charges d'enseignement dans les mosquées, les *madrasas* ou les *dâr al-Hadîth*. Bénéficiant de revenus importants liés aux postes qu'ils occupaient et transmettaient souvent aux membres de leur famille, ils représentaient un véritable corps exerçant un rôle d'importance dans la cité.

Les voies originales de la pensée soufie

Les formes les plus originales de pensée ne sont à chercher ni dans la théologie, peu novatrice avec l'adoption assez générale de la synthèse d'al-Ash'arî (m. 935), ni dans la philosophie d'inspiration hellénistique, plutôt délaissée en ces temps de renforcement de l'islam sunnite, mais dans les courants mystiques, désignés communément sous le terme de soufisme. Celui-ci connut un essor spectaculaire à partir des XIe-XIIe siècles, à interpréter sans doute comme une forme de réaction d'une part intellectuelle, contre le poids d'un sunnisme fortement juridique, et d'autre part sociale, face au rôle croissant des ulémas. À côté des formes populaires (vénération pour les ascètes, dont on attend la *baraka*) et institutionnelles (construction des *khânqâhs*), le soufisme s'est ouvert à des voies intellectuelles originales, riches d'héritages multiples, mais contestées.

On retiendra l'exemple, célèbre et dramatique, d'al-Suhrawardî. Ce mystique, venu d'Iran, avait d'abord été reçu avec honneur à la cour des Seljoukides de Rûm, puis à Alep où al-Malik al-Zâhir, qui gouvernait alors la ville au nom de son père Saladin, se lia d'amitié avec lui. Sa pensée riche et complexe se situe à la confluence de plusieurs courants : la philosophie néopythagoricienne et néoplatonicienne, la conception proprement mystique de l'union de l'homme avec Dieu, la doctrine d'origine iranienne de l'illumination intérieure. Saladin, sensible aux accusations portées par les ulémas alépins contre des croyances qu'ils estimaient hérétiques, ordonna son exécution, et al-Malik al-Zâhir dut obtempérer en 1191.

Ibn al-'Arabî, l'un des plus grands soufis de l'islam, connut une existence moins dramatique, encore que fort mouvementée : né à Murcie en 1165, il quitta l'Occident musulman en 1194 pour faire le pèlerinage de La Mecque, et vécut désormais en Orient, d'abord en Anatolie, à Konya et à Malatya, puis à partir de 1230 à Damas où il bénéficia de la protection des Ayyoubides et de la famille des Banû Zakî. C'est là qu'il mourut en 1240, après avoir rédigé tout au long de sa vie une œuvre particulièrement riche par l'ampleur – les biographes lui accordent 239 ouvrages (cat. 215) – et par le contenu : avec Ibn al-'Arabî la pensée soufie atteint son plus haut niveau d'élaboration gnostique.

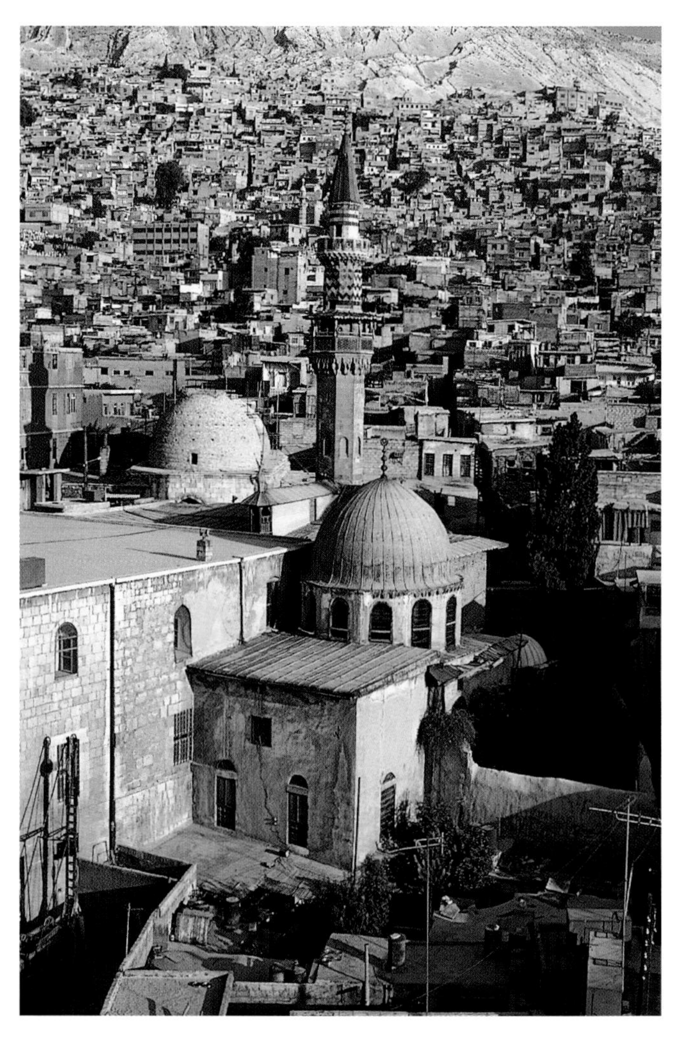

Mausolée d'Ibn al-'Arabî et sa mosquée,
élevés sur l'emplacement de la tombe du mystique par le sultan ottoman Selim Ier, dans le quartier Sâhliyyé à Damas. Photo Gérard Degeorge.

L'éclat de la médecine

À l'époque ayyoubide, la médecine bénéficiait d'un savoir sûr, codifié dans de nombreux ouvrages – au premier rang desquels le célèbre « Canon » d'Avicenne –, d'un réseau de savants se transmettant les connaissances théoriques et pratiques, et d'hôpitaux prestigieux, dont les souverains avaient doté les principales villes du Proche-Orient. L'activité de ces savants nous est relativement bien connue grâce à « L'Histoire des Médecins » que rédigea dans le troisième quart du XIIIe siècle Ibn Abî Usaybi'a, un érudit lui-même médecin à la cour de la petite cité de Sarkhad. On peut y lire, parmi les nombreuses biographies, celle d'al-Dakhwâr dont il avait lui-même suivi les cours à Damas : après avoir visité ses malades au palais et à l'hôpital al-Nûrî, célèbre établissement que Nûr al-Dîn avait fondé après son entrée dans la ville en 1154, ce maître réunissait ses étudiants à son domicile, enrichissant la lecture d'un traité médical d'explications et de discussions adaptées aux capacités de chacun. Vers la fin de sa vie, al-Dakhwâr constitua en *waqf* sa maison pour y établir une école de médecine ; il affecta à son entretien ainsi qu'au paiement des enseignants et des étudiants les revenus de domaines qu'il possédait. Il désigna al-Rahbî, autre

Le bimâristân (hôpital) construit à Damas en 1154 par Nûr al-Dîn réunit quatre bâtiments autour d'une cour centrée sur un bassin.C'est sous l'*îwân* principal que le médecin al-Dakhwâr délivrait son enseignement.
Photo Gérard Degeorge.

médecin éminent, pour lui succéder ; en 1231, ce dernier y donna une brillante leçon inaugurale, devant un parterre de savants et de juristes.

Une part importante de ces praticiens étaient chrétiens ou juifs, la médecine étant sans nul doute une spécialité des *dhimmîs* qui trouvaient dans l'exercice de cet art un moyen d'insertion et de reconnaissance sociales. Pour le seul XIIIe siècle, Ibn Abî Usaybi'a cite quarante-neuf médecins ayant exercé en Syrie ; or vingt-cinq d'entre eux sont des *dhimmîs*. Ce chiffre, déjà remarquable, est beaucoup plus important pour l'Égypte où, à la même époque, près des deux tiers des médecins connus (dix-neuf sur vingt-neuf) étaient des juifs ou des chrétiens, sans doute en raison de la place privilégiée que ceux-ci avaient occupée sous la dynastie fatimide.

Nombre de médecins nous sont connus non seulement pour leur remarquable activité de praticiens au service de leurs patients, mais aussi pour les ouvrages qu'ils ont écrits, le plus souvent simples commentaires, commodes abrégés de traités antérieurs, ou agréables compilations. Ainsi le *Livre du Jardin des Médecins* que rédigea l'un des médecins qui fut au service de Saladin, Ibn al-Mutrân (m. 1191), est un élégant florilège de citations d'auteurs antérieurs, assorti de courtes remarques personnelles et de brèves informations biographiques. Mais certains esprits furent plus novateurs, tel 'Abd al-Latîf al-Baghdâdî, un savant particulièrement remarquable dont l'œuvre dépasse le seul cadre de la médecine. Il mena une vie mouvementée entre Bagdad, où il était né en 1162 et mourut en 1231, et les principales villes du Proche-Orient : Damas, où il bénéficia un temps de la protection de Saladin ; Le Caire, où il connut le célèbre médecin et philosophe juif Maïmonide ; Erzinjân en Anatolie ; Alep enfin. Dans ses écrits, qui touchent à des disciplines variées, médecine, philosophie, histoire, géographie, alchimie, grammaire, tradition prophétique, 'Abd al-Latîf al-Baghdâdî se montre un penseur vigoureux, prompt à s'opposer aux autorités reçues. On retiendra pour seul exemple cette page célèbre de sa « Description de l'Égypte » dans laquelle il expose comment l'observation des cadavres, particulièrement nombreux en raison de la grande famine qui sévit dans les années 1199-1202, lui permit de corriger une donnée anatomique remontant à Galien et communément admise.

Poètes et lettrés au service des princes

La poésie était très présente dans les élites ayyoubides : ulémas, secrétaires, princes, lettrés, tous se plaisaient à lire des poèmes, à en écouter réciter, à en composer.

L'échoppe d'un apothicaire : détail d'un chandelier,
Syrie ?, première moitié du XIIIe siècle **(cat 114)**.
Photo Nasser D. Khalili Collection of Islamic Art.

Néanmoins certains en faisaient profession : ce sont les poètes de cour, dont les souverains aimaient à s'entourer par goût et, plus encore, par souci de prestige. Une victoire sur l'ennemi, une construction prestigieuse, une naissance princière, un acte de générosité étaient célébrés par des panégyriques fleuris qui répandaient dans la ville et au-delà les mérites de la famille ayyoubide, encore que le style de ces compositions de circonstance nous apparaisse aujourd'hui bien compassé.

Les poètes n'étaient pas les seuls lettrés à soutenir le pouvoir des princes ayyoubides. Ainsi Saladin fut admirablement servi par deux grands hommes : 'Imâd al-Dîn al-Isfahâni et Bahâ al-Dîn ibn Shaddâd. Le premier, originaire d'Isfahân, devint dès 1175 un des familiers du sultan, qu'il accompagnait dans toutes ses expéditions et dont il appuya activement la politique en rédigeant de nombreuses lettres célébrant ses hauts faits avec un art consommé de la rhétorique arabe : ainsi il adressa après la reprise de Jérusalem le 2 octobre 1187 soixante-dix bulletins de victoire aux souverains et dignitaires du monde musulman. Au lendemain de la mort de Saladin, 'Imâd al-Dîn se retira de la vie publique et se consacra à des travaux littéraires, dont le plus remarquable est un récit de la reconquête de la Syrie (cat. 61) d'une grande virtuosité verbale. Quant à Bahâ al-Dîn ibn Shaddâd, il ne rejoignit l'entourage de Saladin qu'en 1188, puis se fixa, après 1193, à Alep où al-Malik al-Zâhir se l'attacha en le nommant cadi et en le chargeant de plusieurs missions diplomatiques. Sa biographie de Saladin connut un grand succès, hier comme aujourd'hui, et contribua à forger l'image du souverain vertueux, héros de la lutte contre les Francs.

Les trois frères Ibn al-Athîr offrent un autre exemple significatif de lettrés dont la vie et l'œuvre ne s'éclairent que par les relations qu'ils entretenaient avec les princes de l'heure, Ayyoubides d'Alep et de Damas, Zenguides de Mossoul. L'aîné, Majd al-Dîn, versé dans les sciences religieuses, était apprécié par les *atabegs* de Mossoul pour ses compétences administratives et ses conseils. Le benjamin, Diyâ' al-Dîn, s'illustra au service de Saladin, puis de ses fils, al-Afdal d'abord, al-Malik al-Zâhir ensuite, et enfin des souverains de Mossoul ; le recueil de ses lettres et autres textes officiels jette un vif éclat sur les réalités politiques ainsi saisies au quotidien. Quant à 'Izz al-Dîn, le cadet et le plus célèbre des trois frères, il est connu essentiellement comme historien attaché à la cour de Mossoul : à côté d'une brève histoire des *atabegs* zenguides, intéressante notamment par sa discrète hostilité à l'encontre de Saladin, il rédigea une œuvre magistrale, *al-Ta'rîkh al-kâmil* (« Le Livre complet en matière d'histoire »), qui offre un récit continu, élégant et concis de l'histoire universelle depuis la création du monde jusqu'à l'année 628 de l'hégire (1230-1231).

Mobilité des savants, circulation des livres

Le monde des intellectuels ignorait les frontières politiques entre pays musulmans. La langue arabe et l'islam étaient des éléments d'unité suffisamment forts pour qu'un savant se sentît chez lui partout. Le voyage pour écouter les leçons de maîtres prestigieux, recueillir traditions et récits, bénéficier des faveurs d'un prince puissant était une pratique attestée dès les premiers temps de l'islam. À l'époque ayyoubide, on est en outre frappé par la grande diversité d'origine des élites : si nombre d'ulémas et de lettrés étaient issus de familles de notables arabes installés de longue date dans les métropoles d'Égypte et de Syrie, beaucoup d'autres venaient des diverses régions du monde musulman, même les plus éloignées, de la Transoxiane à l'Espagne. Ces longs déplacements étaient souvent forcés : face à l'avance de la Reconquista dans la péninsule Ibérique, face au raidissement des Almohades à l'égard des *dhimmîs*, face aux dévastations des Mongols en Iran, les États ayyoubides offraient un refuge. On connaît le cas, fameux, du savant juif Maïmonide qui, fuyant la persécution almohade, s'exila en 1166 au Caire où il occupa rapidement une position de notable et trouva la sérénité nécessaire à la rédaction de ses ouvrages de philosophie, de théologie et de médecine.

Saladin et ses descendants ayyoubides favorisèrent ce mouvement. Sans être à proprement parler de grands mécènes, qui auraient soutenu l'activité intellectuelle et scientifique sous toutes ses formes, ils firent bénéficier de leurs largesses ceux dont ils attendaient un surcroît de légitimité et de prestige : ulémas appuyant la politique de redressement sunnite, médecins assurant le service de la cour et les suivant dans leurs déplacements, poètes et lettrés soutenant la propagande du pouvoir. Plus que tout autre, le prince ayyoubide d'Alep, al-Malik al-Zâhir, se fit remarquer par sa générosité à l'égard des savants. Les poètes et les grammairiens étaient conviés à son conseil, aux côtés des hommes de religion : on y récitait des poèmes et les discussions étaient parfois animées, comme cette controverse entre deux lexicographes au sujet de l'étymologie du mot *'îd* (fête) qui, commencée un soir en présence du prince, se termina le lendemain à la Grande Mosquée par un échange de coups ! Les successeurs d'al-Malik al-Zâhir prirent pour vizir Ibn al-Qiftî, un remarquable érudit connu comme un écrivain fécond (il rédigea entre autres une « Histoire des hommes de sciences ») et un bibliophile impénitent dont la bibliothèque fut évaluée à cinquante mille dinars.

La grande mobilité des savants facilitait en effet la circulation des ouvrages. Le cas de la bibliothèque d'Ibn al-Qiftî n'était pas exceptionnel. Ibn al-Mutrân, l'un des médecins de Saladin déjà évoqué, était aussi un grand amateur de livres : il entretenait constamment trois copistes à son service et, à sa mort, en 1191, les dix mille volumes qu'il avait rassemblés furent vendus aux enchères ; Maïmonide en fut, raconte-t-on, l'un des acquéreurs. Un autre exemple nous est offert par la bibliothèque d'un linguiste de Damas, Taj al-Dîn al-Kindî (m. 1216), dont nous avons la bonne fortune de connaître la composition : cent quarante volumes pour les sciences du Coran ; dix-neuf pour la tradition prophétique ; trente-neuf pour le *fiqh* hanafite ; cent quarante-trois pour la lexicographie arabe ; cent vingt-deux pour la poésie ; cent soixante-quinze pour la grammaire et la morphologie, et cent vingt-trois pour la médecine et les autres sciences.

La vie intellectuelle à l'époque ayyoubide, même si elle était largement fondée sur les acquis des siècles précédents et sur le souci de conserver et de transmettre plutôt que d'innover, a largement bénéficié de la prospérité des États ayyoubides et de la générosité des princes. La diversité des savants et des courants de pensée fut un autre facteur de vitalité et de richesse. Cette diversité aurait pu générer des conflits. Or, mis à part les querelles de pouvoir entre ulémas chafiites et hanafites, et quelques épisodes tragiques comme l'exécution d'al-Suhrawardî, les relations entre courants de croyance et de pensée furent en général empreintes d'une assez grande sérénité, elle aussi favorable à la vie de l'esprit.

210

Fragment d'encadrement de fenêtre

Égypte, Le Caire, 1225

Stuc sculpté

L. 176 ; l. 40 cm

Provient de la *madrasa* Kâmilîya

Le Caire, musée d'Art islamique

1403

Bibl. : Creswell, 1959, p. 80-83, pl. 28

K.A.C. Creswell avait identifié ce fragment comme provenant du montant droit d'une fenêtre d'une cellule d'étudiant de la *madrasa* Kâmilîya au Caire. Cet édifice est le second *dâr al-Hadîth* (école pour l'étude de la Tradition, base de la Sunna) établi dans le monde islamique si l'on en croit l'historien mamlouk du XVe siècle Maqrîzî. Cette *madrasa* de rite chafiite était entretenue grâce aux rentes fournies par un *rab'*, ensemble locatif de rapport, d'une grande dimension (Creswell proposait une façade restituable de 85 m de long). La *madrasa* Kâmilîya était établie sur l'artère prestigieuse de Bayna l-Qasrayn, dans l'ancienne enceinte califale des Fatimides. L'ensemble a aujourd'hui disparu et il était déjà dans un état pitoyable en 1896, date à laquelle le Comité de conservation des Monuments le documente. Ce fragment, plus que les quelques photographies conservées, permet de se faire une idée de la splendeur de l'édifice. L'inscription koufique (tirée de la sourate « Yâsîn ») aux caractères étirés et anguleux se détache sur un fond floral profondément creusé. Sous une tresse, un décor aux feuilles chargées de petits motifs montre encore une dette à l'égard des stucs fatimides.

S. M.

211

Plaque de fondation

Égypte, Alexandrie, 583 H / 1187

Calcaire champlevé et gravé

H. 85 ; l. 75 cm

Découverte en 1899 dans une maison contiguë à la vieille enceinte d'Alexandrie, près de Bâb al-Sidra

Le Caire, musée d'Art islamique

2399

Bibl. : Herz, 1906, p. 27, n° 64 ; Van Berchem, *C.I.A., Égypte*, IIII, n° 458, *R.C.E.A.*, IX, p. 156 (avec bibliographie), n° 3420 ; Wiet, 1971, p. 50, n° 65

En sept lignes, dans un *naskhi* élégant, dénué de points, le texte, dont le début manque, relate : « Ce qu'a ordonné de faire le seigneur auguste (*al-sayyid al-ajal*) al-Malik al-Nâsir, subjugueur des esclaves de la croix, Salâh al-Dunyâ wa-Dîn Abû 'l-Muzaffar Yûsuf, fils du seigneur auguste (*sayyid al-ajal*) Ayyûb. A été préposé à sa construction l'émir et général, l'esclave de l'émir des croyants, Abû Sa'îd Qaraja, en l'année 583. » M. Van Berchem a insisté sur l'emploi persistant de titres empruntés aux Fatimides ; le titre de *sayyid al-ajal* a été porté par plusieurs de leurs vizirs aux Ve et VIe siècle de l'hégire. Il ne figure apparemment dans aucune autre inscription connue au nom de Saladin. Ce titre pourrait convenir pour la période où il fut vizir du calife fatimide al-'Adid ou celle où il fut officier de Nûr al-Dîn. Cependant en 583 H (1187), l'année de la bataille de Hattîn, il portait déjà le titre de sultan depuis une période difficile à déterminer, peut-être dès 576 (Van Berchem, *C.I.A.*, *Égypte*, III, n° 527). En outre les titres honorifiques en *malik* furent employés par les vizirs fatimides ; c'est d'ailleurs du temps de son vizirat que Saladin le prit ; au-delà de la disparition des Fatimides son emploi peut apparaître comme un signe d'allégeance au calife abbasside. L'usage en sera conservé par ses successeurs et par les sultans mamlouks. Il est probable que la construction dont la nature n'est pas précisée est la muraille maritime occidentale d'Alexandrie. En effet,

en 583 H, à la suite de la capture de plusieurs de ses galères par des vaisseaux francs, Saladin fit renforcer les murailles d'Alexandrie en leur point le plus faible ; 'Abd al-Latîf al-Baghdâdî (1162-1231), dans sa « Relation de l'Égypte », rapporte la construction des murailles autour de la colonne de Pompée (sise face à Bâb al-Sidra), sous la conduite de « Qaraja, gouverneur d'Alexandrie pour Saladin ».

S. M

212, 213

Deux claires-voies

Égypte, 610 H / 1213

Granit sculpté et gravé

H. 57 ; l. 57 cm
H. 53 ; l. 57 cm

Proviendrait du mausolée de Sayf Ibn Dhî Yazan à Hattaba

Le Caire, musée d'Art islamique
2650, 4331

Bibl. : Herz, 1906, p.43 ; *R.C.E.A.*, X, n° 3713 ; Wiet, 1971, p. 52, n° 69, pl. XI

Une rosace a été dégagée assez habilement dans la pierre dure et à gros grain. Ceci confère aux formes un aspect un peu rustique perceptible également dans le décor de l'une d'entre elles, sur les rosaces d'angles. Sur cette dernière, l'inscription gravée en trois segments répète une partie de la profession de foi (« Il n'y de Dieu que Dieu, Muhammad est son Prophète ») ainsi que le nom du tailleur de pierre, Murhij, et l'année correspondant à 1213. Le mausolée dont auraient été issus ces fragments a disparu.

S. M.

214

Support tripode

Syrie du Nord, début du XIIIe siècle

Pâte siliceuse, décor moulé sous glaçure transparente colorée

H. 19,8 ; L. côté 29,5 cm

Paris, musée de l'Institut du monde arabe
AI 92-32

Bibl. : Mouliérac, 1999, p. 136 ; D.S. Rice, 1952, p. 70 ; Ettinghausen, 1962, p. 82 ; Grube et *alii*, 1994, p. 286, n° 328 ; Soustiel, 1985, p. 117

Il subsiste un nombre important de supports de céramique de ce type tantôt octogonaux (cat. 140), tantôt rectangulaires ou triangulaires. Les deux derniers types comportent, comme ici, des ouvertures circulaires. Rice a suggéré qu'elles étaient destinées à recevoir des gobelets ou des vases. Mais on a également proposé d'y voir des tables de calligraphe qui auraient contenu les pots à encre, à sable et à étoupe. La forme des pieds tournés et l'emploi de balustres en ajour indiquent comme probable archétype de ces objets de petits meubles de bois. Un type de balustres très similaire apparaît dans le manuscrit du *Livre de la Thériaque* daté de 1199 (BNF), probablement issus du nord de l'Iraq. Un support identique, vraisemblablement sorti du même moule, est conservé dans la collection Nasser D. Khalili à Londres. Enfin sur un *kursi* (tabouret) octogonal apparaît une rare signature (*œuvre de Muhammad*), signe que ces objets pouvaient être prisés (ancienne collection Joseph Soustiel).

S. M.

215

Dîwân d'Ibn al-'Arabî

Probablement Damas, avant le 7 août 1237

Manuscrit, 181 f., texte copié en caractères *maghribi* avec quelques signes diacritiques, encre brune sur épais papier lissé

Plats de couverture provenant de deux reliures différentes en cuir à décor repoussé, d'époque ou un peu plus tardif, et décor gaufré sur la doublure du rabat

25 × 17,5 cm

Londres, Nasser D. Khalili Collection of Islamic Art
MSS 225
Ancienne collection du Sultan ottoman Selim Ier (1512-1520)
Inédit

f° 111 v° - 112 r°

Muhyi al-Dîn Abû 'Abdallah Muhammad ibn al-'Arabî (ou Ibn al-'Arabî) fut peut-être l'un des plus grands mystiques musulmans. Cet Andalou, né à Murcie en 1165, étudie à Séville, puis voyage en Espagne et en Afrique du Nord jusqu'en 1202, où il se rend à La Mecque pour accomplir le *hajj*. Il y passe deux ans. En 1205, il est à Malatya puis, en 1230, s'installe à Damas et gagne la faveur des Ayyoubides. Il y meurt le 16 novembre 1240, et sera inhumé dans le mausolée d'une famille damascène.

Ibn al-'Arabî fut assurément un écrivain prolifique, auquel on attribue quelque quatre cents œuvres. Ses disciples ont propagé son enseignement jusqu'en Iran et en Inde, mais c'est en Anatolie que son influence s'est exercée le plus fortement. Ses idées se sont parfois heurtées à une certaine hostilité, mais la situation a changé quand le sultan ottoman Selim Ier a fait restaurer son mausolée et construire une mosquée à côté. Le sceau de Selim est apposé au recto du premier feuillet du *Dîwân*, parmi les notes de plusieurs autres propriétaires du manuscrit. Deux de ces notes sont antérieures, respectivement de 665 H (1266) et de 803 H (1401-1402). En 1296 H /1879, le manuscrit était à Istanbul, dans la bibliothèque d'un certain Muhammad Zâfir.

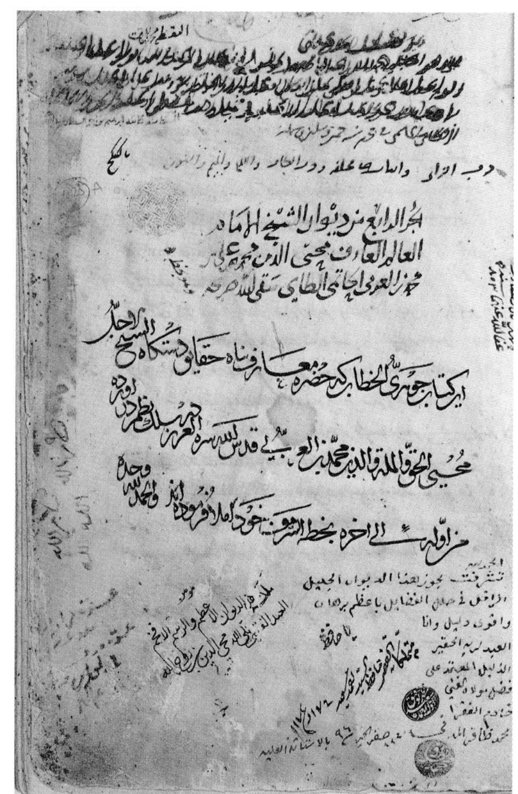

f° 1 r°

À la fin du texte, une note écrite par un certain Ahmad ibn 'Abdallah al-'Alawi nous apprend que le manuscrit a donné lieu à plusieurs séances de lecture au domicile de son auteur à Damas, dont la dernière s'est tenue le 13 dhu al-hidja 634 (7 août 1237). Ibn al-'Arabî confirme ensuite, d'une écriture rapide et à peine lisible, qu'il a écouté et approuvé la lecture de ce volume de son *Dîwân*.

On ignore le nom du copiste. Plusieurs propriétaires ultérieurs du manuscrit le disent autographe. Rien ne permet d'étayer cette allégation, même si l'on est tenté d'établir un lien entre l'emploi d'une écriture *maghribi* (très rare dans les manuscrits syriens et anatoliens) et les origines maghrébines d'Ibn al-'Arabî.

N. N.

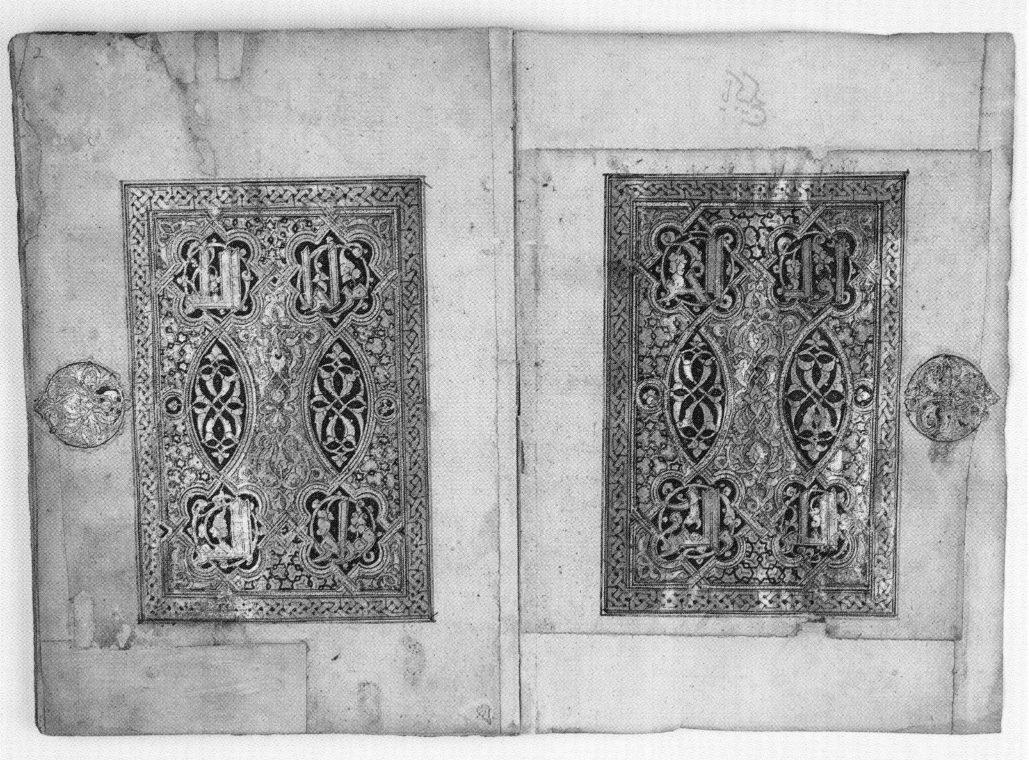

f° 1 v° - 2 r°

216

Coran

Sinjâr ou Nisibe, 1198-1219, copié pour Qutb al-Dîn Muhammad ibn Zangî ibn Mawdûd

28e vol. d'un Coran en 30 vol., 50 f.

Encre, or et pigments sur papier crème lissé

22 × 15,6 cm

Londres, Nasser D. Khalili Collection of Islamic Art

QUR 497

Bibl. : James, 1992, p. 44-49, n° 7 ; Londres, Sotheby's, catalogue de la vente du 10-04-1989, n° 184

Quatre autres volumes de ce Coran en trente volumes sont parvenus jusqu'à nous [1], mais celui-ci est le seul à avoir conservé son attestation de commande, redécouverte grâce au travail de restauration effectué depuis que le manuscrit est entré dans la collection Khalili. Cette attestation était masquée par un aplat de peinture rouge et un morceau de papier. Elle précise que le volume était destiné à la bibliothèque d'Alp Inanj Khutlukh Toghan Tekin Abû'l-Muzaffar Muhammad ibn Zangî ibn Mawdûd ibn Zangî, autrement dit le sultan Qutb al-Dîn Muhammad ibn Zangî, gouverneur de Sinjâr, Nisibe et de la vallée du Khâbûr entre 1198 et 1219. Ce serait donc, à notre connaissance, le seul Coran copié pour un souverain zenguide de Jezireh.

Malgré ses dimensions relativement petites, le manuscrit est très luxueux, abondamment rehaussé d'or aussi bien dans le texte que dans les enluminures. Le frontispice superbement orné indique que c'est le « début du *juz'* 28 de 30 *ajza'*, et la fin de la cinquième partie ». Le texte est magnifiquement calligraphié en caractères *thuluth* à l'or, ce qui est inhabituel pour un Coran. Les titres des sourates sont en koufique à l'or, agrémentés de palmettes bleu et or dans les marges. Des rosaces d'or séparent les différents versets et des médaillons indiquent dans la marge les groupes de cinq et dix versets. Les derniers feuillets sont manquants mais, selon toute vraisemblance, le manuscrit devait s'achever par un colophon enluminé, comme les autres volumes conservés.

N. N.

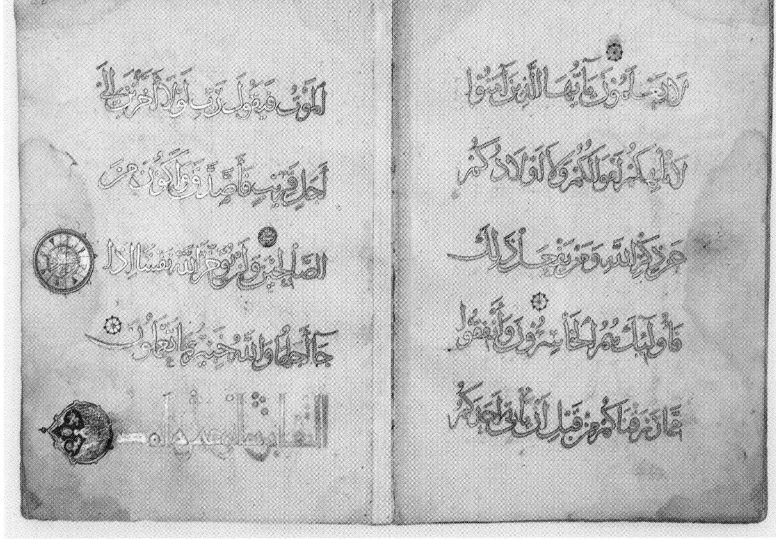

f° 37 v° - 38 r°

1. Brousse, Musée archéologique, Ms. K19 ; Koweït, collection particulière ; Dublin, Chester Beatty Library, Ms.1488 ; Paris, BNF, Ms.arabe.5949.

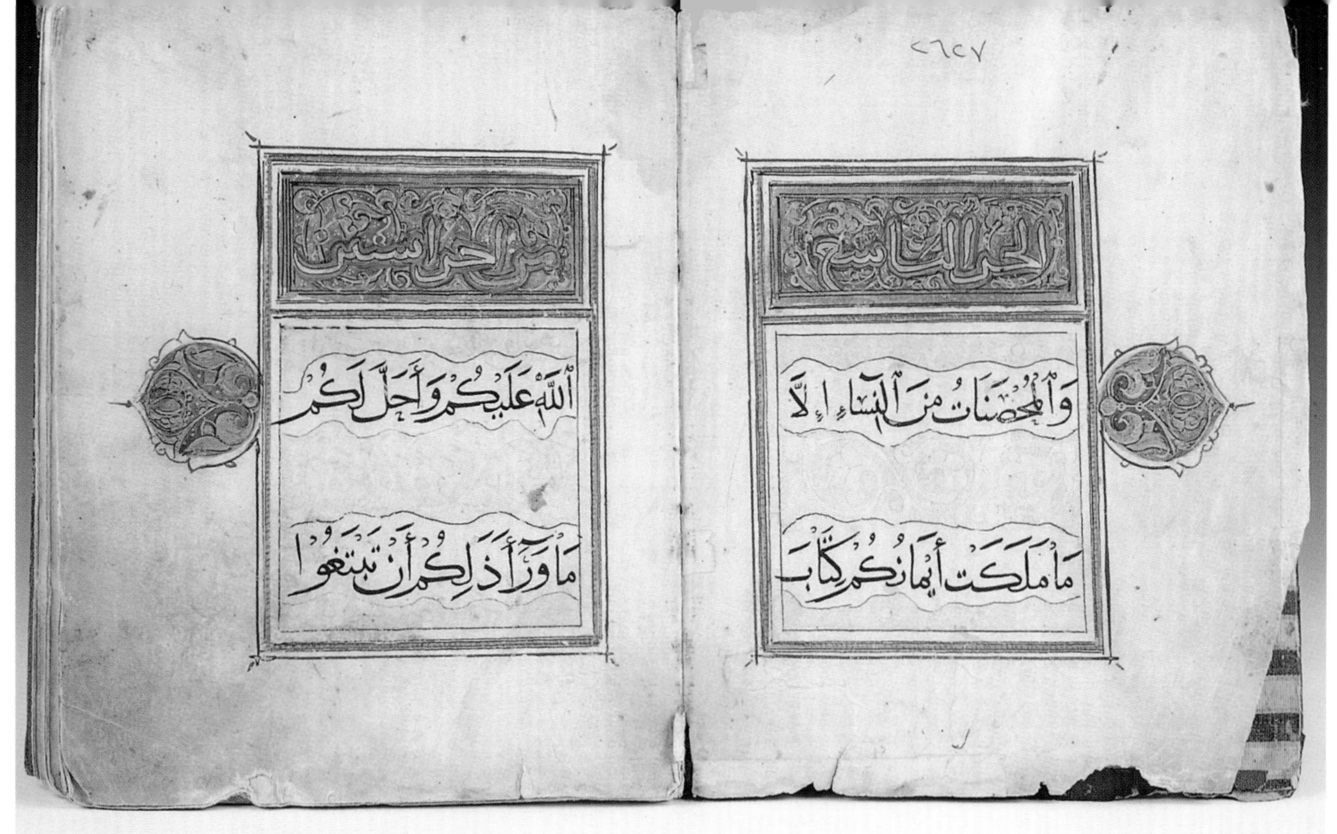

217

217 à 219

Trois tomes (n°s 9, 13 et 53) d'un Coran en soixante volumes

Damas, copié en 562 H / 1166-1167

Encre, gouache et or sur papier

217 : 19 × 16 cm

218 et 219 : 19,5 × 16 cm

217. Damas, musée de l'Épigraphie arabe
2627

218. Ham (Royaume-Uni), Keir Collection
VII 3

219. Ham (Royaume-Uni), Keir Collection
VII 4

Exp. : Paris, 1993, p. 425, n° 319
Bibl. : Robinson ; Grube et *alii*, 1976, p. 287-288 ; Lings ; Safadi, 1976, p. 46, n° 55 et p. 89, n° 157

Très tôt, dès la fin du Ier siècle de l'hégire / début du VIIIe siècle, les musulmans se sont souciés de découper le texte de la Révélation en séquences d'égale longueur, indépendantes des chapitres ou sourates. Cela aurait permis entre autres de régler des lectures rituelles sur une semaine ou un mois ; les copies du Coran adoptèrent parfois ce principe et l'on vit apparaître à côté des corans en un seul volume d'autres qui se présentaient en plusieurs tomes. Ces trois manuscrits se rattachent à cette tradition : ils faisaient partie d'une série de soixante volumes d'apparence identique qui est aujourd'hui incomplète et dispersée entre plusieurs collections. L'ensemble avait été commandité par Nûr al-Dîn à un copiste dont le nom nous est conservé dans le colophon du tome 53 : 'Alî b. Ja'far b. Asad était *kâtib*, c'est-à-dire qu'il appartenait sans doute à l'administration zenguide ; il acheva son travail en 562 H / 1166-1167, date à laquelle le manuscrit fut déposé en *waqf* – bien inaliénable – dans la *madrasa* que Nûr al-Dîn avait fondée dans la ville de Damas et à laquelle était attaché son nom.

Les manuscrits du Coran sont généralement copiés à raison d'un nombre impair de lignes à la page : ces tomes se distinguent par le choix qu'a fait le copiste de quatre lignes (non visible sur les photographies qui montrent les frontispices des trois tomes). Le *naskhi* utilisé pour transcrire le texte est d'une sobre élégance et ressort agréablement sur une page où les espaces entre les lignes et dans les marges ont été généreusement calculés. L'indication de la fin des versets par une rosette dorée figure au-dessus de l'emplacement concerné ; l'enlumineur a rejeté dans la marge les décors plus importants qui signalent les groupes de versets – dont la position dans les textes est marquée par la rosette habituelle.

La double page initiale présentée ici constitue un cadre, selon une formule classique dans le monde musulman. Sur chacune des deux pages, l'espace est divisé en deux secteurs ; le premier, dans la partie supérieure, a la forme d'un bandeau et contient l'indication du numéro du tome (ici : neuvième) au sein de la série, en *thuluth* ornemental blanc rehaussé d'or, sur un fond d'arabesques or et rouge. Le second, de forme presque carrée, a reçu le début du texte – réduit à deux lignes au lieu de quatre que l'on rencontre par la suite. Dans les deux marges extérieures, à mi-hauteur, une vignette rouge, bleu et or complète ce décor initial.

La reliure est très vraisemblablement celle qui fut réalisée à l'origine : elle constitue donc un des rares exemples de reliure musulmane médiévale datés avec précision. Le décor estampé fait contraster le champ laissé brut avec une bordure et un ornement central réalisés à l'aide de petits fers densément estampés.

À en juger par l'écriture du colophon (c'est-à-dire le court texte où, à la fin du manuscrit, le copiste s'identifie et donne les indications sur les circonstances de la copie), 'Alî b. Ja'far exécuta également les notes de *waqf* qui, elles, figurent en tête de chaque tome. Il transcrivit par ailleurs pour la même *madrasa* un *tafsîr* (commentaire du Coran) : cette activité pose la question de l'implication éventuelle des scribes de la chancellerie dans un projet organisé sous le patronage du souverain et visant à pourvoir les institutions d'enseignement en ouvrages fondamentaux. Nûr al-Dîn semble en tout cas avoir tenu à accompagner son œuvre de la reconquête d'une diffusion du Coran, offrant à plusieurs fondations pieuses des copies de ce texte.

F. D.

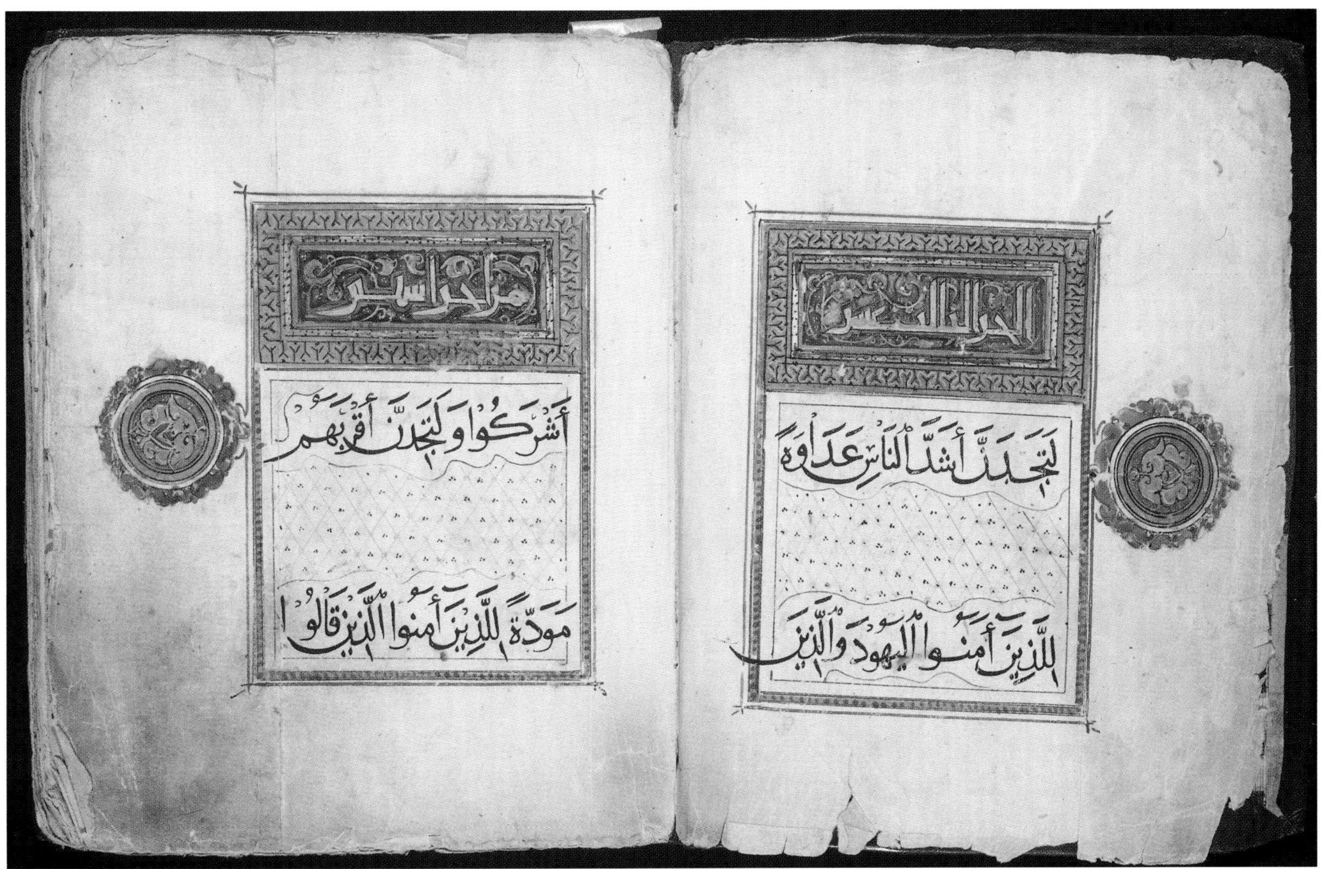
لتجدن أشد الناس عداوة
للذين آمنوا اليهود والذين
أشركوا ولتجدن أقربهم
مودة للذين آمنوا الذين قالوا

218

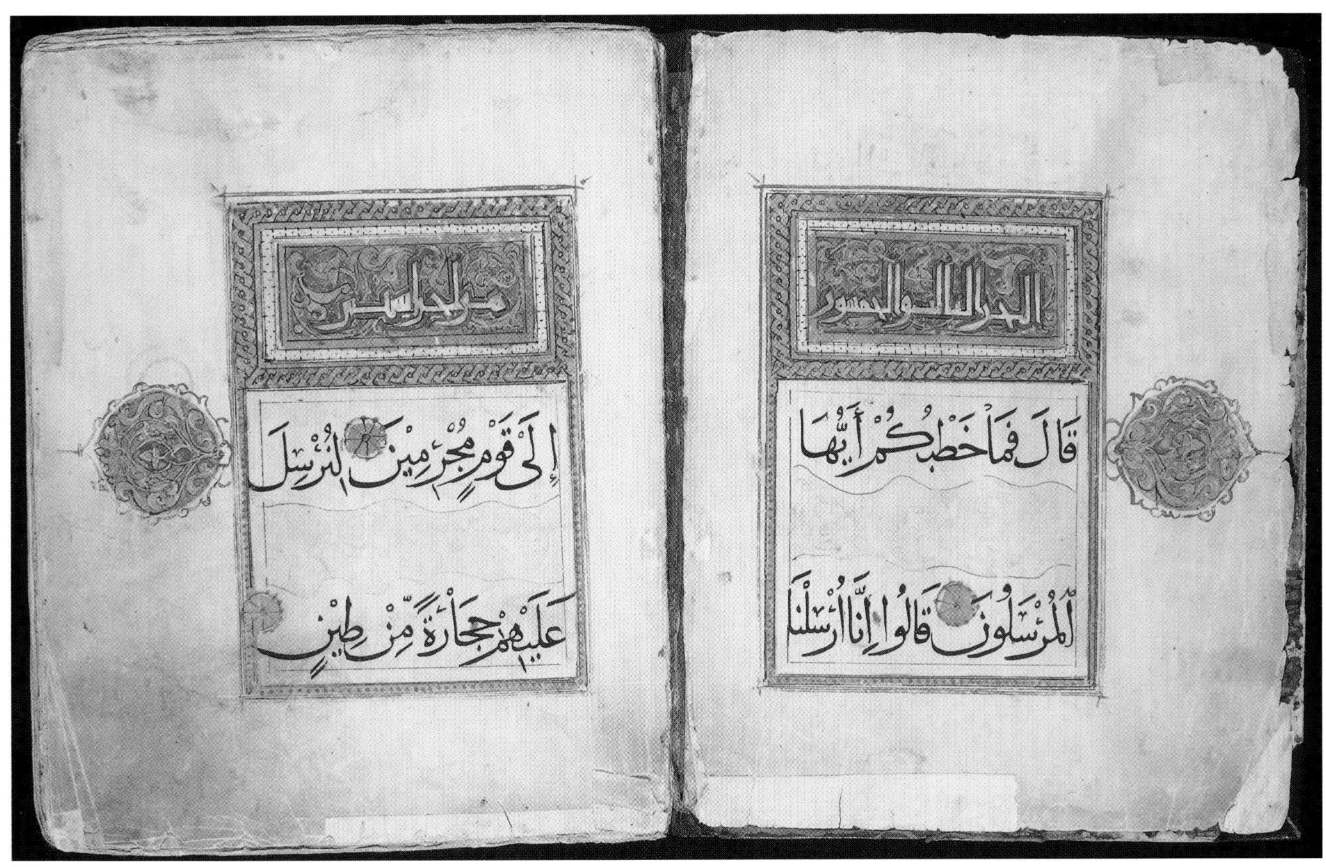
قال فما خطبكم أيها
المرسلون قالوا إنا أرسلنا
إلى قوم مجرمين لنرسل
عليهم حجارة من طين

219

220

Cadran solaire

Syrie, 554 H / 1159

Alliage cuivreux, décor gravé

H. 8,6 ; l. 5,1 cm

Acquis à Beyrouth

Paris, Bibliothèque nationale de France, cabinet des Médailles

F. 6909

Exp. : Paris, 1993, p. 436, n° 332 ; Paris, 1998, p. 19, n° 7

Bibl. : Casanova, 1923 ; Mayer, 1956, p. 52-53

Ce petit cadran est destiné à être tenu verticalement grâce à l'anneau fixé au *kursi* (trône) à la silhouette lobée. Il était à l'origine muni d'un stylet qui a disparu ; son ombre se projetait sur les lignes gravées courbes (en fonction de la hauteur du soleil en un moment donné de l'année astronomique), indiquant ainsi l'heure des prières quotidiennes. Au gré de l'année astronomique, de « part et d'autre » du solstice d'été, le stylet ou gnomon devait être déplacé. C'est pourquoi la base du *kursi* comporte six trous ; en bas de chacune des six colonnes sont inscrits les noms des signes du zodiaque, sur deux lignes, correspondant à la position du soleil sur l'écliptique. En arabe ces instruments sont connus sous le nom de « jambe de sauterelle » (*sâq al-jarrâda*) du fait de l'aspect des graduations. Des instruments de ce type étaient connus dès l'Antiquité, mais furent à nouveau développés à Bagdad au XIe siècle. Les tracés correspondent aux latitudes 33° et 36° qui servent Damas et Alep, deux villes dont Nûr al-Dîn fut sultan. L'inscription indique que l'objet a été fait pour « le roi juste Nûr al-Dîn Mahmûd Ibn Zangî pour trouver… les heures de la prière… construit par Âbû 'l-Faraj 'Îsâ, élève d'al-Qâsim ibn Hibat Allâh al-Asturlâbî en l'an 554 ». Hibat Allâh, le père du maître d'Âbû 'l-Faraj, était un célèbre facteur d'instrument de Bagdad, comme l'indique d'ailleurs la qualité d'astrolabiste, al-Asturlâbî, accolé à son nom.

S. M

221

Élément de suspension (*kursî*)

Signé : Shâkir ibn Ahmad

Mossoul ou Damas, première moitié du XIIIe siècle

Laiton moulé et gravé

H. 30,2 ; l. 49,4 cm

Londres, Nasser D. Khalili Collection of Islamic Art

MTW 825

Bibl. : Maddison ; Savage-Smith 1997, p. 206-209, n° 120

Cet élément est un exemple de métal moulé provenant de Syrie ou de Jezireh qui se distingue par son exceptionnelle qualité. C'est une fonte à jours, conçue pour être vue sur ses deux faces, les deux étant de facture aussi soignée. Shâkir ibn Ahmad a gravé sa signature en caractères *naskhi* dans un cartouche en forme de palmette placé au centre.

Par son style, l'élément de suspension ou « trône » (*kursî*) ressemble beaucoup à une paire de heurtoirs de porte, (Humlebaek, 1987, p. 13, n° 96) attribuée à Mossoul sur la base de similitudes avec des ornements architecturaux de cette ville. La forme et le motif font penser au « trône » de la plaque de géomancie du British Museum (cat. 222). Cette dernière, beaucoup plus petite, a été réalisée en 1241-1242 par Muhammad Ibn Khutlukh al-Mawsilî. Malgré les liens apparents avec Mossoul, il ne faut pas exclure la possibilité d'une production à Damas. Sur un brûle-parfum non daté, Ibn Khutlukh lui-même a indiqué « Damas » à côté de sa signature (Allan, 1986, p. 66). N'oublions pas qu'avant le pillage de la ville par les Mongols, en 1261, de nombreux dinandiers avaient déjà quitté Mossoul pour Damas, dans l'espoir de bénéficier du mécénat ayyoubide.

D'après certaines sources, la console complétait autrefois un châssis où était suspendu un globe. S'il n'est pas possible de confirmer cette information, plusieurs détails tendraient tout de même à l'accréditer. La rainure qui court sur toute la longueur de la face inférieure de la console et les arêtes percées que l'on voit au centre et aux extrémités auraient très bien pu servir à la fixer à un tel châssis. De plus, Shâkir ibn Ahmad a utilisé le verbe *sana'ahu* dans sa signature, alors que l'on s'attendrait plutôt à lire *'amalahu* ou *mimma 'amala*. Ce verbe se rapporte souvent à des œuvres qui exigent un certain degré de précision ou de calibrage.

N. N.

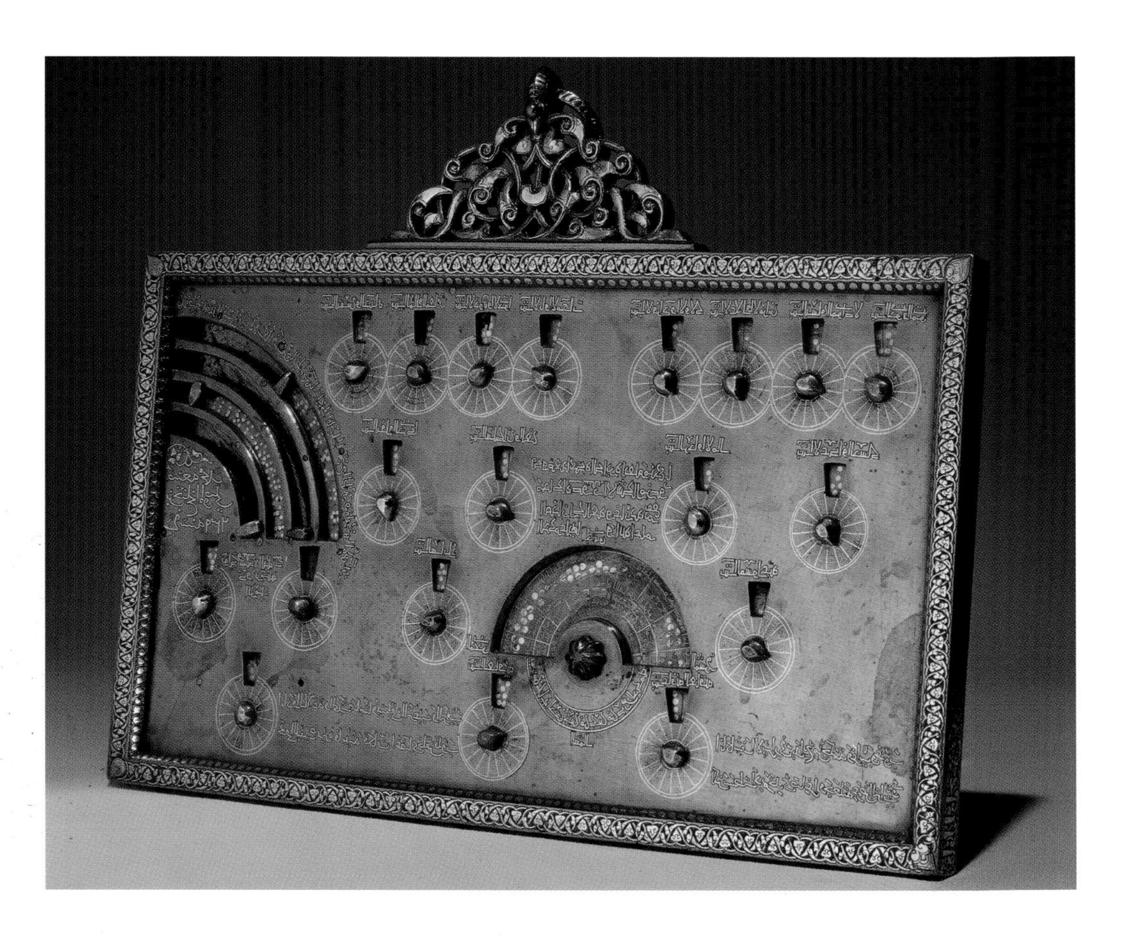

222

Tympan de géomancie

Signé : Muhammad ibn Khutlukh al-Mawsilî

Égypte ou Syrie, 639 H / 1241-1242

Alliage cuivreux incrusté d'argent, d'or et de cuivre

H. 28,8 ; L. 33,7 cm

Londres, British Museum

1888 5-26 1

Bibl. : E. Savage-Smith ; M. Smith, *Islamic Geomancy and a Thirteenth Century Divinatory Device*, Malibu, 1980

222 (revers)

Cet objet exceptionnel est un instrument de divination en forme de tableau rectangulaire destiné à être suspendu. Il comporte un ensemble de curseurs et de disques actionnés par des boutons, qui servent aux pratiques de divination appelées géomancie en Europe, et *'ilm al-raml* en arabe (littéralement « frapper le sable », ou « science du sable »). Il s'agit de former des configurations aléatoires de points pour faire apparaître le « thème divinatoire » que le géomancien va interpréter. Les premiers géomanciens étalaient du sable ou de la terre sur une tablette, puis ils dessinaient des points avec un objet pointu. La lecture du thème divinatoire permet de répondre à diverses questions : « Cet homme fera-t-il un bon mari ? » ou : « Ai-je des chances de réussite professionnelle ? » Le géomancien qui utilise le tympan commence par faire coulisser les curseurs situés à droite. Il les ouvre plus ou moins, de manière arbitraire, dévoilant ainsi quatre configurations de points. Ensuite, il tourne les quatre boutons en haut à gauche selon les indications fournies par les curseurs, faisant apparaître dans les petites fenêtres des groupes de points analogues à ceux que l'on voit sur les dominos. À partir de ces configurations (les « mères », *ummahât*), il déduit les douze autres, en procédant verticalement par soustraction et horizontalement par addition. Les diverses sommes de ces seize cases découpées, ou « maisons », sont consignées dans les cases restantes. Le demi-disque pivotant en bas fournit la clé de l'interprétation du thème, et donc les réponses aux questions.

Le tympan porte plusieurs inscriptions en *naskhi* et en koufique. La signature en caractères *naskhi*, au-dessous des curseurs en arc de cercle sur la droite, nous apprend que ce typam est l'œuvre d'un artisan natif (*nisba*) de Mossoul. Au dos du tympan, entre les bandeaux épigraphiques entrelacés, on lit une autre inscription, qui signifie sans doute : « Dans le cabinet de curiosités de Muhammad al-Muhtasib al-Bukhârî » ; le *muhtasib* est l'inspecteur des souks. Le revers du tableau porte aussi des poèmes rédigés à la première personne. L'un d'eux peut être traduit ainsi :

« Je suis détenteur de l'éloquence et orateur silencieux
Et par mon discours adviennent les désirs et les peurs.
Le judicieux cèle ses pensées secrètes, mais je les révèle
Comme si j'étais maître de tous les cœurs. »

Enfin, les inscriptions en koufique incrustées au dos adressent des vœux au propriétaire.

Sur la face, les noms des seize figures de géomancie sont indiqués en koufique, par des incrustations de filets d'or disposées en cercle autour des boutons. Ainsi, la configuration de huit points s'appelle *jamâ'a* (collection), et celle de quatre points *tarîq* (route ou chemin). Les noms des « maisons » sont indiqués en koufique au-dessus de la plupart des cases. Par exemple : I – « la maison de l'âme et de la vie », ou XII – « la maison des ennemis et des jalousies ». Sur le cadre, un poème en *naskhi* décrit l'instrument de divination dans un langage qui abonde en métaphores religieuses, avec le mot *lawh* (tablette ou tableau) pour désigner à la fois le tympan de géomancie et les tables de la loi divine.

V. P.

223

224

223
Coupe magique au nom de Nûr al-Dîn Mahmud ibn Zangî
Syrie, 565 H / 1169-1170
Alliage cuivreux moulé et tourné à décor gravé, autrefois rempli d'une substance blanche
H. 7,5 ; D. 19 cm
Londres, Nasser D. Khalili Collection of Islamic Art
MTW 1443
Bibl. : Maddison ; Savage-Smith, 1997, p. 206-209, n° 120

Cette coupe magique datée, réalisée pour le sultan qui gouverna Damas de 1146 à 1174, est le second plus ancien objet de ce type connu. Le premier, dont on a perdu la trace, était antérieur de deux ans, et dédié au même mécène.
Une ancienne tradition musulmane consistait à se soigner ou à entretenir sa santé en buvant ou en faisant boire à sa place à quelqu'un de l'eau, parfois de l'huile ou du lait, versé dans une coupe gravée de versets coraniques.
La destination de cette coupe et son utilisation sont clairement précisées dans la longue inscription qui court sur la paroi extérieure : « Cette coupe bénie est bonne pour tous les poisons. Elle réunit des vertus curatives prouvées, pour les morsures de serpent, de scorpion et la fièvre, pour les femmes en couches, les douleurs abdominales du cheval provoquées par l'ingestion de terre, les morsures du chien enragé, pour le mal de ventre et la colique, pour la migraine et les élancements, pour la fièvre hépatique et biliaire, pour donner des forces, arrêter les hémorragies, pour les douleurs thoraciques, pour les yeux et [contre] le mauvais œil, pour l'ophtalmie et le catarrhe, pour les ulcères de la peau, pour chasser les démons, pour délivrer des mauvais sorts, et pour toutes les maladies et affections. Celui qui y boit de l'eau, de l'huile ou du lait sera guéri par l'aide du Dieu tout-puissant. Elle a été élaborée lorsque le soleil était dans le Lion, et gravée pour le sultan al-Malik al-ʿÂdil Mahmud ibn Zangî, en l'an 565. »
Le reste de la paroi extérieure est couvert de formules magiques, de même que la majeure partie de la surface intérieure, très usée, sans doute parce que la coupe a beaucoup servi. Elle s'orne de plusieurs médaillons figurés, peut-être destinés à illustrer certains des maux évoqués dans l'inscription. Ces médaillons, également très usés, représentent apparemment une femme enceinte (?), un personnage qui désigne sa tête d'un geste de la main, un scorpion, un quadrupède (un chien ?), un autre scorpion, et deux serpents entrelacés. Comme le signale Émilie Savage-Smith, la fabrication des coupes magiques avait déjà pris une certaine ampleur en Syrie et en Égypte au XIIe siècle – une quinzaine fut faite pour le seul Saladin. Les inscriptions gravées sur ces objets constituent une source d'informations importante sur les principales maladies que l'on cherchait à soigner à l'époque.

N. N.

224
Coupe magique
Syrie? 621 H / 1224
Bronze gravé
D. 13,2 cm
Berlin, Museum für Islamische Kunst
I. 3633
Bibl. : Gladiss, 1999, p. 147-161

Cette coupe fait partie d'un ensemble de coupes prophylactiques qui, avec l'essor des sciences occultes au milieu du XIIe siècle, ont connu une large diffusion dans les pays de la Méditerranée orientale. Elles servaient à des thérapies contrôlées par les autorités politiques et religieuses.
Certaines portent le nom du Zenguide Nûr al-Dîn, d'autres avaient été faites pour Saladin. Cette coupe a été réalisée en 1224, elle était la propriété d'un cadi, dont le nom est mentionné sur le bord ; « Cette coupe bénie a été réalisée à la demande du cadi Zayn al-Dîn, et on a réuni en elle des potions utiles et des vers pour la guérison. Elle prévient la fièvre, les morsures de serpent et les piqûres de scorpion, et les morsures de chiens enragés, les maux d'estomac, les douleurs de l'enfantement et les coliques. La personne mordue ou son représentant doivent en boire, elle guérira alors avec la permission de Dieu tout-puissant et... en l'an 621 ».
Cette inscription renvoie à l'utilisation de la coupe et donne son mode d'emploi, selon lequel le patient ou une personne le représentant est censé boire un liquide – de l'eau, du lait, de l'huile –, sans que cela soit plus exactement précisé. Ce liquide gagne un pouvoir guérisseur au contact des signes magiques gravés dans la coupe. La guérison est le fait de la bonne volonté de Dieu, dont le nom apparaît en écriture cryptée au centre de la coupe. Le bandeau circulaire qui l'entoure comporte six médaillons à motifs figurés, dont trois montrent successivement un personnage ayant un gobelet à la main, un autre se tenant la tête, et un dernier avec un enfant qui s'agite sur ses genoux.
Les trois autres médaillons figurent un personnage avec un chien, avec un lion et avec un lézard. Ces reproductions font allusion à différents symptômes de maladies, contre lesquels on lutte selon le principe médical des *similia similibus*. Au bord de la coupe apparaissent les douze signes du zodiaque, censés soutenir la guérison, et accompagnés des animaux symboliques que sont le scorpion, le serpent et la harpie. Les motifs figurés étaient rehausssés d'incrustations qui aujourd'hui, à cause de l'utilisation fréquente, ont complètement disparu. Au début du XIVe siècle, le juriste Ibn al-Hajj, tout en arguant de la présence de figurations réprouvées par l'Islam pour exiger l'interdiction de ces coupes, ne mettait pourtant pas en doute l'efficacité de la guérison magique.

A. Von G.

225

Feuillet représentant l'intérieur d'un mausolée (?)

Syrie, XIIe-XIIIe siècle

Encre et gouache sur papier

H. 18 ; l. 15,3 cm

Paris, musée de l'Institut du monde arabe
AI 82-01
Exp. : Paris, 1993, p. 428, n° 323
Bibl. : Grube, 1955, p. 33-35, pl. III

Cette page met en image l'intérieur d'un mausolée où sont disposés plusieurs cénotaphes à l'intérieur de clôtures de bois ajouré. Elles évoquent les enclos faits de bobines de bois tourné (moucharabiehs) autour des cénotaphes tels que ceux du mausolée de l'imâm Shâfi'î. Le cénotaphe est recouvert d'un tissu dont on peut supposer qu'il est brodé comme ceux qui recouvrent toujours aujourd'hui les cénotaphes de quelque défunt d'importance. Draperies et lampes suspendues complètent le décorum funèbre. La peinture rend bien la polychromie architecturale, peut-être sous forme d'*ablâq*, très employée à l'époque ayyoubide et, au-delà, à la période mamlouke. Plus déroutante est en revanche la structure à deux étages, et cet élément peut amener à se demander si c'est bien l'intérieur d'un mausolée qui est ici décrit. On pourrait proposer d'y voir l'intérieur d'un édifice de culte chrétien et identifier le « meuble » sous l'arcature avec un lutrin recouvert d'un tissu portant les évangiles. Cependant, la présence, sous l'arcade gauche, d'un objet similaire fait douter d'une telle identification. Au revers est tracé à l'encre un paysage où se mêlent palmiers et cyprès.

S. M.

226

Lampe

Syrie, première moitié du XIIIe siècle

Pâte siliceuse, décor peint sous glaçure transparente colorée

H. 16 ; D 14,6 cm

Paris, musée de l'Institut du monde arabe
AI 94-32
Bibl. : Mouliérac, 1999, p. 137 ; Lane, 1947, pl. 45 a
Références : Behrens-Abouseif, 1995, p. 25-28, pl. 11-14

Cette lampe en forme de vase, à suspendre, s'inspire visiblement d'un prototype en verre et de rares exemples en métal ajouré. Une lampe fragmentaire, découverte à Solkhat (Kramarovsky, 1998, p. 200 ; 22.1), présente une panse au profil écrasé comparable, mais elle est dotée d'un col plus haut et plus resserré ainsi que d'un pied plus important. Le profil écrasé de la panse évoque des modèles de métal en particulier un exemple de la David Collection à Copenhague (Xe siècle, Iraq ou Iran). Le musée du Louvre conserve une lampe provenant du Dôme du Rocher à Jérusalem, et qui aurait pu être réalisée après la reprise de la ville par les troupes de Saladin en 1187. Les proportions du col sont d'ailleurs proches de celles de notre objet, mais la panse diffère. C'est avec une lampe archaïsante au nom du sultan mamlouk Baybars, datée de 1277, qu'elle présente le plus de ressemblance.

S. M.

La colonne est ceinte d'une inscription *naskhi* sur treize lignes ; la base du fût, soit environ un sixième de la hauteur, est sans décor. Cette colonne marquait la tombe de « Zayn al-Dîn, fils… du chambellan Lû'lû » ; Husam al-Dîn Lû'lû était le grand amiral de Saladin, qui appuya par mer les attaques menées contre les établissements croisés de Palestine. Cette imposante colonne appartient à un groupe de monuments funéraires largement répandus dans le monde islamique ; il existe des colonnes funéraires à inscriptions depuis le Xe siècle dans une zone s'étendant du Maghreb au Proche-Orient. Elles remploient parfois des colonnes antiques. Elles peuvent suivant les cas faire office de stèles funéraires, ou bien être associées à un meuble dans une structure plus complexe comme un mausolée sous coupole. Dans ce dernier cas, elle est placée à la tête du cénotaphe (du grec *kenos taphos*, « tombe vide ») et destinée à marquer l'emplacement de la sépulture qui se réalise en Islam à même la terre, le corps étant simplement enveloppé dans un linceul. De l'autre côté de l'inscription apparaît une lampe suspendue dans une niche ; sa forme évoque celle d'objets contemporains en verre, céramique (cat. 226) et métal. Elle fait allusion à la sourate XXIV, v. 36, fréquemment employée, entre autres, en contexte funéraire ; « cette lampe se trouve dans les maisons que Dieu a permis d'élever, où Son nom est invoqué, où des hommes célèbrent Ses louanges à l'aube et au crépuscule » (trad. D. Masson).

S. M.

227

Colonne funéraire

Égypte, Le Caire, 598 H / 1201

Marbre sculpté

H. 220 ; D. 30 cm

Le Caire, musée d'Art islamique 11703

Bibl. : Wiet, 1971, p. 51, n° 67

228

229

230

228 à 230

Trois fragments du cénotaphe de l'émir Fakhr al-Dîn Ismâ'îl

Égypte, Le Caire, 613 H / 1216

Bois de teck assemblé et sculpté

228 : 282 × 42 cm
229 : 288 × 47 cm
230 : 183 × 52 cm

Provient du complexe funéraire de Sâdât al-Tha'âliba

Le Caire, musée d'Art islamique 437/1, /2, /3

Bibl. : David-Weill, 1931, p. 7, n° 437, pl. XXVIII (avec bibliographie)

Le complexe funéraire dont proviennent ces éléments fut édifié sur le côté occidental de la rue menant au mausolée de l'imâm Shâfi'î par Abû Mansûr Ismâ'îl Fakhr al-Dîn Ibn al-Tha'lib, émir au service d'al-Malik al-'Âdil. Le mausolée était peut-être couplé avec une *madrasa* (Creswell, 1959, p. 79). La date de la mort du fondateur, le 1er octobre 1216 figure sur le quatrième panneau (Victoria and Albert Museum) qui n'est pas présenté ici. L'inscription donne une longue suite de qualificatifs louangeurs, où apparaissent pêle-mêle une référence au califat (celui sunnite des Abbassides qui se maintient à Bagdad), sa charge de chef de la caravane du pèlerinage, *amîr al-hajj*, exercée en 1194… Ici encore les apports de l'art fatimide sont nets dans l'organisation du décor en panneaux alternativement carrés et rectangulaires, le rôle de compartimentage dévolu aux demi-palmettes effilées, l'emploi des rinceaux concentriques et des palmettes au cœur évidé.

S. M.

Le mausolée de l'imâm Shâfi'î au Caire

L'imâm Shâfi'î (767-820) est un des quatre juristes du monde musulman sunnite dont l'enseignement a donné naissance à un *madhhab* (école juridique). Il émigra en Égypte et y mourut. Au XIVe siècle le voyageur maghrébin Ibn Battûta décrit son tombeau, situé dans le cimetière près de la citadelle (Qarâfa), comme un des lieux de pèlerinage du Caire et dit son admiration pour l'édifice : « Ce mausolée jouit d'un revenu considérable ; il possède un dôme célèbre, d'une élégance extrême, d'une hauteur considérable. Quant à sa longueur elle dépasse trente coudées. » C'est en effet au début du XIIIe siècle que les Ayyoubides entreprirent la reconstruction du mausolée ; ils choisissaient d'exalter là une figure majeure du sunnisme dont ils voulaient le triomphe. Sous le vizirat de Badr al-Jamâlî, ministre des califes chiites fatimides, les restes de Shâfi'î avaient au contraire failli être envoyés à Bagdad. Après la chute des Fatimides, toute trace chiite devait disparaître du paysage comme des esprits ; c'est pourquoi il faut comprendre comme un ensemble d'une part la dispersion de la bibliothèque des califes schismatiques, la destruction de leur palais et de leur mausolée dynastique, et d'autre part la construction fastueuse d'un nouveau mausolée pour le fondateur du chafiisme, doctrine juridique dominante en Égypte. L'imâm Shâfi'î avait déjà été « distingué » par Saladin, qui fit édifier à côté de la précédente tombe une *madrasa*. Al-Kâmil, qui fit élever le nouveau dôme en 1211, s'y fit enterrer avec sa mère et ses fils. Le monument fut somptueusement décoré ; le bois y tenait une large part : frise à fort relief à la base du dôme, plafond à caissons, porte monumentale de bois à placage de bronze. Les murs étaient couverts de stucs (aujourd'hui remplacés par du marbre) et, au pied du cénotaphe, cercueil vide destiné à marquer l'emplacement du corps, al-Kâmil fit dresser un « témoin » sous la forme d'une très haute colonne de marbre inscrite portant le nom et les dates de naissance et de décès de Shâfi'î. L'attraction exercée par le monument amena très vite la construction de nouveaux édifices alentour et contribua au développement de cette partie de la Qarâfa.

S. M.

231, 232

Fragments de deux panneaux de cénotaphe (*tabût*) (?)

Égypte, Le Caire, 1211

Bois assemblé et sculpté (buis et teck?)

67 × 67 cm et 79 × 67 cm

Provient du mausolée de l'imâm Shâfi'î

Le Caire, musée d'Art islamique 408 et 409

Bibl. : Herz, 2e éd., p. 139, nos 4 et 5 ; David-Weill, 1931, p. 1-2, nos 408 et 409, pl. XXIII

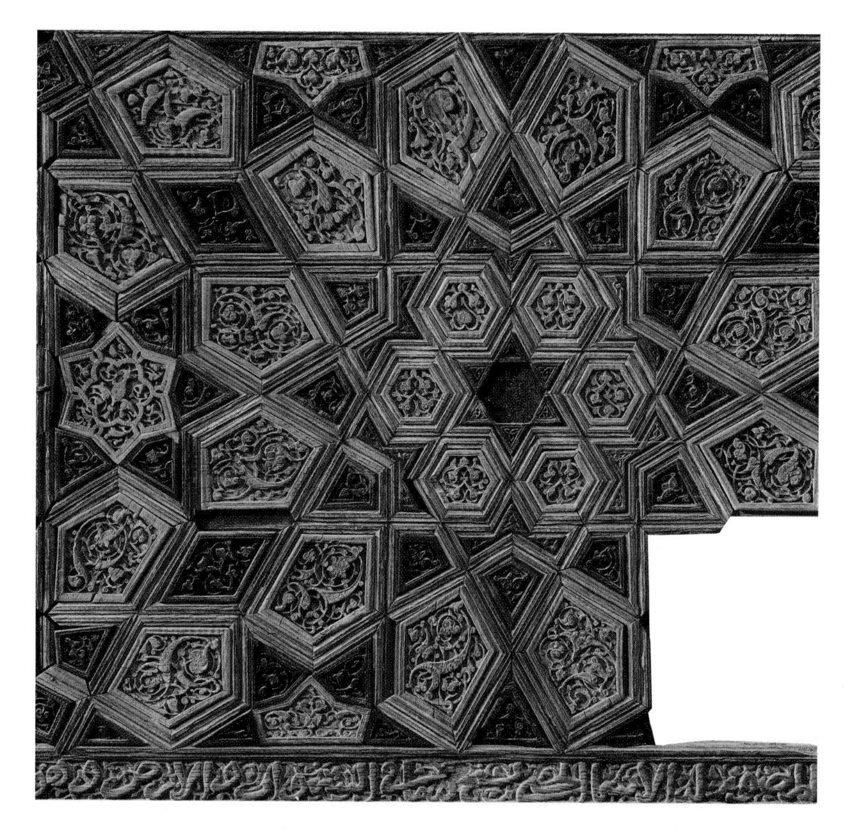

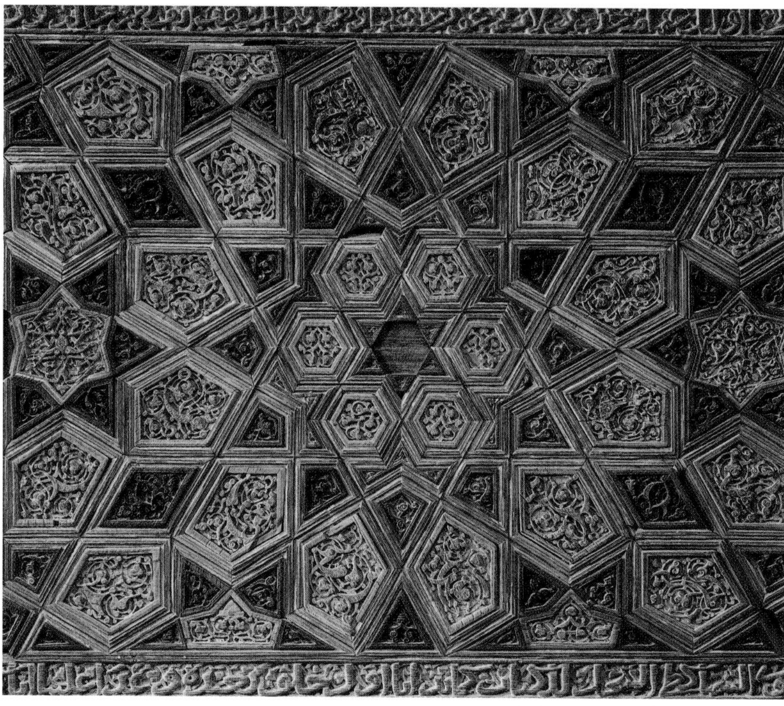

La destination primitive de ces panneaux, trouvés au XIXe siècle dans le mausolée de l'imâm Shâfi'î, n'est pas connue ; cependant le lieu de leur découverte, la technique d'assemblage et le répertoire décoratif de fruits grenus, demi-palmettes effilées et rinceaux concentriques où se lisent encore les souvenirs de l'art du bois fatimide (mihrab de Sayyida Nafîsa, 1145-1146), indiquent une datation ayyoubide. Les inscriptions cursives ne donnent aucun élément d'attribution. Il s'agit de fragments de sourates coraniques : LIX, 22-24 et XXI, 101-102 et 104.

S. M.

233

Fragment du cénotaphe de la mère du sultan al-Kâmil

Égypte, Le Caire, 1211

Bois de teck assemblé et sculpté

104 × 31 cm

Provient du mausolée de l'imâm Shâfi'î

Le Caire, musée d'Art islamique

2129

Bibl. : Herz, 1906, p. 86, nos 24 et 25 ; David-Weill, 1931, p. 37, n° 2129, pl. XXIV (avec bibliographie)

L'inscription historique qui complète les fragments de sourates coraniques (comme souvent en contexte funéraire les versets 101 à 103 de la sourate XXI), dans une belle épigraphie cursive en style *naskhi*, indique que cet élément appartenait au cénotaphe de la mère d'al-Kâmil, épouse du sultan al-ʿÂdil. Les sources historiques n'ont pas conservé son nom. Le mélange du cursif et du koufique (ici cantonné à de pseudo-inscriptions autour des carrés) est caractéristique de la période. Il apparaît pour la première fois sur le cénotaphe de l'imâm Shâfiʿî en 1178. Les souvenirs de l'art du bois fatimide sont encore ici particulièrement présents tant dans le détail du répertoire ornemental que dans l'emploi du carré sur la pointe (portail de la mosquée d'al-Hâkim, 990-1013) et du cartouche rectangulaire s'achevant par trois pointes ; ce dernier élément est présent sur le mihrab de bois du *maqam* inférieur de la citadelle d'Alep, magnifique exemplaire de boiserie commandé par Nûr al-Dîn, et aujourd'hui disparu (Herzfeld, 1955, pl. XLVI-XLVIII). L'usage de se faire enterrer près d'un personnage révéré remonte à la période fatimide. La proximité de l'imâm Shâfiʿî conférait une sorte de bénédiction, une *baraka*, au défunt.

S. M.

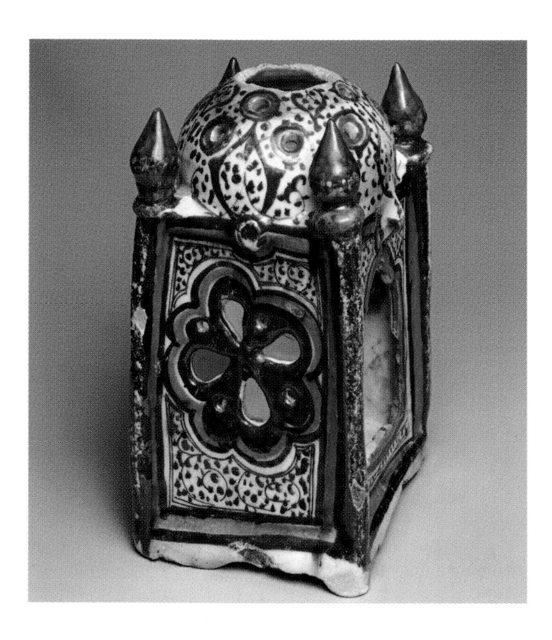

234

Lanterne

Syrie, XIIe, début du XIIIe siècle

Pâte siliceuse, décor polychrome sur engobe et sous glaçure incolore et de lustre métallique sur la glaçure

H. 23,2 ; l. max. 14,6 cm

New York, The Metropolitan Museum of Art, Edward C. Moore Collection, Bequest of Edward C. Moore, 1891

91.1.138

Bibl. : Soustiel, 1985, p. 122, ill. 134

Cette rare lanterne de forme architecturale, de plan carré coiffée d'un dôme s'accorde bien avec l'ensemble des céramiques à décor de lustre métallique brun foncé que l'on attribue généralement aux potiers actifs à Raqqa sous les Ayyoubides. Des fragments de verre incolore ou coloré restent collés aux bords de la lanterne. Ils proviennent des rosaces lobées qui décorent deux faces, tandis que les deux autres faces présentent une ouverture en arc trilobé. À l'origine, une mèche flottait sur une soucoupe emplie d'eau et d'huile placée à l'intérieur de la lanterne. Quand cet objet est entré dans la collection du Metropolitan Museum of Art grâce à un legs d'Edward C. Moore, en 1891, le dôme était surmonté d'un autre, plus petit – ajouté par un restaurateur moderne – et muni de chaînettes de suspension[1]. Trois des quatre pieds avaient également subi une restauration. Quand il fut décidé d'exposer la lanterne dans les nouvelles salles islamiques, en 1975, les éléments rapportés ont été retirés. Il ne reste qu'un pied (incomplet) sur quatre, et rien ne prouve que cette lanterne était vraiment conçue à l'origine pour être suspendue. Il s'agissait sûrement d'un éclairage portatif, que l'on pouvait sans doute poser ou suspendre.

Le dôme et les flèches aux quatre angles évoquent un tombeau, un mausolée, ou un monument du même type. Cette forme pourrait indiquer un usage religieux ou votif, encore que cela reste difficile à établir en l'absence d'inscription. Une deuxième lanterne assez comparable, de facture moins soignée, est passée en vente publique en 1986[2]. Une troisième, peut-être réalisée pour un édifice chrétien et restée inédite, se trouve dans la collection de Dumbarton Oaks à Washington[3].

S. C.

1. Soustiel, 1985, ill. 134.
2. *Islamic Works of Art, Carpets and Textiles*, Sotheby's Londres, 15 octobre 1986, n° 157.
3. Inv. D.O. 50.39. Voir Anne-Christine Daskalakis, « Syrian Ceramic Lantern : A Catalogue Entry », document dactylographié, Metropolitan Museum of Art et New York University, mai 1988, p. 3-4.

Épilogue

L'art sous les Ayyoubides

OLEG GRABAR

Les historiens des six ou sept premiers siècles de l'Islam ont toujours eu des difficultés à mettre en place une périodisation conforme, d'une part, aux événements et aux changements politiques et culturels et, de l'autre, aux divisions géographiques. Deux manières de comprendre et d'appréhender ces siècles se font face, et parfois même s'opposent. Premièrement il y a des ensembles territoriaux aux frontières plus ou moins fixes de par la présence de barrières naturelles (montagnes, rivières, potentiel hydrographique), d'activités économiques prédominantes (agriculture, élevage, commerce), ou bien d'un centre religieux ou politique (Jérusalem, la métropole du Caire). Tels sont la Syrie, la Palestine, l'Égypte, la Jezireh (vallée de l'Euphrate), la Badiya, – cette zone semi-aride partagée par les nomades et les sédentaires –, le désert enfin occupé par les seuls nomades ; avec leur histoire et leur contraintes propres. Deuxièmement, il y a les grands mouvements de culture et de pouvoir : l'Islam en général ainsi que ses divisions internes entre chiisme et sunnisme, le christianisme, toujours présent à cette époque, les dynasties turques ou kurdes issues de la militarisation du monde musulman qui découpent les ensembles naturels selon leurs propres besoins ; des institutions – le palais, la citadelle, la mosquée, la *madrasa*, le bazar – qui sont des versions locales de pratiques pan-islamiques.

hors catalogue

Coupe à l'oiseau

Syrie côtière, XIIIe siècle

pâte argileuse, décor gravé sous glaçures transparentes colorées et incolore

D. 31,5 ; H. 15 cm

Provient de Beyrouth

Vaduz, Furusiyya Arts Fondation

Photo Philippe Maillard

Ce contraste entre deux manières d'organiser l'histoire explique, en partie du moins, les difficultés que l'on a à définir et à comprendre l'art des Ayyoubides. S'agit-il d'un art proprement syrien qui aurait été transmis à d'autres régions comme la Palestine et l'Égypte ? S'agit-il de la version syro-égyptienne du renouveau sunnite dont les formes premières furent iraniennes, et que le « féodalisme » turco-kurde installa en Syrie, Palestine et Égypte ? S'agit-il d'un art plus restreint qui, de l'Égypte à l'Anatolie, créa un système de dynasties – Zenguides, Artoukides, Seljoukides d'Asie Mineure, Ayyoubides – aux possessions territoriales mouvantes mais avec des institutions, militaires ou autres, semblables ? S'agit-il de l'art des frontières méditerranéennes du monde musulman, à mettre en parallèle avec les arts plus ou moins contemporains de la Sicile et de l'Andalousie ?

L'exposition, et les réflexions qui l'entourent, permettront éventuellement de préciser ces questions, ou de les reformuler. Entre-temps, je me limiterai à quelques observations sur trois aspects de l'art ayyoubide : sa relation avec les arts associés aux Grands Seljoukides d'Iraq et d'Iran et avec le sunnisme qu'ils soutiennent ; sa spécificité syrienne ; ses valeurs esthétiques.

Les Ayyoubides et l'Orient

Il est plus ou moins établi que c'est dans l'Iran du Nord-Est, et dans une certaine mesure à Bagdad, qu'à partir du milieu du XIe siècle un nouveau mécénat, celui des chefs militaires et de leurs vizirs, et l'institution du *waqf*, permit le développement d'institutions nouvelles servant des fins à la fois politiques et religieuses, comme la *madrasa* et, dans un certain sens, la citadelle, et les transforma en monuments d'architecture. Il en fut de même avec l'art du métal. C'est à Hérat en Afghanistan que, vers le milieu du XIIe siècle, on voit réapparaître la technique des bronzes incrustés d'argent, qui sera importée à Mossoul puis en Syrie et en Égypte, et qui acquit un si grand prestige auprès des princes et des marchands d'Europe. Et, quoique les données archéologiques ne soient pas probantes, il est vraisemblable que ce que nous appelons l'*îwân*, cette grande salle voûtée ouvrant sur une cour et qui sert d'axe de composition à de nombreux monuments religieux et profanes de l'époque ayyoubide, est également d'origine orientale. Il en va de même pour les *muqarnas*, stalactites que l'on trouve sur les portails et les coupoles ayyoubides. Les choses se compliquent lorsqu'il s'agit de la céramique ou du verre, mais dans ces deux domaines les apports orientaux sont également présents. L'essentiel demeure que l'art des Ayyoubides fait partie de l'explosion artistique qui secoua le monde musulman dans son ensemble au XIIe siècle. Il est en décalage d'une ou de deux générations par rapport à l'Iran, mais les mêmes parties constituantes s'y retrouvent : développement des villes, multiplication des fonctions architecturales qui deviennent monumentales, arts somptuaires accessibles aux classes moyennes de la société, représentations d'êtres vivants en sculpture aussi bien que sur les objets, apparition de livres illustrés. La seule restriction que l'on pourrait apporter à cette conclusion vient de ce que, dans certains de ces domaines, il y avait déjà un précédent local, celui des Fatimides basés en Égypte ; le problème de la relation des arts fatimides avec celui des Seljoukides et des Ayyoubides reste d'ailleurs loin d'être résolu.

La spécificité syrienne

L'architecture ayyoubide de Syrie est relativement facile à reconnaître et à apprécier. Les citadelles mises à part, la plupart des monuments ne sont pas très grands et intègrent le tissu urbain préexistant. Ils ont une belle et sobre façade sur rue et sont construits dans une maçonnerie de pierre ferme et élégante. Les coupoles sont simples avec leurs trompes d'angle ou pendentifs géométriques nets et clairs. La décoration se limite à quelques frises et à des inscriptions parfois monumentales. On peut définir des écoles urbaines et différencier l'architecture d'Alep de celle de Damas, celle de Jérusalem de celle de Bosra, celle du Caire de celle de la Syrie, mais ces distinctions apparaissent secondaires comparées à la constante d'un superbe travail de la pierre, qui permet de rattacher cette architecture à la grande architecture syrienne des époques romaine et paléochrétienne dont beaucoup de fragments ont été repris, reutilisés ou copiés à l'époque ayyoubide, dans la construction aussi bien que dans la décoration.

Une autre caractéristique syrienne de l'art ayyoubide est l'intégration des monuments dans les villes, sans que ceux-ci soient prédominants, comme en Iraq ou en Iran. Jadis, Ernst Herzfeld avait expliqué cette particularité syrienne par la puissance des grandes familles locales de propriétaires terriens qui voulaient éviter la présence trop voyante du mécénat « féodal ».

Les mêmes qualités techniques se retrouvent dans l'art du métal, un art importé certes, mais exécuté par des familles d'artisans syriens. Les distinctions stylistiques entre l'artisanat de telle ou telle ville ne sont pas toujours convaincantes, mais l'originalité particulière des bronzes syriens est qu'ils reflètent la diversité des communautés ethniques et religieuses que l'on trouvait en Syrie. Certains objets étaient réalisés pour les cours princières musulmanes, d'autres pour les grands marchands ou même pour les princes chrétiens de la région, arméniens ou croisés, voire pour le marché international d'objets de luxe. Bien que ce terme n'apparaisse que plus tard dans les langues occidentales, c'est l'époque de la grande popularité du damasquinage, c'est-à-dire du décor « à la manière de Damas ».

Ainsi, l'art ayyoubide reflète la richesse et la variété d'un monde syrien au long passé antique, à la fois espace de créativité culturelle, lieu de passage de thèmes et de techniques d'une région à l'autre, et le cas échéant source d'influences pour l'Égypte, l'Anatolie et le reste du pourtour méditerranéen.

L'esthétique de l'art ayyoubide

Entre l'exubérance inventive et parfois désordonnée de l'art fatimide et la cohérence systématique et monumentale de l'art mamlouk, l'art des Ayyoubides offre un équilibre entre un nombre restreint de formes et de techniques de base – portail, *îwân*, cour à portique, *muqarnas*, coupole, miniatures des manuscrits, bronze incrusté, céramique, verrerie – et un traitement ferme et réfléchi de ces formes et techniques. Pas d'outrance, pas même dans le cadre noblement mystique de la *madrasa* Firdaws à Alep, ni dans les alignements de scènes chrétiennes et de fêtes princières sur le bassin dit « d'Arenberg » de la Freer Gallery of Art à Washington (voir p. 129). L'architecture ayyoubide est rationnelle et sobre, le décor des bronzes clair et immédiatement accessible. C'est un art qui a réussi à se faire comprendre et admirer, voire aimer, par tous ceux qui l'approchent.

Glossaire

Ablâq : procédé architectural décoratif qui fait alterner des pierres taillées sombres et claires.

Atabeg : mot turc signifiant « tuteur » ; chefs militaires, qui exercèrent souvent eux-mêmes le pouvoir.

Chafiisme : école juridique suivant les doctrines de l'imâm Shâfi'î (767-820) s'appuyant sur le *fiqh*. Il existe trois autres écoles juridiques en islam : le hanafisme, le hanbalisme et le malikisme.

Dâr al-Hadîth : lieu d'enseignement des Traditions du Prophète (*hadîth*) intégré dans une *madrasa* ; les premières furent créées sous les Zenguides.

Dhimmî : non musulmans (chrétiens et juifs, des gens du Livre, c'est-à-dire des monothéistes) vivant sur un territoire musulman et soumis à un régime particulier.

Dinar : monnaie d'or.

Dirham : monnaie d'argent.

Dîwân : recueil, le plus souvent poétique ; désigne aussi le conseil d'un prince.

Fals (pl,. fulûs) : monnaie de cuivre ou de bronze.

Fiqh : droit canonique en islam.

Funduq = khân : édifice pour vendre ou stocker des marchandises, généralement bâti autour d'une cour ; on peut aussi y prélever des taxes sur les marchandises à l'entrée des villes.

Furusiyya : ensemble des disciplines liées au cheval (art équestre, hippiatrie...).

Hadîth : dits et faits du prophète Muhammad.

Hâjj : pèlerinage ; celui de La Mecque est l'un des cinq piliers de l'islam.

Îwân : grande salle voûtée en berceau brisé ouverte sur un côté.

Jihâd : signifie à la fois « effort sur soi-même » et guerre sainte ; l'obligation collective pesant sur la communauté incombe au calife où à son représentant.

Juz : verset du Coran.

Kalima : terme désignant la profession de foi sunnite inscrite sur les monnaies : « Il n'y a de Dieu que Dieu et Muhammad est son prophète ».

Khânqâh : lieu de retraite spirituel également destiné à abriter les veuves ou même les hommes âgés seuls.

Koufique : style d'écriture calligraphique anguleuse par opposition à la cursive ; il existe des versions ornementées et assouplies du koufique.

Laqab : titre honorifique utilisé dans la titulature des souverains (calife, sultan, émir...).

Madrasa : école où l'on enseigne le droit musulman (*fiqh*) et des disciplines coraniques classiques mais aussi les sciences (astronomie, mathématiques), la médecine...

Maghribi : style d'écriture dérivé du koufique, utilisé essentiellement dans les pays du Maghreb et en Espagne, se caractérisant par l'introduction de boucles développées sous la ligne de base.

Maqâmât : « Séances », livre écrit en arabe par al-Harirî (1045-1121) contant les aventures d'Abû Zayd dont les voyages sont un prétexte pour dépeindre avec humour les différents milieux urbains et surtout l'occasion de prodigieuses joutes verbales et grammaticales.

Mâristân : hôpital, parfois associé à des lieux d'enseignement pour les médecins.

Mihrab : niche précisant la direction de La Mecque pour la prière.

Minbar : chaire à prêcher placée dans les grandes mosquées, à côté du mihrab, depuis laquelle l'imâm s'adresse aux fidèles.

Muhtasib : inspecteur des souks contrôlant la légalité des transactions, prévôt des corporations.

Naskhi : un des styles d'écriture cursive.

Nisba : dernier élément dans le nom d'une personne qui indique son appartenance à un lieu, une «maison» ou indiquant une qualité intellectuelle ou professionnelle.

Qaysariyya : bâtiments regroupant des artisans appartenant à un même métier. Désigne plus rarement une *khânqâh*.

Qâ'a : salle de réception ; désigne parfois une unité d'habitation complète en Égypte.

Rab' : ensemble locatif avec plusieurs unités d'habitation.

Shâh Nâmeh : «Livre des Rois» écrit en persan par Firdawsî à la fin du Xe siècle ; cette épopée retrace la geste des rois mythiques et historiques de l'Iran des origines du monde à l'avènement de l'islam.

Sourate : chacun des 114 chapitres du Coran.

Tirâz : tissu à bandes d'inscriptions ornant les robes d'honneur offertes par les souverains à leurs sujets méritants ; le terme désigne aussi les ateliers devenus monopoles d'État ainsi que la technique de tapisserie.

Thuluth : un des styles d'écriture cursive.

Uléma : « docteur de la loi », théologien qui veille à l'application et au respect des principes religieux.

Waqf : dotation inaliénable de revenus fonciers ou autres servant à assurer un service charitable ou à construire et entretenir une institution religieuse ou funéraire.

Chronologie

	Occident	Orient
1061-1091	Conquête de la Sicile par la famille normande des Hauteville.	
1071		À la bataille de Mantzikert, le seljoukide Alp Arslan vainc et capture l'empereur byzantin Romain IV Diogène : début de la pénétration turque en Asie Mineure ; recul byzantin.
1095	Le pape Urbain II prêche la croisade à Clermont.	
1099		Première croisade ; prise de Jérusalem par les Francs ; Godefroy de Bouillon, « Avoué du Saint-Sépulcre ».
1100		Mort de Godefroy de Bouillon ; son frère, Baudouin Ier (1100-1118), roi de Jérusalem.
1110-1120	Tympan du portail de Moissac.	
1128-1146		Zangî, maître de Mossoul et d'Alep.
1130	Roger II, roi de Sicile.	
1137-1180	Louis VII, roi de France.	
avant 1140	Début du chantier de l'abbatiale Saint-Denis, premier édifice de style gothique, sous l'abbatiat de Suger.	
1140-vers 1170		Principale phase de construction du krak des Chevaliers, achevé au début du XIIIe siècle.
1143	Première traduction latine du Coran, à l'instigation de Pierre le Vénérable, abbé de Cluny.	
1144		La prise d'Édesse sur les Francs consacre Zangî champion du *jihâd*.
1145-1155	Chantier du portail royal de la cathédrale de Chartres. Suger, régent du royaume durant l'absence de Louis VII, parti à la croisade.	
1146-1148		Deuxième croisade.
1146-1174		Règne de Nûr al-Dîn, fils de Zangî, maître d'Alep, d'abord, puis de Damas (1154).
1148		Assaut de Louis VII et de Conrad III contre Damas, sans succès.
1152	Divorce de Louis VII et d'Aliénor d'Aquitaine, qui apportera l'Aquitaine par mariage à la couronne d'Angleterre.	
1153	Mort de saint Bernard de Clairvaux, figure majeure de l'ordre cistercien.	
1154		Construction du *mâristân* (hôpital) al-Nûrî, à Damas, sur ordre de Nûr al-Dîn.
1158	Création de l'université de Bologne, la plus ancienne d'Europe.	
1163	Chantier de Notre-Dame de Paris, sous la conduite de Pierre de Montreuil.	
1168-1169		Conquête du Caire par les troupes syriennes menées par Shîrkûh, oncle de Saladin (Salâh al-Dîn), vizir du dernier calife fatimide d'Égypte.
1170-1185		Rédaction par Guillaume, évêque de Tyr, de son *Histoire d'Outremer.*

	Occident	Orient
1171		Abolition du califat chiite des Fatimides ; destruction des palais fatimides du Caire ; dispersion de leur bibliothèque.
1174		Mort de Nûr al-Dîn ; Saladin s'empare de Damas ; naissance de la dynastie ayyoubide.
1181-1185	Chrétien de Troyes écrit *Le Conte du Graal.*	
1180-1223	Philippe Auguste, roi de France : sous son règne, construction du palais du Louvre, résidence royale jusqu'au XVIIe siècle.	
1180-1225		Regain de vigueur du califat abbasside de Bagdad sous le règne d'al-Nâsir.
1183		Saladin maître d'Alep.
1184		Au Caire, achèvement des travaux menés à la citadelle sous le règne de Saladin.
1186		Guy de Lusignan, roi de Jérusalem.
1187		Victoire musulmane à la bataille de Hattîn, capture de la Vraie Croix et du roi Guy ; les troupes de Saladin prennent Acre et d'autres villes ; chute de Jérusalem.
1188	Achèvement du portail de gloire de la cathédrale de Saint-Jacques-de-Compostelle par Maître Mathieu.	
1189-1192		Troisième croisade.
1190	Début de l'édification de la muraille de Paris.	
1191	Richard Cœur de Lion (1189-1199), sur la route de la troisième croisade, s'empare de Chypre, revendue aux Templiers puis aux Lusignan. Fondation de l'ordre des chevaliers teutoniques.	
1192		Richard Cœur de Lion reconquiert Acre ; accord de paix entre Richard et Saladin : la côte revient aux Francs ; Jérusalem et Ascalon, verrou de l'Égypte, aux Ayyoubides.
1193		Mort de Saladin.
1196-1200		Al-'Âdil Ier, frère de Saladin, après avoir écarté ses neveux, s'empare de l'ensemble des territoires ayyoubides.
1200		Al-'Âdil Ier s'empare de l'Égypte ; la capitale ayyoubide est désormais Le Caire.
1204		Quatrième croisade ; prise de Constantinople par les Francs ; établissement de l'Empire latin de Constantinople (1204-1261).
1208-1218	Lutte contre les Cathares dans le comté de Toulouse.	
1209	L'ordre franciscain est reconnu par le pape Innocent III ; création de l'ordre des Dominicains.	
Vers 1210-1231		Ibn al-Athîr rédige *La Perfection des histoires*, insistant sur la poussée franque, de l'Espagne à la Syrie.
1211		Construction de la tour d'entrée de la citadelle d'Alep.

	Occident	Orient
1212	Grave défaite des musulmans face aux chrétiens en Espagne, à la bataille de Las Navas de Tolosa.	
1214	Victoire de Philippe Auguste à la bataille de Bouvines sur l'empereur Othon IV.	
1215	Statuts entérinant la création de l'Université de Paris. Création des universités d'Oxford et de Cambridge.	
1217-1221		Cinquième croisade.
1218-1238		Règne d'al-Kâmil, fils d'al-'Âdil.
1219		Voyage de François d'Assise en Orient ; tentative de conversion d'al-Kâmil.
1220	Frédéric II empereur ; dans son « academia », on traduit abondamment de l'arabe vers le latin.	
1226-1270	Règne de Louis IX (Saint Louis, canonisé en 1297).	
1227	Excommunication de Frédéric II ; il n'en partira pas moins en croisade.	
1227-1229		Sixième croisade.
1228	Canonisation de François d'Assise, deux ans seulement après sa mort.	
1229		Traité de Jaffa entre al-Kâmil et Frédéric II par lequel les Ayyoubides cèdent Jérusalem aux Francs.
1236	Ferdinand III de Castille prend Cordoue.	
1237		Achèvement de la *madrasa* (école) Firdaws à Alep.
1239-1250	Conflit aigu entre la papauté et le Saint Empire romain germanique.	
1241	Début de la construction du port fortifié d'Aigues-Mortes.	
1244		Prise de Jérusalem par les musulmans.
1248	Achèvement de la construction, sur ordre de Louis IX, de la Sainte-Chapelle, châsse monumentale pour les reliques de la Passion rapportées de Constantinople.	
1249		Septième croisade ; Louis IX prend Damiette en Égypte.
1250	Mort de Frédéric II ; début de la dislocation de l'Empire.	Défaite des troupes de Louis IX à Mansûra ; arrivée au pouvoir des Mamlouks.
1252	Frappe de la première grande monnaie d'or à Florence (le florin).	
1258		Prise de Bagdad par les Mongols ; fin du califat abbasside.
1260		Les Mamlouks arrêtent les Mongols à 'Ayn Jalût (la Source de Goliath) en Palestine ; disparition des derniers Ayyoubides de Syrie.
1266	Premier écu d'or en France ; naissance de Giotto.	
1270		Huitième croisade ; mort de Louis IX devant Tunis.
1291		Chute d'Acre, dernier établissement croisé en Terre sainte ; le sultan mamlouk Ibn Qala'un fait rapporter d'Acre un portail d'église gothique qui est intégré à la façade de son complexe architectural édifié au Caire.

Bibliographie

Les abréviations suivantes ont été utilisées dans les notes et références bibliographiques :

A.A.A.S. : Annales Archéologiques Arabes Syriennes
A.N.S.N.N.M. : American Numismatic Society. Numismatic Notes and Monographs
B.S.O.A.S. : Bulletin of the School of Oriental and African Studies
B.E.O. : Bulletin d'études orientales
B.I.F.A.O. : Bulletin de l'Institut Français d'Archéologie Orientale
B.S.N.A.F. : Bulletin de la Société Nationale des Antiquaires de France
B.S.O.A.S. : Bulletin of the School of Oriental and African Studies
C.C.E.C. : Cahier du Centre d'Études Chypriotes
C.I.A. : Matériaux pour un Corpus Inscriptionum Arabicarum
E.I. : Encyclopédie de l'Islam ; **E.I.²** : deuxième édition
J.A. : Journal Asiatique
J.E.S.H.O. : Journal of the Economic and Social History of the Orient
O.S.I.A. : Oxford Studies in Islamic Art
R.C.E.A. : Répertoire chronologique d'épigraphie arabe
S.P.A. : Survey of Persian art
T.O.C.S. : Transactions of the Oriental Ceramic Society

Sources arabes sur les Ayyoubides traduites en français

Charles-Dominque P., *Voyageurs arabes*, Paris, 1995.

Gabrielli F., *Chroniques arabes des croisades*, Paris, 1977, rééd. Paris, 1996.

Al-Harawî, *Guide des lieux de pèlerinage*, trad. J. Sourdel-Thomine, Damas, 1957.

Ibn Jubayr, *Voyages*, trad. M. Gaudefroy-Demombynes, 4 vol., Paris, 1949-1965.

Ibn Shaddâd (Baha al-Dîn), *Description de la Syrie du Nord*, trad. A.-M. Eddé, Damas, 1984.

Al-Isfahânî ('Imâd al-Dîn), *Conquête de la Syrie et de la Palestine par Saladin*, trad. H. Massé, Paris, 1972.

Al-Makin Ibn al-'Amid, *Chronique des Ayyoubides (602-658/1205-6-1259-60)*, trad. A.-M. Eddé et F. Micheau, *Documents Relatifs à l'Histoire des croisades*, Paris, 1994.

Usâma Ibn Munqîdh, *Des enseignements de la vie. Souvenirs d'un gentilhomme syrien du temps des croisades*, trad. A. Miquel, Paris, 1983.

Recueil des historiens des croisades. Historiens orientaux, 5 vol., I (1872), II (1884), III (1887), IV (1898), V (1906), Paris, Académie des inscriptions et belles-lettres.

Abdu l'Haqq, 1951a
Abdu l'Haqq S., « Les fouilles de la Direction générale des Antiquités à Rakka », *A.A.A.S.*, I, 1951, p. 111-121.

Abdu l'Haqq, 1951b
Abdu l'Haqq S., « Le cavalier en céramique glacisée de Raqqa », *A.A.A.S.*, I, 1951, p. 143-144.

Abu l'-Faraj al-Ush, 1976
Abu l'-Faraj al-Ush M., « The Ayyubid Dirhams of az-Zahir Ghazi and al-Adil Abu Bakr Bearing Dates after their Death », *Numismatic Colloquium of the World of Islam Festival*, Londres, 1976, p. 14.

Alexander (dir.), 1996
Alexander D., *Furusiyya*, 2 vol., Riyadh, 1996.

Allan, 1982
Allan J.W., *Islamic Metalwork ; the Nuhad es-Said Collection*, Londres, 1982.

Allan, 1986
Allan J.W., *Islamic Metalwork ; the Aron Collection*, Londres, 1986.

Allan, 1995
Allan J.W., « Investigations into Marvered Glass : I », *Islamic Art in the Ashmolean Museum, O.S.I.A.*, X, 1995, p. 1-30.

Allen, 1988
Allen T., « The Concept of Regional Style », *Five Essays on Islamic Art,* 1988, p. 91-110.

Allen, 1999
Allen T., *Ayyubid Architecture,* Occidental, 1999.

Anglade, 1988
Anglade L., *Catalogue des boiseries de la section islamique,* musée du Louvre, Paris, 1988.

Arik, 2000
Arik R., *Kubad Abad,* Istanbul, 2000.

Ayalon, 1967
Ayalon D., « Hims », *E.I.²,* III, 1967, p. 409-415.

Azarnoush-Maillard, 1980
Azarnoush-Maillard M., *Céramiques islamiques. II. Proche-Orient et Afrique du Nord,* Guide du visiteur, musées royaux d'Art et d'Histoire, Bruxelles, 1980.

Baer, 1981
Baer E., « The Ruler in Cosmic Setting : a note on Medieval Islamic Iconography », *Essays in Islamic Art and Architecture in Honor of K. Otto-Dorn, Islamic Art and Architecture,* vol. I, 1981, p. 13-19.

Baer, 1983
Baer E., *Metalwork in Medieval Islamic Art,* New York, 1983.

Baer, 1989
Baer E., *Ayyubid Metalwork with Christian Images,* Leyde, 1989.

Baghat ; Massoul, 1930
Baghat A. ; Massoul F., *La céramique musulmane de l'Égypte,* Le Caire, 1930.

Balog, 1980
Balog P., « The Coinage of the Ayyubids », *RNS Special Publication,* 12, Londres, 1980.

Baltrusaitis, 1981
Baltrusaitis J., *Le Moyen Âge fantastique, Antiquités et exotismes dans l'art gothique,* Paris, 1981.

Bartoux, 1922
Bartoux J., « Description d'une forteresse de Saladin découverte au Sinaï », *Syria,* III, 1922, p. 44-57.

Bates, 1974
Bates M.L., « Thirteenth-Century Crusader Imitations of Ayyûbid Silver Coinage : A Preliminary Survey », *Near Eastern Numismatics, Iconography, Epigraphy and History. Studies in Honor of George C. Miles,* Beyrouth, 1974, p. 393-409.

Behrens-Abouseif, 1995
Behrens-Abouseif D., *Mamluk and Post-Mamluk Metal Lamps,* Le Caire, 1995.

Blair, 1998
Blair Sh., *Islamic Inscriptions,* Edimbourg, 1998.

Boisthibault, 1857
Boisthibault (Doublet de), « Le verre de Charlemagne », *Revue Archéologique,* XIV, 1857, p. 161-169.

Boudot-Lamotte, 1968
Boudot-Lamotte A., *Contribution à l'étude de l'archerie musulmane principalement d'après le manuscrit d'Oxford Bodléienne Huntington n° 264,* Damas, 1968.

Bresc, 1996
Bresc C., *La frappe de l'atelier monétaire d'Alep à travers l'évolution politique de la ville,* mémoire de maîtrise, Paris, 1996.

Broshi, 1987
Broshi M., « Al-Malek Al-Muazzam Isa-Evidence in a New Inscription », *Eretz Israel,* 19, 1987, p. 299-301 (en hébreu).

Buchtal, 1939
Buchtal H., « The Painting of the Syrian Jacobites in its Relation to the Byzantine and Islamic Art », *Syria,* 20, 1939, p. 136-150.

Buchtal, 1940
Buchtal H., « Hellenistic Miniatures in Early Islamic Manuscripts », *Ars Islamica,* 7, p. 125-133.

Burns, 1992
Burns R., *Monuments of Syria, an Historical Guide,* Londres, 1992.

Cahen, 1940
Cahen Cl., *La Syrie du Nord à l'époque des croisades et la principauté franque d'Antioche*, Paris, 1940.

Cahen, 1948
Cahen Cl., « Un traité d'armurerie composé pour Saladin », *B.E.O.*, XII, 1948, p. 103-163.

Cahen, 1977
Cahen Cl., *Makhzumiyyat. Études sur l'histoire économique et financière de l'Égypte médiévale*, Leyde, 1977.

Cahen, 1983
Cahen Cl., *Orient et Occident au temps des croisades*, Paris, 1983.

Carboni et alii,, 1998
Carboni S., Pilosi L., Wypyski M.T., « A Gilded Enameled Glass Plate in the Metropolitan Museum of Art », *Prehistory and History of Glassmaking Technology, Ceramic and Civilization* 8, 1998, p. 79-102.

Carboni, 1999
Carboni S., « Glass Production in the Fatimid Lands and Beyond », *L'Égypte fatimide, son art et son histoire*, Paris, 1999, p. 169-177.

Carboni, 2001
Carboni S., *Glass from Islamic Lands. The Al-Sabah Collection, Kuwait National Museum*, New York, 2001.

Carboni ; Scanlon, 2001
Voir expositions, New York, 2001.

Casanova, 1923
Casanova P., « La montre de Noûr al-Din », *Syria*, 1923, p. 288-299.

Chamberlain, 1994
Chamberlain M., *Knowledge and Social Practice in Medieval Damascus, 1190-1350*, Cambridge, 1994.

Charier, 1999
Charier C., *Les sgraffiato polychromes en Syrie du XIIe au XIVe siècle*, mémoire de DEA, Université de Paris-IV, 1999.

Clairmont, 1977
Clairmont Ch. W., *Catalogue of Ancient and Islamic Glass*, Athènes, 1977.

Contadini, 1998
Contadini A., « Poetry on Enamelled Glass : the Palmer Cup in the British Museum », *Gilded and Enamelled Glass from the Middle East*, Londres, 1998, p. 56-60.

Coran
Le Coran, trad. et notes par D. Masson, 2 vol., Paris, 1967.

Cornu, 1985
Cornu G., *Atlas du monde arabo-islamique à l'époque classique*, Leyde, 1985.

Cornu, 1993
Cornu G., *Tissus d'Égypte. Témoins du monde arabe. VIIIe-XVe siècles*, Genève, 1993.

Creswell, 1959
Creswell K.A.C., *The Muslim Architecture of Egypt*, Oxford, 1959.

David-Weill, 1931
David-Weill J., *Catalogue général du Musée arabe du Caire : bois à épigraphe*, Le Caire, 1931.

Day, 1950
Day F.E., « Silks of the Near East », *Bulletin of the Metropolitan Museum of Art*, décembre 1950, p. 108-117.

Dhénin ; Thierry, 1991
Dhénin M. ; Thierry F., « Un trésor (ou fragment de trésor) de l'Orient Latin », *Bulletin de la société française de numismatique*, vol. 46, 5, 1991, p. 83-85.

Denoix, 1992
Denoix S., *Décrire le Caire : Fustat-Misr d'après Ibn Duqmaq et Maqrîzî*, Le Caire, 1992.

Devonshire, 1928
Devonshire R.L., « Some Moslem Objects in the Benachi Collection », *The Burlington Magazine*, 53, 1928, p. 196, pl. II c, d.

Dimand, 1957
Dimand M.S., « The Horace Havemeyer Bequest of Islamic Art », *The Metropolitan Museum of Art Bulletin*, mai 1957, p. 208-212.

Ecochard, 1942
Ecochard M. ; Le Cœur C., *Les bains de Damas*, Beyrouth, 1942-1943.

Eddé, 1991
Eddé A.M., « Les relations commerciales entre Alep et Venise au VIIe-XIIIe siècle », *Revue des étudesislamiques*, LIX, 1991, p. 165-186.

Eddé, 1996
Eddé A.M., « Saint Louis et la septième croisade vus par les auteurs arabes », *Croisades et idée de croisade à la fin du Moyen Âge, Cahiers de Recherches médiévales (XIIe-XVe s.)*, 1, 1996, p. 65-92.

Eddé, 1998
Eddé A.M., « La population alépine au XIIIe siècle : origine et diversité ethnique », *Egypt and Syria in the Fatimid, Ayyubid and Mamluk Eras*, II, Louvain, 1998, p. 191-208.

Eddé, 1999
Eddé A. M., *La principauté ayyoubide d'Alep (579/1183 - 658/1260)*, Stuttgart, 1999.

Eddé, 2000
Eddé A. M., « Alep », in J.-C. Garcin, *Grandes villes méditerranéennes du monde musulman médiéval*, Rome, 2000, p. 157-175.

Elisséeff, 1952-1954
Elisséeff N., « La titulature de Nûr al-Dîn d'après ses inscriptions », *B.E.O.*, 1952-1954, p. 155 sq.

Elisséeff, 1959
Elisséeff N., *La description de Damas d'Ibn 'Asâkir*, Damas, 1959.

Ellis, 2001
Ellis, M., *Embroideries and Samplers from Islamic Egypt*, Oxford, 2001.

Errera, 1927
Errera, I., *Catalogue d'étoffes anciennes et modernes*, Bruxelles, 1927.

Erdmann, 1964
Erdmann K., « Keramishe Erwerbungen der Islamischen Abteilung », *Berliner Museen. Berichte aus den Staatlichen Museen der Stiftung Preussischer Kulturbesitz*, 14, 1964, p. 18.

Ehrenkreutz, 1972
Ehrenkreutz A.S., *Saladin*, Albany, 1972.

Ettinghausen, 1962
Ettinghausen R., *La peinture arabe*, Genève, 1962.

Fehérvári, 1976
Fehérvári G., *Islamic Metalwork of the Eighth to the Fifteenth Century in the Keir Collection*, Londres, 1976.

Folsach, 1990
Folsach K. von, *Islamic Art : the David Collection*, Copenhague, 1990.

Folsach, 1991
Folsach K. von, *Fabelvaesener fra Islams Verden*, Copenhague 1991.

Folsach, 2001
Folsach K. Von, *Art from the World of Islam in the David Collection*, Copenhague, 2001.

Fontana, 1994
Fontana M.V., « Iconografia dell'Ahl al-bayt. Immagini di arte persiana dal XII al XX secolo », *Annali dell'Istituto universitario orientale* (supplément), 78, Naples, 1994, p. 26-29.

François, 1999
François V., « Une illustration des romans courtois, la vaisselle de table chypriote sous l'occupation franque », *C.C.E.C.*, 29, Paris, 1999, p. 59-80.

Garcin, 1976
Garcin J. C., *Un centre musulman de la Haute-Égypte médiévale : Qûs*, Le Caire, 1976.

Garcin, 1982
Garcin J.C., « Habitat médiéval et histoire urbaine à Fustât et au Caire », J.-C. Garcin, B. Maury, J. Revault et M. Zakariya, *Palais et maisons du Caire*, I, Paris, 1982.

Garcin, 1990
Garcin J.C. « Quelques questions sur l'évolution de l'habitat médiéval dans les pays musulmans de

Méditerranée », *L'habitat traditionnel dans les pays musulmans autour de la Méditerranée*, II, Le Caire, 1990, p. 369-385.

Garcin, 1991
Garcin J.C., « Le Caire et l'évolution urbaine des pays musulmans à l'époque médiévale », *Annales islamologiques*, XXV, 1991, p. 289-304.

Garcin, 2000
Garcin J.C. (éd.), *Grandes villes méditerranéennes du monde musulman médiéval*, Rome, 2000.

Gaube, 1984
Gaube H. ; Wirth, *Aleppo. Historische und geographische Beiträge zur baulichen Gestaltung, zur sozialen Organisation und zur wirtschaftlichen Dynamik einer vorderasiatischen Fernhandelsmetropole*, 2 vol., Wiesbaden, 1984.

Gauthier, 1984
Gauthier M.M., « Objets d'art du métal en Terre sainte », *B.S.N.A.F.*, 1984, p. 177-184.

Gibb, 1974
Gibb H.A.R., *Saladin : Studies in Islamic History*, Beyrouth, 1974.

Gladiss, 1999
Gladiss A. von, « Medizinische Schalen. Ein islamischen Heilverfahren und seine mittelalterlichen Hilfsmittel », *Damaszener Mitteilungen*, 11, 1999, p. 161-178.

Glück ; Diez, 1925
Glück, H. ; Diez E., *Die Kunst des Islam*, Berlin, 1925.

Golvin, 1995
Golvin L., *La madrasa médiévale*, Aix-en-Provence, 1995.

Gottschalk, 1958
Gottschalk H.L., *Al-Malik al-Kâmil von Egypten und seine Zeit*, Wiesbaden, 1958.

Gourdin ; Martinez-Gros, 2001
Gourdin Ph. ; Martinez-Gros G. et *alii*, *Pays d'islam et monde latin, 950-1250*, Neuilly, 2001.

Grabar, 1961
Grabar O., « Two Pieces of Islamic Metalwork at the University of Michigan », *Ars Orientalis*, 7, 1961, p. 360-368.

Grabar, 1978
Grabar O. et *alii*, *City in the desert*, 2 vol., 1978, Cambridge (Mass.).

Grube, 1955
Grube E.J., *Islamic Paintings from the XIIth to the XVIIIth Century in the Collection of P. Kraus*, New York, 1955.

Grube, 1963
Grube E.J., « Raqqa Keramik in der Sammlung des Metropolitan Museum in New York », *Kunst des Orients*, 4, 1963, p. 42-78.

Grube, 1966
Grube E.J., « Islamic Sculpture : Ceramic Figurines », *Oriental Art*, 12, 1966, p. 1-11.

Grube, 1976
Grube E.J., *Islamic Pottery of the Eighth to the Fifteenth Century in the Keir Collection*, Londres, 1976.

Grube ; Tonghini, 1988-1989
Grube E.J., Tonghini C., « Towards a History of Syrian Islamic Ceramics before 1500 », *Islamic Art*, III, 1988-1989, p. 59-93.

Grube, 1994
Grube E.J. et *alii*, *Cobalt and lustre*, The Nasser D. Khalili Collection of Islamic Art, IX, Londres, 1994.

Hartner, 1977
Hartner W., « Djawzhar », *E.I.²*, vol. II, 1977, p. 514-515.

Hennequin ; Abu l'-Faraj al-Ush, 1978
Hennequin G. ; Abu l'-Faraj al-Ush M., *Les monnaies de Balis*, Damas, 1978.

Herz, 1906
Herz M., *Catalogue raisonné des monuments exposés dans le musée national de l'Art arabe*, 2ᵉ éd., Le Caire, 1906.

Hillenbrand, 1999
Hillenbrand C., *The Crusades. Islamic Perspectives*, Edimbourg, 1999.

Humphreys, 1977
Humphreys R.S., *From Saladin to the Mongols. The Ayyubids of Damascus, 1193-1260*, New York, 1977.

Humphreys, 1994
Humphreys R.S., « Women as Patrons of Religious Architecture in Ayyubid Damascus », *Muqarnas*, 11, 1994, p. 35-54.

James, 1992
James D., *The Master Scribes : Qur'ans of the 11th to 14th Centuries AD*, The Nasser D. Khalili Collection of Islamic Art, Londres, 1992.

Jerphanion, 1940
Jerphanion, G. de, *Les miniatures du manuscrit syriaque N° 559 de la bibliothèque Vaticane*, Cité du Vatican, 1940.

Jenkins, s. d.
Jenkins M., « Islamic Pottery : a Brief History », *The Metropolitan Museum of Art Bulletin*, XL, s. d.

Jenkins, 1992
Jenkins M., « Early Medieval Islamic Pottery : the Eleventh Century Reconsidered », *Muqarnas*, IX, 1992, p. 56-66.

Joel, 1983
Joel G., *Catalogue raisonné des céramiques du monde iranien jusqu'au XIe siècle et du Proche-Orient arabe jusqu'au milieu du XIIe siècle au Musée national de la céramique de Sèvres*, non publié, Mémoire de troisième cycle de l'École du Louvre, 1983, 3 vol. (T. 3 : céramiques syriennes d'époque ayyoubide).

Katzenstein ; Lowry, 1983
Katzenstein R. ; Lowry G., « Christian Themes in Thirteenth-Century Islamic Metalwork », *Muqarnas*, I, 1983, p. 53-68.

Kenesson, 1998
Kenesson S., « Islamic Enamelled Beakers : a New Chronology », *Gilded and enamelled glass from the Middle East*, Londres, 1998, p. 45-48.

Khouli, 1975
Khouli M., « Antiquités de la céramique ayyoubbide au Musée de Damas », *A.A.A.S.*, 25, 1975, p. 151-157.

Kramarovsky, 1998
Kramarovsky M., « The Import and Manufacture of Glass in the Golden Horn », *Gilded and Enamelled Glass from the Middle East*, Londres, 1998, p. 96-100.

Kubiac, 1969
Kubiac W. B., « Overseas Pottery Trade of Medieval Alexandria as Shown by Recent Archaeological Discoveries », *Folia Orientalia*, t. X, 1969, p. 5-30.

Kühnel, 1927
Kühnel E., *Islamische Stoffe aus Ägyptischen Gräbern*, Berlin, 1927.

Kühnel, 1963
Kühnel E., *Islamische Kleinkunst*, Brunswick, 1963.

Lamm, 1930
Lamm C.J., *Mittelalterliche gläserund Steinschnittarbeiten aus den Nahen Osten*, Berlin, 1930.

Lamm, 1941
Lamm C.J., *Oriental Glass of Mediaeval Date Found in Sweden and the Early History of Lustre-Painting*, Stockholm, 1941.

Lane, 1937-1938
Lane A., « The early sgraffito Ware of the Near East », *T.O.C.S.*, 15, 1937-1938, p. 33-54.

Lane, 1938
Lane A., « Medieval Finds at el-Mina in North Syria », *Archeologia*, LXXXVII, 1938, p. 19-78.

Lane, 1947
Lane A., *Early Islamic Pottery*, Londres 1947.

Lapidus, 1974
Lapidus I.M., « Ayyubid Religious Policy and the Development of Schools of Law in Cairo », in *Colloque international sur l'histoire du Caire, 1969*, Leipzig, 1974, p. 279-285.

Legner, 1964
Legner A., « Islamische Keramik in Resafa », *A.A.A.S.*, XIV, 1964, p. 89-108.

Lev, 1999
Lev Y., *Saladin in Egypt*, Leyde, 1999.

Levy-Rubin, 1999
Levy-Rubin M., « The Crusader Maps of Jerusalem », *Knights of the Holy Lands, Crusader Kingdom of Jerusalem*, Jérusalem, The Isreal Museum, 1999, p. 231-237.

Lings ; Safadi, 1976
Lings M. ; Safadi Y. H., *The Qur'ân*, Londres, 1976.

Lowick, 1970
Lowick N. M., « Feudalism in Syria : An Ayyubid Silver Hoard », *Numismatic Circular* 79, octobre 1970, p. 358-359.

Mac Kenzie, 1992
Mac Kenzie N. D., *Ayyubid Cairo*, Le Caire, 1992.

Madison; Savage-Smith, 1997
Madison F., Savage-Smith E., *Science, Tools and Magic*, The Nasser D. Khalili Collection of Islamic Art, XII, Londres, 1997.

Makariou, 2001
Makariou S., « L'arrivée des objets islamiques dans l'Occident Chrétien », *Pays d'islam et monde latin, 950-1250*, Ph. Gourdin, G. Martinez-Gros (éd.), Neuilly, 2001, p. 115-124.

Mason, 1997
Mason R.B., « Medieval Syrian Lustre-Painted and Associated Wares : a Typology in a Multidisciplinary Study », *Levant*, XXIX, 1997, p. 169-200.

Mayer, 1939 a
Mayer L.A., « A Glass Bottle of the Atabak Zangi », *Iraq*, 6, 1939, p. 101-103.

Mayer, 1939 b
Mayer L.A., « Mamluk Playing Cards », *B.I.F.A.O.*, XXXVIII, 1939, p. 113-117.

Mayer, 1952
Mayer L.A., *Mamluk Costume. A Survey*, Genève, 1952.

Mayer, 1956
Mayer L.A., *Islamic Astrolabists and their Works*, Genève, 1956.

Mayer, 1959
Mayer L.A., *Islamic Metalworkers and their Works*, Genève, 1959.

Meinecke, 1995
Meinecke M., « Rakka », *E.I.²*, VIII, 1995, p. 424.

Melikian, 1982
Melikian Chirvani A.S., *Islamic Metalwork from the Iranian World, 8th-18th century*, Londres, 1982.

Micheau, 1994
Micheau F., « Croisades et croisés vus par les historiens arabes chrétiens d'Égypte », *Res Orientales, Itinéraires d'Orient, Hommages à Claude Cahen*, VI, 1994, p. 169-185.

Migeon, 1907
Migeon G., *Manuel d'art musulman, II, les arts plastiques et industriels*, Paris, 1907.

Migeon, 1913
Migeon G., « Note d'archéologie musulmane, acquisitions nouvelles du musée du Louvre », *Gazette des Beaux-Arts*, 1913, 2.

Miles, 1939
Miles G.C., « The Ayyubid Dynasty of the Yaman and their Coinage », *Numismatic Chronicle*, 1939, p. 62-97.

Millwright, 2001
Millwright M., « Gazetteer of Archeological Sites in the Levant Reporting Pottery of the Middle Islamic period (ca. 1100-1160) », *Islamic Art*, V, 2001, p. 3-41.

Mitchell Brown, 1974
Mitchell Brown H., « Some Reflections on the Figured Coinage of the Artuqids and Zengids », *Near Eastern Numismatics, Iconography, Epigraphy and History. Studies in Honor of George C. Miles*, Beyrouth, 1974, p. 353-358.

Moaz, 1991
Moaz A., *Les madrasas de Damas et d'al-Sâlihiyya depuis la fin du V/XIe siècle jusqu'au milieu du VII-XIIIe siècle,* thèse dact., Aix-en-Provence, 1990.

Mota, 1988
Mota M.M., *Louças seljùcidas. Catalogo das louças islâmicas,* Lisbonne, Fondation Calouste Gulbenkian, 1988.

Mouliérac, 1999
Mouliérac J., *Céramiques du monde musulman, collections de l'Institut du monde arabe et de J.-P. et F. Croisier,* Paris, 1999.

Mouton, 1995
Mouton J.M., « La forteresse de l'île de Graye (Qal'at Ayla) à l'époque de Saladin. Étude épigraphique et historique », *Annales islamologiques,* XXIX, 1995, p. 75-90.

Nègre, 1980
Nègre A., « Les monnaies de Mayadin : mission franco-syrienne de Rahba-Mayadin », *B.E.O.,* 1980-81, p. 201-263.

O'Kane, 2000
O'Kane B., « Domestic and Religious Architecture in Cairo : Mutual Influences », *The Cairo Heritage, Essays in Honor of Laila Ali Ibrahim,* Le Caire, 2000, p. 149-182.

Öney, 1974
Öney G., « Kubadab Ceramics », *The Arts of Iran and Anatolia from the 11th to the 13t^h Century A.D.,* Londres, 1974, p. 68-84.

Otavsky ; 'Abbâs, 1995
Otavsky, K. ; 'Abbâs, M.S., *Mittelalterliche Textilien I. Ägypten, Persien und Mesopotamien, Spanien und Nordafrika,* Berne, 1995.

Pauty, 1933
Pauty E., *Les hammams du Caire,* Le Caire, 1933.

Philon, 1980
Philon H., *Early Islamic Ceramics,* Athènes, 1980.

Philon, 1983
Philon H., « A Mamluk Deposition from the Cross », *Graeco-arabica,* 1983, p. 265-274.

Philon, 1985
Philon H., « Stems, Leaves and Water-Weeds : Underglaze-Painted Pottery in Syria and Egypt », *The Art of Syria and the Jazirâ, 1100-1250, O.S.I.A.,* I, 1985, p. 113-126.

Pinoteau, 1984
Pinoteau H., « Une coupe héraldique trouvée en Syrie », *B.S.N.A.F.,* 1984, p. 155-177.

Pinder-Wilson ; Scanlon, 1973
Pinder-Wilson R. H. ; Scanlon T., « Glass Finds from Fustât », *Journal of Glass Studies,* XV, 1973, p. 72-82.

Porter, 1981
Porter V., *Medieval Syrian Pottery,* Oxford, 1981.

Porter ; Watson, 1987
Porter V. ; Watson O., « 'Tell Minis' Wares », *Syria and Iran : Three Studies in Medieval Ceramics, O.S.I.A.,* IV, Oxford, 1987, p. 125-248.

Poulsen, 1970
Poulsen V., « Islamisk Fayence fra Syrien », *Fjerde del Jubilaeumsskift, 1945-70,* Copenhague, 1970, p. 257-292.

Pouzet, 1988
Pouzet, *Damas au VIIe-XIIIe siècle : vie et structure religieuse dans une métropole islamique,* Beyrouth, 1988.

Pozza, 1990
Pozza M., *I trattati con Aleppo 1207-1254,* Venise, 1990.

Pringle, 1985
Pringle D., « Medieval Pottery from Caesarea : the Crusader Period », *Levant,* XVII, 1985, p. 171-202.

Rabie, 1972
Rabie H., *The Financial System of Egypt, 564-741/1169-1341,* Londres, 1972.

Raphael, 1999
Raphael K., « Crusader Arms and Armor », *Knights of the Holy Land, Crusader Kingdom of Jerusalem*, The Israel Museum, Jérusalem, 1999, p. 149-159.

Reitlinger, 1951
Reitlinger G., « Unglazed Relief Pottery from Northern Mesopotamia », *Ars Islamica*, 15-16, p. 11-22.

Rice, 1949
Rice D.S., « The Oldest Dated "Mosul" Candlestick. A.D. 1225 », *The Burlington Magazine*, décembre 1949, p. 334-340.

Rice, 1952
Rice D.S., « Studies in Medieval Harran », *Anatolian studies*, II, 1952, p. 36-84.

Rice, 1957
Rice D.S., « Inlaid Brasses from the Workshop of Ahmad al-Dhakî al-Mawsilî », *Ars Orientalis*, 3, 1957, p. 283-326.

Richard D., 1973
Richard D., « The Early History of Saladin », *The Islamic Quarterly*, 17, 1973, p. 140-159.

Richard J., 1996
Richard J., *Histoires des croisades*, Paris, 1996.

Riis ; Poulsen, 1957
Riis P.J. ; Poulsen V., *Hama, fouilles et recherches de la fondation Carlsberg, 1931-1938*, 4 vol. (t. IV^2 : *Les verreries et poteries médiévales*), Copenhague, 1957.

Riley-Smith, 1996
Riley-Smith J., *Atlas des croisades*, Paris, 1996.

Robinson ; Grube et alii, 1976
Robinson B.W. ; Grube E.J. et *alii*, *Islamic Painting and the Arts of the Book*, Londres, 1976.

Rousseau, 1817
Rousseau J.-L., *Catalogue d'une collection de cinq cent manuscrits orientaux*, Paris, 1918.

Romanovitch Rosen, 1881
Romanovitch Rosen V., *Notices sommaires des manuscrits arabes de Musée asiatique*, première livraison, Saint-Pétersbourg, 1881.

Saadé, 1968
Saadé G., « Histoire du château de Saladin », *Studi Medievali*, 3e série, IX, 1968, p. 979-1016.

Sack, 1989
Sack, *Damaskus, Entwicklung und Struktur einer Orientalisch-Islamischen Stadt*, Mayence, 1989.

Sarre, 1912-1913
Sarre F., « Neuerwerbungen der Islamischen Kunstabteilung », *Berliner Museen. Amtliche Berichte aus den Königlichen Kunstsammlungen*, 34, 1912-1913, p. 68.

Sarre, 1927
Sarre F., « Drei Meisterwerke syrischer Keramik. Neuerwerbungen der Islamischen Kunstabteilung », *Berliner Museen. Berichte aus den Preussischen Kunstsammlungen*, 48, 1927, p. 8.

Sauvaget, 1931
Sauvaget J., « Inventaire des monuments musulmans de la ville d'Alep », *Revue des Études islamiques*, V, 1931, p. 59-114.

Sauvaget, 1932 a
Sauvaget J., *Les monuments historiques de Damas*, Beyrouth, 1932.

Sauvaget, 1932 b
Sauvaget J., *Poteries syro-mésopotamiennes du XIVe siècle*, Paris, 1932.

Sauvaget, 1934 a
Sauvaget J., « Esquisse d'une histoire de la ville de Damas », *Revue des Études islamiques*, VIII, 1934, p. 422-480.

Sauvaget, 1934 b
Sauvaget J., « L'architecture musulmane en Syrie », *Revue des arts asiatiques*, X, 1934, p. 19-51.

Sauvaget, 1938-1950
Sauvaget J. ; Ecochard M. ; Sourdel-Thomine J., *Les monuments ayyoubides de Damas*, 4 fasc., Paris, 1938-1950.

Sauvaget, 1939
Sauvaget J., « Caravansérails syriens du Moyen Âge », I, « Caravansérails ayyoubides », *Ars Islamica*, VI, 1939, p. 48-55.

Sauvaget, 1941
Sauvaget J., *Alep, Essai sur le développement d'une grande ville syrienne, des origines au milieu du XIXe siècle*, Paris, 1941.

Sauvaget, 1948
Sauvaget J., « Tessons de Rakka », *Ars Islamica*, 13-14, 1948, p. 31-45.

Savage-Smith, 1985
Savage-Smith E., *Islamicate Celestial Globes, their History, Construction and Use*, Washington D.C., 1985.

Sayed, 1987
Sayed H. F., « The Development of the Cairene Qâ'a : some Considerations », *Annales islamologiques*, XXIII, 1987, p. 31-53.

Scanlon, 1998
Scanlon G., « Lamm's Classification and Archaeology », *Gilded and Enamelled Glass from the Middle East*, Londres, 1998, p. 27-29.

Sharon, 1977
Sharon M., « The Ayyubid Walls of Jerusalem, A new Inscription from the time of al-Mu'azzam 'Isa », *Studies in Memory of Gaston Wiet*, Jerusalem 1977, p. 179-193.

Sivan, 1966
Sivan E., « La genèse de la contre-croisade : un traité damasquin du début du XIIe siècle », *J. A.*, CCLIV, fasc. 2, 1966, p. 197-224.

Sivan, 1967
Sivan E., « Notes sur la situation des chrétiens à l'époque ayyoubide », *Revue de l'histoire des religions*, CLXII, 1967, 117-130.

Sivan, 1968
Sivan E., *L'islam et la croisade : idéologie et propagande dans les réactions musulmanes aux croisades*, Paris, 1968.

Smith, 1995
Smith G.R., « Have you Anything to Declare ? Maritime Trade and Commerce in Ayyubid Aden, Practices and Taxes », *Proceedings of the Seminar for Arabian Studies*, XXV, 1995, p. 127-141.

Sourdel-Thomine, 1960
Sourdel-Thomine J., « Bâlis », *E.I.²*, I, 1960, p. 1026-1027.

Sourdel, 1949-1951
Sourdel D., « Les professeurs de madrasa à Alep aux XIIe-XIIIe siècles d'après Ibn Shaddâd », *B.E.O.*, XIII, 1949-1951, p. 85-115.

Sourdel, 1952
Sourdel D., « Esquisse topographique d'Alep intra-muros à l'époque ayyoubide », *A.A.A.S.*, II, 1952, p. 109-133.

Sourdel, 1965
Sourdel D., « Hamât », *E.I.²*, III, 1965, p. 122-124.

Sourdel J., 1971
Sourdel J., « Hammam », *E.I.²*, III, 1971, p. 142-147.

Sourdel J., 1976
Sourdel J., « Locaux d'enseignement et madrasas dans l'Islam médiéval », *Revue des Études islamiques*, 44, 1976, p. 165-184.

Soustiel, 1985
Soustiel J., *La céramique islamique*, Fribourg, 1985.

Stern, 1964
Stern M.S., « Petitions from the Ayyubid Period », *B.S.O.A.S.*, XXVII, 1964, 1-32.

Tabbaa, 1997
Tabbaa Y., *Constructions of Power and Piety in Medieval Aleppo*, Philadelphie, 1997.

Tonghini, 1994
Tonghini C., « Ayyubid ceramics », in Grube, 1994.

Tonghini, 1998
Tonghini C., *Qal'at Jabar Pottery, a Study of a Syrian Fortified Site of the Late 11th and 14th Centuries*, New York, 1998.

Ulbert, 1993
Ulbert Th., « Resafa-Sergiopolis : fouilles récentes dans une ville de pèlerinage syrienne », *Syrie, mémoire et civilisation*, Paris, 1993, p. 341-345.

Van Berchem, 1894
Van Berchem M., *Matériaux pour un corpus* Inscriptionum Arabicarum : *Égypte*, *C.I.A.*, 3 vol., Paris, 1894, 1900, 1903.

Van Berchem, 1904
Van Berchem M., « Notes d'archéologie arabe III », *J.A.*, 1904.

Van Raemdonck et alii, 1999
Van Raemdonck, M., Bunch, L. et Van Den Haute, P., « A Raqqa Lustre Dish Examined », *Bulletin des musées royaux d'Art et d'Histoire,* 70, Bruxelles, 1999, p. 135-148.

Vente Goupil, 1888
Collection Albert Goupil, catalogue de vente, Paris, Hôtel Drouot, 24-27 avril 1888.

Waagé, 1948
Waagé Fr., *Antioch on the Orontes IV, Ceramics and Islamic Coins,* Princeton, 1948.

Ward, 1993
Ward R., *Islamic Metalwork,* Londres, 1993.

Watson, 1985
Watson O., *Persian Lustre Ware,* Londres, 1985.

Watson, 1994
Watson O., « Documentary Mina'i and Abu Zaid's Bowls », *The Art of the Saljuqs in Iran and Anatolia,* Costa Mesa, 1994, p. 170-180.

Wiet, 1922 a
Wiet G., « Les inscriptions arabes de Damas », *Syria,* III, 1922, p. 153-163.

Wiet, 1922 b
Wiet G., « Les inscriptions de Saladin », *Syria,* III, 1922, p. 307-328.

Wiet, 1922 c
Wiet G., « Les inscriptions arabes de la Qal'ah Guindi », *Syria,* III, 1922, p. 145-163.

Wiet, 1929
Wiet G., *Catalogue général du Musée arabe du Caire* : *lampes et bouteilles en verre émaillé,* Le Caire, 1929.

Wiet, 1931
Wiet G., « Un nouvel artiste de Mossoul », *Syria,* XII, 1931, p. 160-162.

Wiet, 1932
Wiet G., *Catalogue général du Musée arabe du Caire : objets en cuivre,* Le Caire, 1932.

Wiet, 1931
Wiet G., « Une inscription de Malik Zahir Gazi à Latakieh », *B.I.F.A.O.*, 1931, p. 273.

Wiet, 1958
Wiet G., « Inscriptions mobilières de l'Égypte musulmane », *J.A.*, CCXLXI, 1958.

Wiet, 1971
Wiet G., *Catalogue général du musée d'Art islamique du Caire : inscriptions historiques sur pierre,* Le Caire, 1971.

Wulff ; Volbach, 1926
Wulff, O. ; Volbach, W. F., *Spätantike und Koptische Stoffe aus Ägyptischen Grabfunden,* Berlin, 1926.

Expositions

Alexandrie, 1925
Les amis de l'art : exposition d'art musulman, Alexandrie, 1925.

Amiens, 2000
Konya et le règne des Seldjoukides, Amiens, musée de Picardie, 2000.

Amsterdam, 1999
Earthly Beauty, Heavenly Art, Amsterdam, 1999.

Ann Arbor, 1959
Persian Art before and after the Mongol Conquest, Ann Arbor (Michigan), 1959.

Athènes, 1980
Islamic Art, Athènes, musée Benaki, 1980.

Berlin, 1971-1979
Katalog Museum für Islamische Kunst, Berlin, 1971, rééd. 1979.

Berlin, 1980
Kunst der Welt in den Berliner Museen, Berlin, Museum für Islamische Kunst, 1980.

Berlin, 1981
The Arts of Islam, Masterpieces from the Metropolitan Museum of Art, Berlin, Staatliche Museen Preussischer Kulturbesitz, 1981.

Berlin, 1982
Land des Baal, Berlin, Museum für Islamische Kunst, 1982.

Copenhague, 1970
Fjerde der Jubilaeumsskrift, Copenhague, Davids Samling, 1970.

Copenhague, 1996
Sultan, Shah, and Great Mughal, Copenhague, The National Museum, 1970.

Damas, 1976
Musée national de Damas, département des Antiquités arabes islamiques, Damas, 1976.

Düsseldorf, 1973
Islamische Keramik, Düsseldorf, 1973.

Genève, 1981
Céramiques islamiques dans les collections genevoises, Genève, musée Rath, 1981.

Humlebaek, 1987
Art from the World of Islam 8th-18th Century, Humlebaek, 1987.

Jérusalem, 1999
Knights of the Holy Land, Crusader Kingdom of Jerusalem, Jérusalem, The Israel Museum, 1999.

Kassel, 1999
Türkis und Azur. Quarzkeramik in Orient und Okzident, Kassel, 1999.

Krefeld, 1960
Arabische Seiden. Ursprung und Ausstrahlung, Krefeld, 1960.

Le Caire, 1969
Exhibition of Islamic Art in Egypt, 969-151, Le Caire, Sémiramis Hotel, 1969.

Le Caire, 1930
Album du musée du Caire, Le Caire, 1930.

Linz, 1993
Syrien, von der Apostolen zu der Kalifen, Linz, Stadtmuseum Nordico, 1993.

Lisbonne, 1963
L'art de l'Orient islamique. Collections de la fondation Calouste Gulbenkian, Lisbonne, Museu national de arte antigoa, 1963.

Londres, 1931
Persian Art, Londres, Royal Academy of Arts, 1931.

Londres, 1969
Islamic Pottery 800-1400, Londres, Victoria and Albert Museum, 1969.

Londres, 1976
The Arts of Islam, Londres, Hayward Gallery, 1976.

Londres, 1983
Oriental Art in the Victoria and Albert Museum, Londres, 1983.

Londres, 1987
Age of Chivalry. Art in the Plantagenet England 1200-1400, Londres, Royal Academy of Arts, 1987.

Marcq-en-Barœul, 1979
Art en pays d'Islam, Fondation Anne et Albert Prouvost, Marcq-en-Barœul, 1979.

Munich, 1910
Aussstellung von Meisterwerken Muhammadanischer Kunst, Munich, 1910.

New York, 1997
The Glory of Byzantium : Art and Culture of the Middle Byzantine Era A.D. 843-1261, New York, The Metropolitan Museum of Art, 1997.

New York, 2001
Glass of the Sultans, S. Carboni et D. Whitehouse (éd.), New York, The Metropolitan Museum of Art, 2001.

Oxford, 1981
Eastern Ceramics, Oxford, Ashmolean Museum, 1981.

Paris, 1965
Trésor des églises de France, Paris, musée des Arts décoratifs, 1965.

Paris, 1971
Arts de l'Islam des origines à 1700 dans les collections publiques françaises, Paris, Orangerie des Tuileries, 1971.

Paris, 1977
L'Islam dans les collections nationales, Paris, Grand Palais, 1977.

Paris, 1983
Au pays de Baal et d'Astarté, Paris, musée du Petit Palais, 1983.

Paris, 1988
voir **Anglade, 1988**.

Paris, 1989
Arabesques et Jardins de Paradis, Paris, musée de Louvre, 1989.

Paris, 1991
La France aux portes de l'Orient, Chypre XIIe-XVe *siècle*, Paris, Mairie du 5e, 1991.

Paris, 1991 b
Des mécènes par milliers, Un siècle de dons par les Amis du Louvre, Paris, musée du Louvre, 1991.

Paris, 1992
Byzance, l'art byzantin dans les collections publiques françaises, Paris, musée du Louvre, 1992.

Paris, 1993 b
Tissus d'Égypte – Témoins du monde arabe – VIII-XVe *siècles*, Paris, Institut du monde arabe, 1993.

Paris, 1993
Syrie, mémoire et civilisation, Paris, Institut du monde arabe, 1993.

Paris, 1996
À l'ombre d'Avicenne, La médecine au temps des califes, Paris, Institut du monde arabe, 1996.

Paris, 1998
L'Apparence des cieux ; astronomie et astrologie en terre d'islam, Paris, musée du Louvre, 1998.

Paris, 2001
L'Étrange et le Merveilleux en terres d'islam, Paris, musée du Louvre, 2001.

Québec, 1999
Syrie, terre de civilisations, Québec, Musée de la civilisation.

Rimini, 1993
L'Eufrate e il Tempo, Rimini, Sala dell'Arengo e Palazzo del Podestà, 1993.

Riyadh, 1985
The Unity of Islamic Art, Riyadh, The King Faisal Center for research and islamic studies, 1985.

Saint-Jacques-de-Compostelle, 2000
Memorias do imperio Arabe, Saint-Jacques-de-Compostelle, Auditorio de Galicia, 2000.

Venise, 1993-1994
Eredità dell'Islam, Arte islamica in Italia, Venise, Palazzo Ducale, 1993-1994.

Washington D.C., 1981
Renaissance of Islam, Art of the Mamluks, Washington D.C., National Museum of Natural History, Smithsonian Institution, 1981.

Washington D.C., 1985
Islamic Metalwork in the Freer Gallery of Art, Washington D.C., Freer Gallery of Art, Smithsonian Institution, 1985.

Table de répartition
des notices par techniques

Armements
70, 71, 72, 73, 74

Bois
35, 36, 37, 38, 112, 228, 229, 230, 231, 232, 233

Céramiques
33, 34, 39, 44, 51, 52, 53, 54, 55, 56, 69, 75, 76, 77, 78, 79, 102, 103, 104, 107, 108, 109, 110, 111, 127, 128, 129, 130, 131, 132, 133, 134, 135, 136, 137, 138, 139, 140, 141, 142, 143, 144, 145, 146, 147, 148, 149, 150, 151, 152, 153, 154,155, 156, 157, 158, 159, 160, 161, 162, 163, 164, 165, 166, 167, 168, 169, 170, 171, 172, 173, 174, 175, 176, 177, 178, 179, 180, 181, 182, 183, 184, 214, 226, 234

Monnaies
2, 3, 4, 5, 6, 7, 8, 9, 10, 11, 12, 13, 14, 15, 16, 17, 18, 19, 20, 21, 22, 23, 24, 25, 26, 27, 28, 80, 81, 82, 83, 84

Jetons en verre
29, 30, 31

Manuscrits
60, 61, 63, 64, 65, 90, 105, 106, 215, 216, 217, 218, 219

Métaux
41, 42, 43, 85, 86, 87, 88, 89, 96, 97, 98, 99, 100, 101, 113, 114, 115, 116, 117, 118, 119, 120, 121, 122, 123, 124, 125, 126, 220, 221, 222, 223, 224

Dessins sur papier
40, 62, 225

Pierre
1, 32, 58, 59, 66, 67, 68, 211, 212, 213, 227

Stuc
210

Textiles
45, 46, 47, 48, 49, 50

Verres
57, 91, 92, 93, 94, 95, 185, 186, 187, 188, 189, 190, 191, 192, 193, 194, 195, 196, 197, 198, 199, 200, 201, 202, 203, 204, 205, 206, 207, 208, 209

Crédits photographiques
des notices suivant la numérotation du catalogue

A. C. Cooper Ltd, Londres : 40, 101, 118, 121, 161, 218, 219
Annick Neveux-Leclerc : 128, 179, 188
Anwar Abdel Ghafour : 1, 4 à 12, 14 à 28, 32, 39, 44, 57, 58, 66, 70, 71, 80 à 89, 127, 129 à 134, 139, 142, 150, 155 à 157, 159, 160, 168, 170, 185 à 187, 202, 217
Archivio di Stato in Venezia, su concessione del Ministero per i Beni e le Attività Culturali : 105
Bayerische Staatsbibliothek : 106
Bibliothèque municipale, Boulogne-sur-Mer : 64
Bibliothèque nationale de France : 220
© 1996, The Metropolitan Museum of Art : 97
© 2000, The Metropolitan Museum of Art : 45
© 2001, The Metropolitan Museum of Art : 36, 146, 147, 165, 176, 234
© 2001 Museum of Fine Arts, Boston : 115
© Ashmolean Museum, Oxford : 143, 148, 149, 153, 154, 177, 184, 189, 197
© Biblioteca Apostolica Vaticana : 90
© Bodleian Library, Oxford : 60
© KIK – IRPA, Bruxelles : 48
© KMKG – MRAH, Bruxelles : 180
© Luciano Pedicini / Archivio dell'Arte: 43
© Musée de l'Ermitage, Saint-Pétersbourg : 98
© Ole Woldbye : 51, 52, 56, 152, 158, 169, 182
© R.M.N. / Hervé Lewandowski : 41
© R.M.N. : 42, 125, 145
© The British Museum : 2, 3, 13, 29 à 31, 62, 75, 96, 124, 205, 222
Courtesy of the Freer Gallery of Art, Smithsonian Institution, Washington, D.C. : 198
Fondation Calouste Gulbenkian / Reinaldo Viefas : 171, 173 à 175
IMA / Dorrit Kröner : 225
IMA / Elisabeth Savel : 77, 136, 167
IMA / Philippe Maillard : 214, 226
Institut d'études orientales, Saint-Pétersbourg : 61, 65
Institut de France, musée Jacquemart-André : 117
Mariana Salzberger / Israel Antiquities Authorities : 67, 72 à 74
Médiathèque municipale, Cambrai : 63
Muhammad Roumi (photothèque IMA) : 53
Musée Benaki / Spyridon Panagiotopoulos : 35, 37, 38, 91 à 95, 102, 207 à 209
Musée de Chartres / François Velard : 203
Musée des Arts décoratifs, Paris / photo : Laurent-Sully Jaulmes. Tous droits réservés : 99, 100
Nasser D. Khalili Collection of Islamic Art : 54, 55, 69, 114, 166, 199 à 201, 205, 206, 221, 223
National Council for Culture, Arts and Heritage, Doha : 47, 49, 50, 123, 126, 172, 178
Philippe Maillard : 59, 68, 76, 78, 79, 103, 104, 107 à 112, 116, 119, 120, 122, 135, 137, 138, 141, 144, 151, 162 à 164, 204, 206, 210 à 213, 227 à 233
Staatliche Museen zu Berlin – Preussischer Kulturbesitz, Museum für Islamische Kunst / G. Niedermeiser : 33, 34, 46, 140, 183, 224
Staatliche Museen zu Berlin – Preussischer Kulturbesitz, Museum für Islamische Kunst / Anatol Dreyer : 181
The Cleveland Museum of Art, John L. Severance Fund : 113
The Corning Museum of Glass : 190 à 196

Table des matières

L'art ayyoubide

La vie de l'esprit

Achevé d'imprimer
en octobre 2001 sur les presses de l'imprimerie CPM, Milan
Composition: Interligne, Liège
Photogravure: Arciel Graphic, Vérone

ISBN: 2-07-011706-5 (pour l'édition reliée)
ISBN: 2-84306-082-6 (pour l'édition brochée)
Dépôt légal: octobre 2001
Imprimé en Italie

04331